W9-DJM-809

ALEX CAPUS

SUSANNA

Roman

Hanser

1. Auflage 2022

ISBN 978-3-446-27396-2

Umschlag: Peter-Andreas Hassiepen, München
Motiv: Brooklyn Bridge, New York City, USA,
The Whiting View Company, 1905 / Library of Congress
Satz im Verlag
Druck und Bindung: CPI books GmbH, Leck
Printed in Germany

MIX
Papier aus verantwortungs-
vollen Quellen
FSC® C083411

SUSANNA

DER WILDE MANN

Da war dieses Mädchen. Ich wünschte, ich hätte sie gekannt. Ich wünschte, ich wäre schon auf der Welt gewesen, als sie dem Pferdeknecht Anton Morgenthaler, der doppelt so groß, dreimal so breit und fünfmal so schwer war wie sie, in einem Akt entschlossener Notwehr mit dem rechten Zeigefinger das linke Auge ausstach.

Sie hieß Susanna Faesch und war fünf Jahre alt an jenem Januarmorgen, an dem sie an der Hand ihrer Mutter aus dem Haus trat. Es war ein schönes Haus. Susannas Familie war eine der reichsten und ältesten der Stadt. Sie trug einen grauen Filzmantel, eine grüne Wollmütze und zwei schwarze Zöpfe, und sie hatte die gleichen weiten, dunklen Augen wie ihre Mutter und die gleiche helle Stirn.

Im Morgengrauen war ein dünner, kalter Regen auf die Stadt niedergegangen. Die Dächer glänzten. In den Pfützen spiegelten sich Wolken, die rasch vorüberzogen. Die Straße war voller Leute. Alle liefen in dieselbe Richtung. Schwarz gewichste Schuhe, schwarz-graue Röcke, schwarz-grau gestreifte Hosenbeine. Steife Hüte, spitzenbesetzte Bänderhauben. Offene Münder, die kleine Atemwolken ausstießen. Männer, die mit Spazierstöcken im Takt ihrer Schritte aufs Pflaster schlugen. Frauen, die mit eingerollten Regenschirmen anderen Frauen zuwinkten. Susannas Mutter winkte niemandem. Sie blieb vor der Tür stehen, als hätte sie etwas vergessen und versuchte, sich zu erinnern, was es war.

Das Mädchen zog sie an der Hand.

»Wollen wir gehen, Mama?«

Ihr Vater war vorausgegangen ins Zunftlokal. Es gab dort eine lange Tafel mit vielen Stühlen ringsum. Bei einem war der Name des Vaters in die Lehne geschnitzt. Die Brüder des Mädchens warteten schon am Rhein und warfen Kiesel ins Wasser.

Die ganze Stadt war auf den Beinen, um der Ankunft des »Wilden Mannes« beizuwohnen. Einmal im Jahr kam er aus den Tiefen des Waldes und fuhr unter Trommelwirbeln und Böllerschüssen auf einem Floß in die Stadt ein. Bald würde er an der Biegung des Flusses auftauchen und um exakt elf Uhr, mit dem Glockenschlag der Clarakirche, bei der Mittleren Brücke mit einem gewaltigen Satz an Land springen.

Der Wilde Mann musste auf die Minute pünktlich eintreffen, das war wichtig. Die Zunftleute achteten auf den Pegelstand, bevor sie das Floß in die Strömung stießen. Bei Niedrigwasser machten sie die Leinen etwas früher los, bei Hochwasser ein paar Minuten später. Zu berücksichtigen waren ferner die Stärke des Windes und dessen Richtung. Das klappte zuverlässig gut. Das Floß kam immer pünktlich an. Die Zunftleute verfügten über Erfahrungswerte. Ihre Vorfahren hatten Tabellen angefertigt. Der Brauch war tausend Jahre alt.

Es war kurz vor elf. Dumpf dröhnten die Böllerschüsse über die Dächer der Stadt hinweg. Wer jetzt noch nicht am Rheinufer war, musste sich beeilen. Susanna lief voraus, die Mutter mit verhaltenen Schritten hinterher. Sie gingen durch enge Gassen, vorbei an giebligen Fachwerkbauten mit kleinen Fenstern, steilen Dächern und verblichenen Familienwappen an den Dachuntersichten. Hinter rußgeschwärzten, moosigdüsteren Gemäuern verbargen sich liebliche Gärten, in denen im Frühling Rosen blühten und weißer Jasmin duftete.

Diese Stadt war in zweitausend Jahren vielfach zerstört worden durch Erdbeben, Feuersbrünste und Kriege, und ebenso oft aus ihren Ruinen wieder aufgebaut. Die Kalk- und Sandsteinquader, aus denen sie bestand, hatten zuvor in keltischen Langhäusern, römischen Kastellmauern und gotischen Handelskontoren gesteckt, und unter mancher modernen Biedermeier-Stadtvilla lag längst vergessen das Grab eines Kreuzritters oder eine Jauchegrube aus dem Mittelalter, die noch voll war mit dem stechend scharfen, sich selbst konservierenden Seich von Leuten, die seit tausend Jahren tot waren.

In dieser Stadt lebten hagere, schmallippige Menschen, die über viele Generationen fleißig als Kaufleute, Textilfärber und Seidenbandweber gearbeitet hatten. Manche Familien waren über die Jahrhunderte reich geworden, und einige sehr reich. Einige hatten so viel Geld angehäuft, dass ihre Kinder und Kindeskinder finanziell ausgesorgt haben würden bis ans Ende aller Tage – wenn sie nur klug genug wären, ihr Geld einfach auf der Bank zu lassen, die ihnen ja nebenbei auch gehörte, und mit den Zinsen ein angenehmes Leben zu führen. Aber früher oder später, das lehrte die Geschichte, tauchte in jeder Familie ein Tunichtgut oder Angeheirateter auf, der das allzu groß gewordene Vermögen wieder unters Volk brachte, indem er es für seine Laster oder eine Schnapsidee aus dem Fenster warf.

Seltsam war nur, dass in dieser Stadt die Reichen fast ebenso karg lebten wie die Armen. Sie kleideten sich grau und schwarz wie ihre Bediensteten und aßen Tag für Tag den gleichen Haferbrei, die gleichen Rüben und den gleichen brackigen Salm aus dem Rhein, und sie tranken das gleiche Wasser; sonntags gönnten sie sich ein Glas sauren, verdünnten Wein. Sie gingen dreimal täglich zum Gebet, erforschten rund um die Uhr ihr Gewissen und enthielten sich nach Kräften irdischer Lustbarkeit. Und sie unterwarfen sich harten Regeln, deren Einhaltung die Obrigkeit streng überwachte.

Die Frauen durften sich keine bunten Bänder ins Haar flechten, die Männer bei der Arbeit nicht singen. Die Kinder durften im Winter weder rodeln noch Schlittschuh laufen, die jungen Leute nur an wenigen Tagen im Jahr tanzen. Eheleute durften einander nicht zum Vergnügen beiwohnen, Ehebrecher wurden von Gesetzes wegen im Fluss ersäuft. Letzteres geschah in jüngster Zeit zwar nicht mehr, aber die jahrhundertealte Angst vor Strafe steckte den Bürgern noch immer in den Knochen, und deshalb auch die Furcht vor Sinneslust. Überhaupt war in jener Stadt das weite Feld der Liebe ein derartiges Minenfeld von Bangigkeit, Bigotterie und drakonischen Strafandrohungen, dass man sich wundern musste, wie die Leute sich eigentlich fortpflanzten.

Trotz oder gerade wegen dieser Sittenstrenge pflegten die Bewohner eine laute, angestrengte Fröhlichkeit, die ortsfremde Besucher zuweilen wunderlich fanden. Sie machten unlustige Scherze, wenn sie beim Bäcker Brot kauften, und sie lachten grundlos, wenn sie mit dem Nachbarn übers Wetter sprachen, und sie kicherten grimmig, wenn sie abends den Inhalt ihrer Kassen zählten. Vielleicht mussten diese tugendhaften Menschen nur deshalb so lustig sein, weil sie im Grunde keine Ahnung hatten, was es im Leben zu lachen gab.

So lebten sie wie vor hundert oder tausend Jahren, nichts schien sich jemals ändern zu wollen. Eine barocke Befestigungsmauer mit doppeltürmigen Stadttoren schützte die Stadt ringsum vor allem Fremden, aus welcher Himmelsrichtung es auch kommen mochte. Bei Sonnenuntergang wurden die Tore mit mächtigen Balken verriegelt. In der Nacht drehte ein Nachtwächter mit Laterne seine Runden und rief alle halbe Stunde die Zeit aus.

Und doch ahnten die Bürger, dass ihnen tiefgreifende Veränderungen bevorstanden und dass in ihrer Stadt schon bald kein Stein mehr auf dem anderen bleiben würde. Denn in England hatte vor nicht sehr langer Zeit George Stephenson die Eisenbahn erfunden, deren Schienen sich wie ein Spinnennetz über Europa ausbreiteten und via Straßburg an den Rhein gelangt waren. Die Eisenbahngesellschaft hatte italienische Wanderarbeiter beauftragt, eine Schneise in die Stadtmauer zu schlagen, und seither fuhr die Bahn fünfmal täglich mit viel Dampf, Rauch und Lärm ins Herz der alten Stadt ein. Über den Schienen wurde ein Eisenbahntor mit einem eisernen Fallgatter errichtet, das jeden Abend heruntergelassen und am Morgen wieder heraufgezogen wurde.

Nachts wurde es zwar immer noch still, die Stadttore wurden noch immer geschlossen und der Nachtwächter rief noch immer die Stunden aus. Aber ganz dunkel wurde es nicht mehr, in einigen Gassen brannten schon Gaslaternen. Und die Rufe des Nachtwächters verhallten nun unbeachtet, weil in den Bürgerstuben maschinell gefertigte Wanduhren hingen, deren Glockenspiel zuverlässig die Zeit schlug.

Dicht gedrängt standen die Schaulustigen auf dem Uferweg. Ihre Hosenbeine und Röcke flatterten von den Druckwellen der Böllerschüsse. Die Frauen hielten sich die Ohren zu, die Männer schauten in Feldherrenmanier flussaufwärts. Da und dort weinte ein Säugling. Von Norden her wehte ein eisiger Wind. Rauchschwaden waberten übers graue Wasser.

Die kleine Susanna Faesch aber weinte nicht. Sie rannte auch nicht aufgeregt umher wie die anderen Kinder, auch warf sie keine Kiesel ins Wasser wie ihre Brüder, bettelte nicht um Süßigkeiten und quengelte nicht wegen der Kälte, sondern stand still neben der Mutter und schaute zwischen den Beinen der Erwachsenen hindurch auf den Fluss. Der Blick ihrer Kinderaugen war klar wie der Himmel, ungetrübt von Erwartungen, Urteilen und Absichten.

Sie hatte keine Angst vor den Böllern. Sie wusste, dass aus diesen Stummelkanonen keine Kugeln herauskamen; dass sie nur Lärm machten. Im letzten Jahr war es der gleiche Lärm gewesen, im vorletzten auch. Es war alles genau gleich, zu Besorgnis bestand kein Anlass. Der graue Himmel über dem Rhein war der gleiche wie letztes Jahr. Die Schaulustigen am Ufer waren dieselben. Unten am Wasser war dasselbe Stück Kiesbank abgesperrt. Genau dort und nirgendwo anders würde der Wilde Mann an Land springen, und zwar um Punkt elf und zu keiner anderen Uhrzeit. Und Susannas Mutter, die ihre Tochter fest an der Hand hielt, war auch dieselbe. Alles würde genau gleich ablaufen wie jedes Mal. Überraschungen waren nicht vorgesehen, Unerwartetes war nicht erwünscht. Bald würde das Floß in Sicht kommen. Es war alles vorhersehbar. Eigentlich konnte man nach Hause gehen. Man hätte gar nicht herkommen müssen.

Über eines aber wunderte sich Susanna: dass die Erwachsenen, die dem unabänderlich spröden, jährlich wiederkehrenden Spektakel doch schon Dutzende Male beigewohnt hatten, diesem erneut mit freudiger Neugier entgegenfieberten. Wie die Kinder drängten sie nach vorn, wahrten mit Mühe ihre guten Manieren im Kampf um die besten Plätze und versperrten, einmal zuvorderst angekommen, den weniger Dreisten bedenkenlos die Sicht.

Nur ihre Mutter drängelte nicht. Als ginge die Aufregung

sie nichts an, blieb sie irgendwo auf dem Uferweg stehen und schaute teilnahmslos beiseite. Susanna sah zu ihr auf und folgte ihrem Blick, aber dort, wo sie hinschaute, war nichts los. Da stand nur eine einsame Kutsche mit einem traurigen Pferd und weiter hinten eine kahle Ulme voller Krähen. Und noch weiter hinten eine windschiefe Fischerhütte. Wahrscheinlich guckte die Mutter gar nicht wirklich dorthin. Sie schaute nur in die Richtung, weil man ja irgendwo hinschauen musste, solange man die Augen offen hielt. Und die Augen hatte sie nur deshalb offen, weil sie sie ja schlecht zumachen konnte vor all den Leuten.

Einige Schaulustige hatten, um ja nichts zu verpassen, Operngläser mitgebracht, andere Schemel zum Draufsteigen oder kleine Hocker für die Gebrechlichen, und alle schauten erwartungsfroh auf den Fluss hinaus, als ob von dort die Wiederkunft Jesu oder mindestens der Auftritt eines geflügelten Pferdes zu erwarten wäre. Mit gestreckten Zeigefingern deuteten sie dahin und dorthin und prophezeiten einander in allen Einzelheiten, was als Nächstes geschehen werde.

Da verstand Susanna, was den Leuten solches Vergnügen bereitete. Es war einfach, dass sie Bescheid wussten. Mehr war da nicht. Es war nur, dass sie die Welt und ihre Zeit für einen Augenblick im Griff hatten. Mehr steckte nicht dahinter. Der Wilde Mann war eine Tradition, und Traditionen hatten ihren Daseinsgrund in sich selbst. Sie mussten immer exakt gleich ablaufen, weil jede Variation ihre Existenz infrage gestellt hätte.

Am Uferweg roch es nach feuchtem Kopfsteinpflaster und nach Fisch, Teer, Öl, Kohle und Pferdedung. Eine Wand aus schwarz gekleideten Menschenleibern versperrte Susanna die Sicht. Die Wand wurde immer dichter. Susanna wollte nach vorn laufen zu ihren Brüdern, unter dem Absperrseil durchschlüpfen auf die Kiesbank. Aber die Mutter würde nicht zulassen, dass sie sich allein dem eisigen Wasser näherte, letztes und vorletztes Jahr hatte sie Nein gesagt. Sachte zog Susanna ihre Hand aus der Hand der Mutter. Und diesmal sagte sie nicht Nein. Sie sagte auch nicht Ja, aber sie ließ die Hand der Tochter los und verschränkte die Arme, als würde sie sich selbst umarmen. Ihr Blick ging immer noch zu der Kutsche und dem traurigen Pferd hinüber.

Susanna lief zwischen den Leuten hindurch, die Böschung hinunter auf das Seil zu, das von einem Schutzmann bewacht wurde. Er schaute weg, als Susanna kam. Es war seit vielen Jahrhunderten Tradition, dass Kinder verbotenerweise unter dem Absperrseil durchschlüpften.

Dann tauchte das Floß auf.

Es war dasselbe Floß wie letztes Jahr; dasselbe Floß wie jedes Jahr. Ein Bretterboden über zwei Langbooten, im Heck zwei Steuermänner mit langen Rudern. Am Bug zwei Kanoniere mit zwei Kanonen, die sie abwechselnd abfeuerten, Backbord zwei Tamboure, die in der feuchten Januarkälte den immer gleichen, düster-monotonen Marsch trommelten, und neben ihnen zwei Fahnenträger. Auf einer Sitzbank im Heck vier schwarz gekleidete Männer mit steifen Hüten und steifen Rücken. Und in der Mitte des Bretterbodens der Wilde Mann, der seit Jahrhunderten die immer gleichen kraftvollen Tanzschritte vollführte. Drei ungestüme Schritte vorwärts, ein Ausfallschritt nach rechts mit tiefer, zweifacher Verbeugung. Drei Schritte rückwärts, Ausfallschritt und Verbeugung nach links. Und dann wieder drei Schritte vorwärts. Auf der rechten Schulter eine kleine Tanne samt Wurzelstock, die er am Vortag eigenhändig ausgegraben hatte.

Der Wilde Mann tanzte auf engstem Raum in der Mitte des Bretterbodens, als läge er in unsichtbaren Ketten; als führe er nicht zu einem Volksfest, sondern wäre zum Tod verurteilt und würde zum Schafott gebracht.

Und wie er so brav und zuverlässig seinen kleinen Tanz aufführte – da verstand Susanna, dass der Wilde Mann gar nicht wild war. Er war das Gegenteil von wild. Er war brav. Er tat auf dem Floß exakt das, was er zu tun hatte, und keinen Schritt mehr; keine einzige Bewegung aus eigenem Antrieb, schon gar keine wilde. Das Getrommel und das Geböller waren nur Klamauk. Draußen im Wald, wo der Wilde Mann zu Hause war, durfte er vielleicht wild sein – falls es diesen Wald überhaupt gab. Aber nicht hier in der Stadt. Hier musste er sich fügen wie alle anderen, sich den Regeln unterwerfen, den gottgewollten wie den menschengemachten. Zu diesem Zweck hatten die Zunftleute ihn hergeholt – um ihn gebändigt und gezähmt den Leuten vorzuführen. Denn wenn sich sogar der wildeste Wilde unters Joch der herrschenden Sittenstrenge beugte, war es den braven Bürgern wohl erst recht zuzumuten, die Fadheit ihrer freudlosen Existenz ein weiteres Jahr klaglos zu erdulden.

Das Floß trieb unter der Brücke hindurch und lag kurze Zeit im Dämmer. Als es ans Tageslicht zurückkehrte, hielten die Steuermänner mit kräftigen Ruderschlägen aufs Ufer zu. Susanna konnte den Wilden Mann nun deutlich sehen; sein Kostüm aus grünem Filz und die braune Lederfratze, die zottelige Perücke aus Hanf und die Krone aus Efeu und den Baum auf seiner Schulter. Er sah genau gleich aus wie letztes Jahr.

Die Tamboure hörten auf zu trommeln und steckten ihre Stöcke in die Gurten. Die Kanoniere legten die Ladestöcke nieder und verkorkten die Pulverhörner. Die Würdenträger erhoben sich und rückten ihre Zylinder zurecht. Der Wilde Mann trat an den Rand des Floßes, tunkte mit weit ausholender Gebärde die Tanne ins Wasser, wie er es seit tausend Jahren tat, und schwang sie sich triefend nass auf die Schulter. Dann ging er vier Schritte rückwärts, blieb breitbeinig stehen und schaute hinüber zur Kiesbank, wo ihn die üblichen Buben mit ihren üblichen Faxen erwarteten. Ungewöhnlich war nur, dass da diesmal auch ein Mädchen mit einer grünen Wollmütze stand. Sie machte keine Faxen. Sie stand nur da und schaute ihm übers Wasser entgegen.

Die Tradition verlangte vom Wilden Mann, dass er nicht wie ein Bürger nach erfolgter Landung gemessenen Schrittes ans Ufer trat, sondern möglichst weit und ungestüm übers Wasser sprang; der Sprung hatte mindestens so weit zu sein, wie der Wilde Mann vom Scheitel bis zur Sohle lang war. Im Fall Anton Morgenthalers, der das Amt schon im siebenten Jahr bekleidete, waren es sechseinhalb Fuß. Das war eine beachtliche Vorgabe, wenn man das klobige Schuhwerk, das schwere Kostüm und die Tanne auf seiner Schulter bedachte.

In den letzten sechs Jahren war Anton dieser Sprung stets bestens gelungen. Er war ein Bär von einem Mann, zweiunddreißig Jahre alt und Kutscherknecht von Beruf, und er verfügte über die Sprungmuskeln eines Kängurus, weil er bei der Arbeit jeden Tag ungezählte Male vom Kutschbock hinunter- und wieder hinaufsprang.

An jenem Morgen des 13. Januar 1849 aber war er nicht bei Kräften. Seit ein paar Tagen glühte ihm der Schädel und schmerzten ihn die Glieder, und die Ohren sausten und die

Nase war mit Rotz verstopft, dass er nachts kaum atmen konnte. Zudem hatte er sich am Abend zuvor mit seinem Mädchen gestritten, das Anna hieß und Wäscherin bei denselben Herrschaften war. Sie hatte Grübchen in den Wangen und goldenen Flaum auf den Unterarmen, und gestritten hatten sie sich, weil Anna sich noch immer nicht von ihm küssen lassen wollte; dies angeblich deshalb, weil er sehr stark nach Pferd roch. Stärker als ein Pferd, wie Anna sagte.

Quatsch, hatte Anton erwidert.

Doch, hatte Anna gesagt. Du stinkst schlimmer nach Pferd als ein Pferd. Und dann hatte sie gelacht.

Quatsch, hatte Anton noch mal gesagt. Erstens stinken Pferde nicht. Und zweitens kann man nicht stärker nach einer Sache riechen als die Sache selbst.

Doch, das kann man, sagte Anna. Du kannst es. Und das Rosenwasser meiner Herrin kann es auch. Das duftet stärker nach Rosen als alle Rosen auf der Welt.

Quatsch, sagte Anton ein drittes Mal. Wenn etwas stärker nach Rosen duftet als Rosen, dann duftet es nicht nach Rosen.

Anton war sich sicher, dass er diesmal recht hatte. Zwar wusste er aus leidvoller Erfahrung, dass Anna reden konnte wie der Teufel und räsonieren wie der Pfarrer und dass sie jede Diskussion so hinbiegen konnte, dass sie am Schluss auf der ganzen Linie triumphierte und er dastand wie der größte Trottel. Ihm war klar, dass er jetzt in seinem ureigensten Interesse die Klappe halten sollte, auch wenn er hundert Mal recht hatte. Aber diesmal nicht, sagte er sich. Diesmal würde er gewinnen.

Mit Düften ist es wie mit Farben, sagte er. Eine Farbe kann auch nicht mehr sein als sie selbst.

Hä?, sagte Anna.

Himmelblau zum Beispiel, sagte Anton und knetete mit seinen knorrigen Händen die Luft im vergeblichen Verlangen, seinen Gedanken dingfest zu machen. Himmelblau ist einfach Himmelblau. Es kann ja schon sein, dass eine Sache blauer ist als der Himmel ...

Ein Pferd zum Beispiel?, fragte Anna.

... aber dann ist sie eben nicht mehr himmelblau.

Sondern?

Irgendwie anders blau.

Was quatschst du da von Farben, hatte darauf Anna gesagt. Wir reden von Pferden und Rosen. Das Rosenwasser meiner Herrin, das kann ich dir versichern, riecht stärker nach Rosen als jede Rose auf Gottes weitem Erdenrund.

Und ich bin Kutscherknecht von Beruf, sagte Anton. Alle Kutscher auf der Welt riechen nach Pferd. Du kannst von unsereinem nicht verlangen, dass wir am Ende eines langen Arbeitstags nach Rosen duften.

Das verlange ich ja gar nicht, sagte Anna. Du darfst nach Pferd stinken, so stark und so lange du willst, von mir aus hundert Mal stärker als ein Pferd, an sieben Tagen die Woche rund um die Uhr dein Leben lang und wo immer es dir beliebt. Stink du nur nach Hengst oder Wallach, nach Fohlen oder Stute, nur bitte nicht in meiner Nähe. Bitte weit weg von mir. Übrigens redest du blöder, als du bist. Das würde man ja auch nicht für möglich halten, dass ein Blödmann wie du noch blöder redet, als er ist.

Darauf hatte Anton nichts mehr zu entgegnen gewusst. Also hatte er mit seinen Pranken nach Anna ausgegriffen, um Frieden mit ihr zu schließen und vielleicht doch noch zu einem Kuss zu kommen. Aber sie hatte nur gelacht und war flink ausgewichen, und dann hatte sie ihm den Eimer schmutzigen Seifenwasser, den sie in der Linken trug, über die Stiefel gegossen. In der Folge hatte er sie eine ausgetrocknete Ledergans genannt und sie ihn einen furzenden Wallach, und dann waren sie in Unfrieden auseinandergegangen.

Verärgert, enttäuscht und kurzatmig hatte Anton sich die ganze Nacht auf seinem Strohsack gewälzt und erst im Morgengrauen in fiebrigen Schlaf gefunden. Die Zunftleute hatten ihn wecken und wie einen Volltrunkenen ins Zunfthaus schleifen müssen, wo sie ihm ein Frühstück aus Speck und Bohnen aufnötigten und ihn ins Kostüm des Wilden Mannes steckten, und dann hatten sie ihn in einem Zweispänner flussaufwärts zum Floß gefahren.

So stand Anton nun unausgeschlafen und mit triefender Nase, pochenden Schläfen und tränenden Augen auf den Planken und sammelte seine Kraft für den Landgang. Wenn er zu lange wartete, geriete sein Sprung zu kurz und würde als peinlicher Hüpfer registriert werden. Wenn er hingegen zu früh spränge und einen Schuh voll Wasser herauszöge, würde das als Schande in die Annalen eingehen. Die größte anzunehmende Katastrophe aber wäre eine beidfüßige Landung im Wasser mit anschließendem Sturz rücklings in den Fluss. Dies hatte sich seit über dreihundert Jahren nicht mehr ereignet.

Susanna stand zwischen ihren Brüdern auf der Kiesbank und sah zu, wie das Floß ans Ufer trieb. Von hier unten sah der Wilde Mann ganz anders aus als von oben auf dem Uferweg. Von hier aus war er ein Hüne. Ein Riese. Ein Koloss. Glitzernde Wasserperlen flogen durch die Luft, als er sich den nassen Baum auf die Schulter schwang. Der Himmel wurde dunkel, als er sich zu voller Größe auftürmte. Die Möwen stoben erschreckt auseinander, als seine Lederfratze zwischen den Wolken heruntergrinste. Und als der Wilde Mann mit seinen Elefantenfüßen über die Planken stampfte und beim letzten Schritt am Rand des Floßes sein Sprungbein beugte, um sich mit dem ganzen Schwung seines titanischen Leibs gegen alle Gesetze der Schwerkraft, Lebenserfahrung und Glaubhaftigkeit hoch in die Luft zu katapultieren, bildeten sich auf dem Wasser rings um das Floß kreisrunde, auswärts fliehende Schockwellen.

Anton Morgenthaler hatte für den Absprung die letzten Kräfte mobilisiert. Im Aufstieg ruderte er mit allen vieren durch die Luft, auf dem Kulminationspunkt streckte er sich lang aus. Im Sinkflug machte er einen Doppelschritt ins Leere und sah in der anschließenden Gleitphase zu seiner Beruhigung voraus, dass er auch diesmal trockenen Fußes aufsetzen würde. Bei der Landung spritzten Kiesel unter seinen Stiefeln weg, und das fieberheiße Blut sackte ihm vom Schädel in den Bauch, dass ihm rot und schwarz vor Augen wurde und er fürchten musste, die Besinnung zu verlieren und doch noch hintenüber in den Rhein zu stürzen.

Mit einer letzten Anstrengung brachte er seine zweihundertfünfzig Pfund Körpermasse ins Gleichgewicht. Sein Herz pumpte, er atmete tief durch. Anton war zufrieden mit seinem Sprung, hoffentlich hatte Anna ihn gesehen. Allmählich kehrte sein Augenlicht zurück. Die Kinder waren aus dem eingeschränkten Gesichtsfeld seiner Maske verschwunden. Aber er konnte sie hören, wie sie hinter seinem Rücken schnauften, kicherten und über den Kies rannten. Gleich würden die Mutigsten sich von hinten an ihn heranschleichen und versuchen, einen Apfel aus seinem Kostüm zu rauben. Dann musste er sich ungestüm, aber maßvoll gegen die Kinder zur Wehr setzen. Das erwartete die Tradition vom Wilden Mann.

Anton drehte und wendete sich weg von den grapschenden kleinen Händen. Er schwang sein nasses Tännchen und erwischte mit der genadelten Spitze den einen oder anderen Buben, der sich dann, als wäre er tödlich getroffen, in den nassen Kies zu werfen hatte. Immer dichter schwirrten die Buben um ihn her, blindlings wirbelte er herum, bei jedem Schritt schubste er einen Kinderleib beiseite. Im Nahkampf war das Tännchen nicht mehr zu gebrauchen. Er warf es weg und griff mit bloßen Händen nach den Buben. Gleich würde der Schulmeister ihnen das Zeichen zum Aufhören geben, dann würden sie sich folgsam hinter die Absperrung zurückziehen und zu ihren Eltern auf dem Uferweg hinaufgehen. Wenn bisher noch keiner einen Apfel erhascht hatte, musste der Wilde Mann es nun zulassen. Sonst würden die Ratsherren ihn hernach im Zunfthaus rügen.

Es war alles gleich wie jedes Jahr – nur dass diesmal das Mädchen mit der grünen Mütze da war. Anton hatte die Kleine nicht mehr gesehen, seit er vom Floß abgesprungen war, aber jetzt spürte er sie als etwas Weiches, Regloses unter seinem rechten Stiefel; etwas wie einen Haufen nasses Flussgras oder ein Bündel Lappen, das der Rhein angeschwemmt hatte. Er ließ den Kopf auf die Brust sinken, bis er durch die engen Gucklöcher der Ledermaske den Blick auf seine Füße frei hatte. Und da lag sie. Rücklings lag sie auf dem nassen Kies, als wäre sie vom Himmel gefallen, streckte Arme und Beine von sich und rührte sich nicht. Vielleicht war sie hingefallen, oder sie hatte sich von ihm umschubsen lassen, oder er hatte sie versehentlich mit dem Tännchen erwischt. Wieso war sie nicht weggelaufen wie die anderen Kinder, das dumme Ding?

Hoffentlich hatte sie sich nicht verletzt. Auf den ersten Blick war kein Blut zu sehen, das war schon mal gut. Aber eine blöde Sache war es trotzdem. Das war nicht üblich, dass der Wilde Mann kleine Mädchen zu Boden schubste und auch noch auf sie drauftrat. Hoffentlich hatte Anna das nicht gesehen. Sonst würde sie ihn wieder auslachen und ihn einen trampelnden Ochsen schimpfen. Oder einen altersblinden Schindgaul.

Anton kauerte sich zu dem Mädchen nieder. Sie lag da wie tot, aber ihre Nüstern bebten, und die schmale Brust ging hoch und nieder. Die grüne Wollmütze war ihr über die Augen gerutscht. Anton schob die Mütze hoch. Zwei dunkle, weite Augen starrten ihn an.

»Hast du dir wehgetan?«

Da sie keine Antwort gab und reglos liegen blieb, fasste er sie unter den Achseln und hob sie auf. Sie war steif wie ein Brett. Er würde sie zum Uferweg hinauftragen. Jemand würde sich um das Mädchen kümmern müssen. Eine Frau oder so. Anna vielleicht.

Susanna erschrak zu Tode, als die Lederfratze brüllend auf sie niederging. Sie schrie, als der Wilde Mann sie mit seinen Eisenklauen packte und in den Himmel hob. Sie zappelte wie ein Fisch, als der Koloss sie gegen seine stachelige, grüne Brust drückte und sich in Bewegung setzte. Der Wilde Mann schnaufte wie ein Ochse. Er war borstig wie ein Schwein. Und er stank furchtbar nach Pferd.

Da verstand Susanna, dass der Wilde Mann eben doch wild war. Sie hatte sich getäuscht. Er war gar nicht brav. Der Wilde Mann war unberechenbar. Er konnte Dinge tun, die er letztes und vorletztes Jahr nicht getan hatte – ein kleines Mädchen packen zum Beispiel und es mit sich fortnehmen. Er konnte Susanna in den Wald entführen. Sie in seiner Höhle an eine Kette schmieden. Sie als Küchen- und Putzmagd versklaven. Sie mästen, bis sie fett war. Und dann auffressen. Der Wilde Mann war zu allem imstande.

Susanna hörte auf zu zappeln. Widerstand war sinnlos, der Wilde Mann war übermächtig. Ihr Verstand arbeitete jetzt ruhig und schnell. Sie sah sich nach Hilfe um. Ihre Brüder standen hinter der Absperrung und lachten. Der Schutzmann stand auch dort und glotzte. Die Erwachsenen standen auf dem Uferweg und glotzten. Und ihre Mutter stand wohl auch dort oben irgendwo und schaute irgendwohin.

Susanna war auf sich allein gestellt, das war ihr nun klar. Sie versuchte nicht mehr vom Wilden Mann loszukommen, sondern musterte seine Lederfratze eingehend. Hinter den Gucklöchern flackerten zwei fiebrige Augen. Das war ihre Chance. An den Augen war der Koloss verletzlich.

Sie bog ihren Oberkörper so weit zurück, als es der eiserne Griff des Wilden Mannes zuließ. Dann holte sie mit dem rechten Arm aus, streckte den Zeigefinger vor und stieß ihn mit aller Kraft durch das linke Guckloch. Im Bruchteil einer Sekunde schlitzte ihr schartiger, schwarz geränderter kleiner Fingernagel erst die Bindehaut, dann die Hornhaut und die vordere Augenkammer sowie die Regenbogenhaut auf, dass das Kammerwasser herausspritzte, dann schob ihre Fingerkuppe die Linse beiseite, quetschte den Glaskörper und stieß tief im Innern des Schädels an die knochige Rückwand der Augenhöhle.

DER STRAFPROZESS

Vielleicht geschah es an jenem Tag, dass Susannas Mutter erstmals den Entschluss fasste, ihren Gatten für immer zu verlassen. Sie würde es ihm so leicht wie möglich machen und ihm sagen, dass sie einen anderen Mann liebe. Dann würde sie aus dem Haus gehen, die Tür hinter sich zuziehen und verschwinden.

Der Schmerzensschrei des Wilden Mannes war den Zuschauern durch Mark und Bein gegangen. Sogar Maria Faesch erwachte aus ihrem Tagtraum, wandte sich dem Ufer zu und sah gerade noch, wie ihre Tochter durch die Luft flog. Als der Wilde Mann in die Knie ging und sich die Maske vom Gesicht riss, kämpfte Maria sich schon durch die Menschenmenge vor.

Susanna lag reglos auf dem Kies wie eine weggeworfene Gliederpuppe. Maria hob das Kind hoch, das in ihren Armen nun endlich zu weinen anfing, und trug es, noch bevor der Tumult unter den Zuschauern ausbrechen konnte, eiligen Schrittes nach Hause.

Zum Mittagessen war die Familie im Blauen Salon versammelt. Vater und Mutter saßen an den Enden des Tisches, die Kinder an den Längsseiten. Neben dem Vater hatte ein blonder, noch junger Mann Platz genommen, der seit ein paar Monaten Gast der Familie war. Die Bediensteten nannten ihn den »Deutschen«, die Kinder nannten ihn den »Herrn Doktor«. Sein Name war Karl Valentiny. Er und der Vater waren Freunde, sie hatten vor Jahren gemeinsam in der Fremdenlegion in

Algerien gedient; der Vater als erfahrener Lieutenant einer berittenen Kompanie, Valentiny als junger Regimentsarzt. Er hatte ein gutmütiges, fast mädchenhaft glattes Gesicht und einen akkuraten Seitenscheitel und in den Augenwinkeln feine Müdigkeitsfalten wie so viele, die lange Jahre in fernen Ländern gelebt hatten. Vor ein paar Monaten hatte er aus seiner Vaterstadt Dortmund fliehen müssen, nachdem die preußischen Besatzungstruppen die Revolution niedergeschlagen hatten. Die Kinder mochten ihn, weil er ihnen Geschichten erzählte.

Es gab Rindsragout mit Kartoffelpuffer. Das Dienstmädchen schöpfte. Leise klirrte das Besteck. Flüsternd bat man ums Salz. Leise wurde geschmatzt. An der blauen Tapete tickte die Wanduhr. Durchs Fenster drang Hufgeklapper. In der Ferne eine Schiffspfeife. Der Deutsche erzählte den Kindern eine Geschichte. Eine Geschichte über ihren Vater. Über ihren Vater in der Fremdenlegion.

Der Vater war auf dem Rückweg aus der Stadt, wo er einen Korb Datteln gekauft hatte, in einem ausgetrockneten Flussbett einer trächtigen Berglöwin begegnet. Er trug seine weiße Ausgehuniform und sein rotes Képi, aber keine Waffe bei sich. Also floh er vor dem Raubtier den Fluss entlang in eine Schlucht hinein. An beiden Seiten der Schlucht stiegen graue Felsen auf, ein paar zerzauste Zypressen wankten im Nachmittagswind. Die Berglöwin folgte ihm. Sie war mit ihrem dicken Bauch langsamer als er, blieb ihm aber hartnäckig auf den Fersen. Weiter oben wurde die Schlucht enger. Das Flussbett war dort nicht mehr trocken, sondern schlammig. Noch weiter oben wand sich ein träges Rinnsal durch den Schlamm. Ein Rudel Mufflons soff daraus. Sie nahmen Reißaus, als sie den Lieutenant und die Berglöwin sahen. Zuhinterst in der Schlucht kletterte der Lieutenant die Felsen hoch auf eine Hochebene, das Raubtier mühsam ihm nach. So liefen die beiden in die Wüste hinaus. Er mit seinem roten Képi und den Datteln voraus, sie mit ihrem dicken Bauch hinterher.

Die Kinder kicherten. Sie wussten, dass die Geschichte gut ausgehen würde. Die Geschichten des Deutschen waren immer lustig.

Ihre Mutter lächelte mit ihnen. Gleichzeitig beobachtete sie argwöhnisch ihren Mann, wie er der Geschichte lauschte und dazu seinen grau melierten Bart kraulte, bevor er wieder zu Messer und Gabel griff. Sie kannte ihn gut, sie ließ sich von seinem versonnenen Lächeln nicht täuschen. Sie sah ihm an, dass sich etwas in ihm zusammenbraute. Sie erkannte es an der Art, mit der er methodisch und beherrscht mundgerechte Portionen auf seine Gabel schob. Sie hoffte, dass die Geschichte des Deutschen noch lange anhielt. Solange er sprach, war alles gut.

Die Sonne war untergegangen. Der Lieutenant lief weiter dem Horizont entgegen. Als einzigen Proviant hatte er die Datteln dabei. Sie waren frisch, der Korb war aus Palmblättern geflochten. Seine Beine wurden schwer, die Füße schmerzten. Als er nicht mehr laufen konnte, blieb er stehen, stärkte sich mit ein paar Datteln und warf die Steine nach der Berglöwin. Sie fauchte und peitschte mit dem Schwanz, wich aber den Steinen nicht aus. Also rang er seine Müdigkeit nieder und lief weiter. Die Berglöwin hinterher.

Die Kinder lachten. Maria lächelte, aber sie war in Sorge. Sie ahnte, dass die Geschichte nicht mehr lange dauern würde.

Als die Nacht hereinbrach, war der Lieutenant mit seinen Kräften am Ende. Er blieb stehen und erwartete die Berglöwin, fest entschlossen, mit bloßen Händen gegen sie zu kämpfen. Er musste sie am Hals erwischen und zupacken und nicht mehr loslassen, was immer auch geschehen mochte. Den Korb mit den Datteln stellte er in den Sand. Dann kam die Berglöwin. Auch sie war müde. Sie schleifte ihren Bauch, der prall gefüllt war mit zappeligen Berglöwenbabys, über den Wüstenboden. Zehn Schritte vor dem Lieutenant blieb sie stehen und fauchte. Dann machte sie noch mal zwei Schritte. Und noch zwei. Gleich würde sie springen. Der Lieutenant hob die Hände wie ein Boxer. Noch mal zwei Schritte und noch zwei. Aber sie sprang nicht. Sie kroch auf dem Bauch weiter, bis sie mit ihrer feuchten Schnauze seine staubigen Wickelgamaschen berührte. Der Lieutenant war aufs Äußerste gespannt. Mit jeder Faser seines Körpers erwartete er ihren Biss oder einen ersten Prankenschlag. Die Berglöwin aber bedachte ihn von unten herauf mit einem langen, schmachtenden Blick aus ihren bernsteinfarbenen Augen, dann wandte sie den Kopf und öffnete langsam den Rachen, zog die Lefzen über die Reißzähne und nahm sachte, beinahe zärtlich den Henkel des Korbes ins Maul. Und dann verschwand sie, den Bauch über den Wüstensand schleifend, mit den Datteln hinaus in die Nacht.

Die Geschichte war zu Ende. Die Kinder jubelten und klatschten in die Hände, der Deutsche nahm den Applaus bescheiden lächelnd entgegen. Der Vater wiegte den Kopf und drohte mit dem Finger, bestätigte aber mit einem Nicken und gleichzeitigem Kopfwackeln, dass die Episode sich mehr oder weniger so zugetragen habe. Dann legte er akkurat sein Besteck auf den leeren Teller, faltete die Serviette und strich sich über den Bart.

Maria schlug die Augen nieder. Nun war es so weit, das Unvermeidliche nahm seinen Lauf. Ihr Mann hatte strenge vertikale Furchen in den Wangen und einen schwarzgrauen Bart, und seine Hände waren spindeldürr. Für die Hände konnte er nichts und für die Wangenfurchen vielleicht auch nicht, für den Bart aber schon. Wie sehr hatte Maria sich früher gewünscht, dass er diesen Bart abschnitt. Gesagt hatte sie es ihm nie. Jetzt war es zu spät. Es machte keinen Unterschied mehr. Schon lange nicht mehr.

Er stützte die Ellbogen auf, legte alle zehn Fingerkuppen aneinander und räusperte sich. Das Gelächter, Geklapper und Gemurmel am Tisch verstummte. Die Kinder legten die Hände in den Schoß. Es war, als hätte eine Wolke sich vor die Sonne geschoben. Der Deutsche spitzte die Lippen und warf Maria einen Blick zu. Sie erwiderte ihn nicht.

Als niemand sich mehr rührte, schob der Vater seinen Stuhl zurück und erhob sich, verschränkte die Hände auf dem Rücken und fing an zu reden. Er ging auf dem zweifarbigen Parkett hin und her und redete. Maria war seiner Reden überdrüssig, seit vielen Jahren schon. Seine Reden hingen ihr zum Hals heraus. Sie hasste ihren Mann dafür, dass er so reden und reden konnte ohne jede Scham, ohne Rücksicht und Erbarmen, frei von Zweifeln und von Neugier für die anderen. Zwar hatte sie bereits im ersten Ehejahr verstanden, dass diese Reden nicht aus seiner Seele kamen, sondern bloßer Widerhall der Reden seines Vaters waren, der sie wiederum von seinem Vater und dessen Vorvätern erlernt hatte. Trotzdem hasste sie ihn für seine selbstgefälligen Denkpausen und sein bigottes Lächeln, das er ebenfalls dem Vater abgeschaut hatte. Sie hasste seine langen, bedeutungsvollen Blicke zum Fenster hinaus. Am meisten hasste sie dieses ekelhafte Zwitschern, mit dem er sich Speisereste zwischen den Zähnen heraussaugte.

Maria kannte seine endlosen Monologe. Sie kannte sie alle. Ihre Rache bestand darin, dass sie ihm nicht mehr zuhörte. Schon lange nicht mehr. Er konnte reden, was er wollte, er konnte reden, wie er wollte und so lange er wollte – sie hörte ihm nicht mehr zu. Und ganz sicher würde sie ihm jetzt nicht zuhören, wie er sich anschickte, über ihre fünfjährige Tochter zu Gericht zu sitzen. Oh, sie würde die Contenance bewahren, würde nicht die Augen verdrehen und nicht die Mundwinkel nach unten ziehen. Sie würde eine neutrale Miene aufsetzen und sein Gerede aufmerksam registrieren, um für Kontrollfragen gewappnet zu sein. Aber nichts davon würde sie in den Burgfried ihrer Seele einlassen. Sie würde das Fallgitter herunterlassen und die Zugbrücke hochziehen, und wenn der feindliche Lärm draußen zu groß wurde, würde sie im Inneren ihrer Seelenfestung Musik hören; das Klarinettenkonzert von Mozart zum Beispiel, das kannte sie auswendig. Sie war selbst eine ganz ordentliche Violinistin, einige Passagen des Klarinettenkonzerts klangen auch auf der Geige sehr schön. Das Konzert dauerte eine gute halbe Stunde. Länger würde ihr Mann wohl nicht reden. Das nun doch nicht.

Es war ja auch geradezu blödsinnig, was er da im Blauen Salon aufführte – ein unfassbar lächerliches Schauspiel, eine geradezu groteske Demonstration von Selbstgerechtigkeit und Blödigkeit des Herzens, wie er für sich allein einen Strafprozess gegen sein eigenes Kind in Szene setzte. Als Erstes gab er den rachsüchtigen Ankläger mit drohend erhobenem Zeigefinger; dann, sich selbst widersprechend nach einer Drehung um hundertachtzig Grad, den Verteidiger, der mit offen dargebotenen Handflächen um Verständnis und Milde für das Mädchen bat; und dann, nach einer weiteren Vierteldrehung, den Richter, der sich mit ausgebreiteten Armen um Ausgleich zwischen sich und seiner Person bemühte. Und als man schon zu hoffen wagte, dass er binnen erträglicher Frist zu einem Ende finden werde, vollführte er noch mal eine Vierteldrehung und begann von vorn mit der Replik des Anklägers, der die Duplik des Verteidigers folgte.

Es könne als erwiesen gelten und werde von niemandem bestritten, sagte er einleitend, dass die hier am Tisch anwesende Susanna wenige Minuten nach elf Uhr selbigen Tages am Ufer des Rheins dem Kutscherknecht Anton Morgenthaler vorsätzlich, gezielt und mit vollständigem Taterfolg das linke Auge ausgestochen habe. Objektiv sei der Tatbestand der vollendeten schweren Körperverletzung offenkundig, das Auge unwiederbringlich verloren; der rasch herbeigerufene Amtsarzt habe dessen Überreste an Ort und Stelle ausgekratzt und die Augenhöhle mit Mull verbunden. Als Täterin, auch das sei klar, komme niemand anderes infrage als Susanna. Die Aussagen aller Augenzeugen seien einhellig, und Susanna selbst sei, soweit bekannt, geständig.

Susanna hörte ihrem Vater reglos zu. Sie hatte eine Art, ihre rechte Braue hochzuziehen, die ihrem Blick den Anschein ironischer Furchtlosigkeit gab.

Ihre Brüder saßen aufrecht am Tisch und mimten, durch Erfahrung klug geworden, Aufmerksamkeit.

Karl Valentiny hörte höflich zu. Wenn der Vater nicht hinsah, warf er den Kindern Blicke zu.

Die Mutter war ins Allegro des ersten Satzes vertieft, gerade hatte die Klarinette eingesetzt. Es war doch einfach ein Wunder, dachte sie jedes Mal, dass ein noch derart junger, vom Frieselfieber gezeichneter Mensch auf dem Sterbebett der Welt so überirdisch reine Heiterkeit hatte schenken können.

Zu Susannas Gunsten könne nun geltend gemacht werden, fuhr der Vater fort, dass sie sich vollständig in der Gewalt des Wilden Mannes befunden habe und dass sie angesichts dessen überwältigender physischer Übermacht und bedrohlicher Erscheinung in legitimer Notwehr zu handeln geglaubt habe. Weil aber tatsächlich zu keinem Zeitpunkt eine wirkliche Gefahr bestanden habe - der Kutscherknecht Anton Morgenthaler sei realiter kein Ungeheuer, sondern schauspielere dieses nur im Dienst des lokalen Brauchtums und habe Susanna nie in den Wald entführen, sondern ihr im Gegenteil auf die Beine helfen wollen -, weil also keine Gefahr bestanden habe, habe Susanna nicht in wirklicher, sondern in vermeintlicher Notwehr gehandelt; die Jurisprudenz spreche von »Putativnotwehr«.

Die Mutter folgte weiter den engelhaften Gesängen der Klarinette. Sie freute sich schon auf das Adagio. Das Adagio war das Schönste. Gleichzeitig behielt sie die Tür im Auge. Hinter der Tür lag die Treppe, die hinunter ins Freie führte. Vier große Schritte, dann hätte sie den Knauf in der Hand. Das Messing glänzte im diesigen Mittagslicht, dahinter wartete die Freiheit. Sie würde sich viele Jahre lang keine finanziellen Sorgen machen müssen, sie hatte ihr eigenes Geld, selbstverdientes und geerbtes, das für sie auf der Bank bereitlag. Die drei Jungs würde sie hierlassen, die waren schon groß und würden das Leben leben, das in der Vaterstadt für sie vorgesehen war. Aber die Kleine nicht. Die Kleine würde sie mitnehmen. Die Kleine gehörte ihr. Sie würde nicht um Erlaubnis bitten, sich nicht dafür entschuldigen und sich nicht erklären, auch vor sich selbst nicht, sondern ihre Tochter einfach bei der Hand nehmen und wortlos mit ihr die Treppe hinunterlaufen, um aus dem Haus und für immer fortzugehen. Das war keine Sache des Verstandes, sondern des mütterlichen Instinkts, falls es so etwas gab. Die Kleine gehörte zu ihr und war ihr Eigentum, wie auch sie als Mutter ihrer Tochter ganz und gar angehörte, viel mehr als den Söhnen übrigens. Diese Empfindung, unabänderlich und nicht verhandelbar, erfüllte sie vom Scheitel bis zur Sohle und hinaus in die Spitzen ihrer zehn Finger, und sie würde gegen jeden, der dieses Eigentumsrecht bestritt oder auch nur infrage stellte, kämpfen bis aufs Blut.

Und ihre Geige würde sie auch mitnehmen.

Vielleicht hatte sie dieselbe Empfindung früher auch für ihre Söhne gehabt, als diese noch klein gewesen waren. Aber jetzt nicht mehr. Jetzt gehörten die Buben ihrem Vater und der Welt, in der sie lebten. Sie würden Soldaten werden und Kaufleute, Priester vielleicht oder Stadtgärtner, Pferdezüchter oder Bierbrauer; Maria wünschte ihnen das Beste.

Noch war ihr Entschluss nicht gefestigt, kaum mehr als eine vage Hoffnung. Aber sie bereitete sich vor. Sie sammelte ihre Kräfte. Vorläufig musste sie den Mann noch reden lassen. Diesen armseligen Kerl von einem Mann. Dieses herzlose Männertier, das sich aufführte wie ein rachsüchtiger Gott mit seinem mechanischen Männerverstand.

Um sich aber auf Putativnotwehr berufen zu können, fuhr der Mann fort, müsste Susanna überzeugend darlegen, dass sie sich tatsächlich in guten Treuen einer realen Gefahr ausgesetzt geglaubt habe, gegen die sich zu wehren sie das Recht gehabt habe. Zu klären wäre darüber hinaus die Frage, ob in casu ein Notwehr-Exzess vorliege – ob es Susanna selbst unter Annahme einer wirklichen Gefahr nicht möglich gewesen wäre, sich mit weniger drastischen Mitteln aus den Armen des Wilden Mannes zu befreien.

Inzwischen hörte dem Vater niemand mehr zu. Hätte er Augen gehabt zu sehen, hätte er es sehen müssen.

Seine halbwüchsigen Söhne starrten mit glasigen Augen ins Leere. Ihre Münder standen offen, als litten sie unter Atemnot.

Seine Tochter musterte ihn kühl. Auch sie folgte seiner Rede nicht mehr.

Seine Frau war in eine andere Welt entflohen.

Und sein Freund aus dem Militärdienst rutschte auf dem Stuhl umher und machte eine Unschuldsmiene, als führte er etwas im Schilde.

Aber der Vater sah nichts von alldem. Er redete weiter.

In der Frage des Notwehr-Exzesses sei zu Susannas Ungunsten leider festzuhalten, dass ihr zweifellos eine ganze Palette anderer, weniger invasiver Handlungswege offen gestanden hätte. Die beste Entscheidung wäre selbstredend gewesen, auf jeden Widerstand zu verzichten und den Wilden Mann gewähren zu lassen; dann hätte er sie hinauf zum Uferweg getragen und der Mutter übergeben, und alles wäre gut gewesen. Als zweitbeste Wahl hätte sie ihn höflich ansprechen und um Entlassung aus dem Klammergriff ersuchen können. Falls das nicht zum gewünschten Erfolg geführt hätte, wäre flehentliches Weinen angezeigt gewesen, allenfalls gefolgt von lautem Schreien und Strampeln. Als vierte und letzte Stufe der Eskalation hätte sie dann knuffen, kneifen, kratzen, treten und beißen können. Leider aber habe Susanna nichts von alldem getan. Leider sei sie nach wenigen Sekunden halbherzigen Schreiens und Strampelns kühl berechnend, zielstrebig und ohne erkennbare Skrupel vor aller Augen zu einer Tätlichkeit übergegangen, die man in ihrer Vorsätzlichkeit und maximalen Schwere nicht anders als »mörderisch« bezeichnen könne. Mörderisch deshalb, weil ...

Bei diesem Wort hob nun doch Unruhe an im Blauen Salon.

Die Söhne rappelten sich auf, schauten einander an und stießen sich die Ellbogen in die Seiten.

Karl Valentiny legte den Kopf in den Nacken und blickte zur Decke, als ob er dort etwas Fesselndes entdeckt hätte, und gleichzeitig lehnte er sich auf dem Stuhl so weit nach hinten, dass er sich an der Tischkante festhalten musste.

Sogar die Mutter fuhr zusammen, als dieses Wort fiel. Die Klarinette in ihrem Kopf verstummte mitten im Adagio. Sie strich sich eine Strähne aus dem Gesicht und blinzelte.

Nur Susanna verzog keine Miene und musterte ihren Vater weiter mit distanziertem Interesse. Sie wusste, dass er nicht über sie sprach. Er glaubte, er spräche über sie, aber das war nicht so. Im Grunde genommen sprach er mit sich selbst und über sich selbst. Eigentlich sah er sie gar nicht. Eigentlich sah er nur sich selbst. Eigentlich war sie gar nicht seine Tochter. Und er nicht ihr Vater. Er war nur ein Mann, der zu sich selbst und von sich selbst sprach.

Mörderisch deshalb, fuhr er fort, weil die Tötungsabsicht klar zutage liege. Es sei Susannas frei gefasster Entscheid gewesen, einem ihr gänzlich unbekannten Menschen willkürlich und ohne Not größtmöglichen Schmerz und körperlichen Schaden zuzufügen. Strafrechtlich sei das zwar nicht relevant, denn vor dem Basler Criminalgesetz sei die Täterin dank ihres frühen Kindesalters weit entfernt von jeder Strafmündigkeit. Moralisch aber stelle sich die Schuldfrage sehr wohl und erst recht. Denn wenn es wahr sei, dass der Mensch sich vom Tier durch die freie Wahl seiner Taten unterscheide, und wenn es zudem wahr sei, dass auch Kinder schon Menschen seien, dann folge daraus, dass Susanna seit ihrer Geburt über die freie Wahl ihrer Handlungen verfüge und deshalb auch Rechenschaft abzulegen habe über die Folgen ihres Tuns, sich also zu verantworten habe in erster Linie vor sich selbst, aber auch vor ihren Nächsten und vor Gott dem Allmächtigen …

Da zerbarst krachend der Stuhl des Deutschen. Er hatte sich allzu weit nach hinten gelehnt, das hintere linke Stuhlbein brach ab. Holz splitterte, Valentiny fiel rücklings hintenüber, unter seinem Gewicht brachen auch das rechte hintere Stuhlbein und die Lehne ab.

Der Vater verstummte mitten im Satz und erstarrte mit erhobenem Zeigefinger.

Für einen Augenblick war Stille.

Susanna und ihre Brüder schauten mit schreckgeweiteten Augen auf den Doktor nieder.

Ihre Mutter aber sprang auf und brach in ein spitzes, nervöses, perlendes Gelächter aus.

»Ach herrje, Sie Lieber, Sie Guter«, stieß sie zwischen zwei Lachkoloraturen hervor und fuhr sich mit gespreizten Fingern durchs Haar. »Haben Sie sich wehgetan? Kommen Sie, ich helfe Ihnen hoch – Sie sind mir ja einer! Nun machen Sie schon, nehmen Sie meine Hand! Sind Sie denn sicher, mein Guter, mein Bester, dass Sie sich nicht wehgetan haben?«

Und dann lachte sie wieder, während Valentiny sich schief grinsend an ihrer Hand hochzog, und stampfte sogar mit einem Fuß auf vor Vergnügen. Sie lachte und lachte, bis ihr die Tränen über die Wangen liefen.

STARK WIE KAFFEE, SÜSS WIE HONIG

Das Mittagessen war vorbei, an eine Fortsetzung des väterlichen Strafprozesses nicht mehr zu denken. Die Kinder erhielten die Erlaubnis, auf ihre Zimmer zu gehen, und verschwanden durch die Tür. Die Mutter wischte sich, immer noch glucksend, die Tränen aus den Augen. Dann entschuldigte sie sich und folgte den Kindern.

Lukas Faesch und Karl Valentiny blieben allein im Blauen Salon zurück. Der Deutsche hob die geborstenen Teile des Stuhls auf und begutachtete die Bruchstellen. Sein Freund stand daneben und schaute ihm zu. Hinter seinem Bart spielte ein spöttisches Lächeln.

»Der Stuhl ist hin«, sagte Valentiny.

»Macht nichts. Leg ihn dort hin.«

»Ich besorge dir einen neuen.«

»Da. Neben die Tür.«

»Wo hast du ihn her?«

»Vom Schreiner. Um die Ecke. Gute Qualität eigentlich. Aber Dutzendware.«

»Ich hole dir einen neuen. Gleich morgen früh.«

»Lass gut sein. Ich habe welche in Reserve.«

»Trotzdem.«

»Der Stuhl muss sowieso wurmstichig gewesen sein. Sonst wäre er nicht unter dir zusammengekracht. Ganz von allein.«

»Ich ersetze ihn dir. Du hast mir damals mein Pferd auch ersetzt, das unter dir zusammengekracht ist.«

»Du fängst jetzt aber nicht wieder damit an!«

»Ich sage ja nichts.«

»Gut.«

»Nur, dass der Gaul unter dir zusammengekracht ist. Ganz von allein.«

»Unsinn.«

»In der Mittagshitze«, sagte Valentiny. »Das arme Tier. Auf dem Kasernenhof. Vor der ganzen Kompanie. Und du obendrauf.«

Lukas Faesch wandte sich ab, musste dann aber doch lächeln. Sein gerade noch hartes, strenges Gesicht war plötzlich heiter und entspannt. Seine Frau hätte sich gewundert. Diese milde, freundliche Miene kannte sie nicht an ihm. Es war sein Soldatengesicht, das nun aufleuchtete. Er war sich dessen bewusst. Das gleiche Gesicht hatte er an seinem Vater manchmal gesehen, wenn er sich des Militärdienstes erinnerte. Und an seinem Großvater.

Die Faeschs waren eine Familie von Kaufleuten und Soldaten. Ihre Männer hatten über Jahrhunderte dem König von Frankreich gedient. Als Jünglinge waren sie von ihren Vätern ins Rekrutierungsbüro gebracht worden, wo sie sich vor dem Stabsarzt nackt ausziehen mussten, als ob sie fürs Militär ein zweites Mal geboren würden. Dann hatten sie fünf oder zehn Jahre lang irgendwo auf der Welt Kriegsdienst geleistet, um schließlich als gestandene Männer in ihre Heimatstadt zurückzukehren, ein ehrenvolles öffentliches Amt zu übernehmen und ein ehrbares Bürgermädchen zu heiraten, mit dem sie Kinder zeugten und ein gottgefälliges Leben führten. Nur manchmal, wenn die finanzielle Lage es erforderte oder wenn das Leben gar zu fad oder die Ehe gar zu trostlos wurde, packten die

Männer ihr Bündel ein zweites Mal, küssten die Frau und die Kinder auf die Stirnen und verließen die Stadt, um sich für weitere fünf Jahre zu verpflichten.

Für diese tugendhaften, sittenstreng erzogenen Männer war die Unterwerfung unter militärische Zucht ein Akt persönlicher Befreiung; denn in sittlicher Hinsicht war das Soldatenleben ganz einfach. Sie hatten zu gehorchen, das war alles. Oberstes Gebot und einziges Gesetz war das Dienstreglement. Zwar beraubte es sie ihres freien Willens, aber im Gegenzug entband es sie jeder moralischen Verantwortung. In der Legion mussten sie nicht länger ihr Gewissen erforschen und nicht um ihr Seelenheil fürchten, sich nicht um die Verbesserung ihres Charakters bemühen und sich nicht mit dem Wort Gottes die Laune verderben. Dienst war Dienst und Befehl war Befehl, und das war's. Ihr Gewissen blieb ruhig, obwohl sie im militärischen Alltag dauernd gegen die Mehrzahl der biblischen Gebote verstießen. Sie mussten weder Fegefeuer noch Verdammnis fürchten, denn für die Zeit ihres Dienstes waren sie eben keine Christenmenschen, sondern Legionäre. Sonntags rief der Feldprediger zur Messe, und für den Rest der Woche war das genug der Metaphysik.

Das Regiment, in dem Lukas Faesch und Karl Valentiny dienten, lag einsam im algerisch-marokkanischen Grenzgebiet. Die Ebene war weit und grau, die Hitze groß, die Langeweile unermesslich. Die Gegend war aber auch Rückzugsgebiet Abd el-Kaders, des Schreckens und Albtraums der Fremdenlegion. Er war der jugendliche Emir Algeriens und Anführer des Widerstands gegen die französischen Invasoren, und er war klug und schön und von drahtigem Wuchs, darüber hinaus tiefen Gemüts und von bestrickendem männlichem Charme, und er befehligte fünfzigtausend Berberkrieger, die mit ihren unglaublich flinken, ausdauernden und genügsamen Vollblutpferden das Atlasgebirge und den Nordwesten der Sahara beherrschten.

Abd el-Kader kannte das Land und die Leute wie sonst niemand, und er hatte von Gott den Auftrag erhalten, Algerien von den Ungläubigen zu befreien. Er kleidete seine Krieger in blutrote Gewänder, die in der grauen Landschaft furchterregend leuchteten. Trotzdem waren sie für die Franzosen unsichtbar, denn sie verschwanden in den Weiten der Sahara oder fanden Unterschlupf in entlegenen Schluchten des Atlas, die noch keines Franzosen Auge gesehen hatte. Und wenn sie sich in den verwinkelten Altstädten Orans oder Algiers versteckten, bewegten sie sich im Menschengewimmel wie Fische im Wasser.

An Bewaffnung und Munition waren sie den Legionären weit unterlegen mit ihren silberbeschlagenen Steinschlossgewehren, krummen Dolchen und Steinschleudern, und doch spielten sie mit den Eindringlingen nach Belieben Katz und Maus. Lauerten die Franzosen in El Golea, überfiel Abd el-Kader ein Munitionsdepot in Algier; suchten sie ihn in Oran, sprengte er eine Brücke bei Sidi Bel Abbès. Und bis die Franzosen verstanden hatten, wie ihnen geschehen war, hatte der Wind die Spur der Roten Krieger in der Sahara längst verweht.

»Es ist sinnlos, Abd el-Kader in den unermesslichen Weiten der Wüste zu verfolgen«, sagte General Louis Juchault de Lamoricière vor der französischen Nationalversammlung. »Wenn wir es tun, erwischen wir allenfalls seine Küchenmannschaft, aber sonst niemanden. Wenn wir ihm wirklich hartnäckig auf den Fersen bleiben, kann ich hernach womöglich stolz verkünden, dass wir sein Zelt erbeutet haben oder einen seiner Teppiche. Oder sogar, mit viel Glück, eine seiner

Ehefrauen oder einen Kalifen. Aber Abd el-Kader selbst und seine Kavallerie erwischen wir nie. Die werden immer in die Sahara entkommen. Im Wettlauf gegen ihre wüstenerprobten Pferde hat niemand eine Chance.«

Von Abd el-Kader selbst erzählte man sich, dass er sechsunddreißig Stunden lang ohne Pause durch die Wüste reiten könne und dass jedes seiner Pferde in der Lage sei, hundertfünfzig Meilen weit ohne Rast zu galoppieren. Abd el-Kader aß und trank im Sattel, gab seine Befehle im Sattel, schlief im Sattel, hielt im Sattel Gericht. Es gab Tage, an denen er von Sonnenaufgang bis Sonnenuntergang nur für die täglichen fünf Gebete aus dem Sattel stieg. Und für den Fall, dass sein Pferd unter ihm zusammenbrechen sollte, hielten ihm drei Diener jederzeit drei ausgeruhte und frisch gefütterte, getränkte und aufgezäumte Ersatzpferde bereit.

Gelegentlich geschah es, dass irgendwo zwischen Dünen und Geröllhalden eine Legionärspatrouille auf einen Trupp Rote Krieger stieß. Dann gab es beidseits ein paar Tote, die man rasch bestattete, und dann gingen alle ihrer Wege.

Manchmal aber kam es zu planmäßigen, in beiderseitigem Einverständnis herbeigeführten Gemetzeln, nach denen Hunderte auf dem Schlachtfeld liegen blieben. Meist trugen die Roten Krieger den Sieg davon, denn Abd el-Kader ließ sich nur auf einen Kampf ein, wenn er sicher war, ihn zu gewinnen.

Wenn die Roten Krieger nach der Schlacht noch Zeit fanden, schlugen sie den toten Legionären die Köpfe ab. Und den liegen gebliebenen Legionären, die noch nicht tot waren, schlugen sie auch die Köpfe ab. Dann schichteten sie die Köpfe zu einer Pyramide auf. Es ist historisch verbürgt, dass sie am sumpfigen Ufer des Makta-Flusses nach einer besonders blutigen Schlacht eine Pyramide mit einer Grundfläche von elf mal elf Legionärsköpfen errichteten. Das ergab zuunterst im schlammigen Grund ein Karree von hunderteinundzwanzig Köpfen, darüber ein zweites, etwas kleineres Karree von hundert Köpfen, dann eine weitere Schicht von einundachtzig und eine von vierundsechzig Köpfen, darüber neunundvierzig, sechsunddreißig, fünfundzwanzig, sechzehn, neun und vier Menschenköpfe. Fünfhundertundfünf Menschenköpfe insgesamt. Zuoberst auf der Spitze thronte kein Menschenkopf, sondern der Kopf eines Maultiers, mit einem Legionärshelm zwischen den Ohren, einer Nickelbrille auf der Nase und einer türkischen Meerschaumpfeife zwischen den gebleckten Zähnen.

Die Pyramide war nach wenigen Minuten schwarz bedeckt mit Sumpffliegen. Aus den oberen Köpfen floss Blut auf die unteren Köpfe, vermischte sich mit dem Fliegengewimmel und gerann zu einer schwarzen Kruste.

Viele dieser fünfhundertfünf Menschenköpfe waren nur achtzehn oder neunzehn Jahre alt geworden, kaum einer war älter als vierzig, und jeder war geboren und großgezogen worden von einer Mutter, die in diesem Augenblick vielleicht irgendwo nördlich des Mittelmeers an ihrem Küchentisch saß und nichtsahnend eine Tasse Lindenblütentee trank. Mag sein, dass die eine oder andere doch etwas ahnte; bei Müttern weiß man nie. Und dann waren da noch die Väter. Der Kummer der Väter wird oft vergessen. Vielleicht empfanden einige dieser tausendundzehn Eltern eine sonderbare Unruhe an jenem Morgen; eine merkwürdige Bangigkeit, eine Enge in der Brust, eine Beklemmung im Hals, die sie sich nicht erklären konnten. Und dann waren da auch noch die zweitausendundzwanzig Großeltern, sofern sie noch lebten, und eine nicht zu beziffernde Anzahl Geschwister. Vielleicht durchfuhr einige von ihnen an jenem Morgen wie ein Blitz die Gewissheit, dass ihrem Sohn, Enkel, Bruder etwas Schlimmes zugestoßen sein musste.

In der Nacht kamen die Schakale. Misstrauisch umschlichen sie die Pyramide, dann näherten sie sich vorsichtig schnuppernd und zerrten die ersten Köpfe heraus, wodurch im schwarz verkrusteten Mahnmal Lücken entstanden und höher gelegene Köpfe herunterkullerten. Die Schakale verbissen sich in die Unterkiefer der Köpfe, dass es aussah, als würden sie sie küssen, dann trugen sie sie in die Nacht hinaus, um ungestört das Fleisch von den Schädeln zu nagen.

Als die Sonne aufging, war die Pyramide verschwunden. In weitem Umkreis leuchteten bleiche, abgenagte Menschenschädel in der braungrauen Ebene. Der Schädel des Maultiers aber blieb verschwunden. Nur die Nickelbrille, der Legionärshelm und die Meerschaumpfeife lagen auf dem blutgetränkten Boden. Ein einsamer Dorfjunge hob sie auf, trug sie hinunter zum Fluss und wusch das Blut ab. Dann paradierte er damit durchs Dorf.

Lukas Faeschs Regiment verbrachte die meiste Zeit in der Geborgenheit der Kaserne. Abd el-Kader war zu klug, die Franzosen in ihren Festungen anzugreifen. Er wartete, bis sie herauskamen und sich weit genug ins Gelände vorwagten, und überfiel sie, wenn sie am wenigsten damit rechneten.

Bis es so weit war, schlugen die Legionäre die Zeit tot und langweilten sich. Der Tag begann mit Zimmerdienst und einem kurzen, scharfen Übungsmarsch, dann putzten sie ihre Gewehre und fetteten das Lederzeug ein, schälten Kartoffeln und machten Schießübungen. Vor dem Mittagessen ging's zum Exerzieren in den Kasernenhof, dann wurden noch mal die Gewehre geputzt, noch mehr Kartoffeln geschält und die

Lederwaren noch mal eingefettet. Nachmittags gab es wieder Schießübungen und noch einen Marsch, dann wurde noch mal das Gewehr geputzt und das Lederzeug aufs Neue gefettet.

Hin und wieder bekam ein Legionär den Koller und stellte etwas Hirnverbranntes an, dann musste er für drei Monate Steine klopfen im Straßenbau. Nur selten kam es vor, dass man einen Unglücklichen exekutieren musste, weil er im Hitzedelirium einen Vorgesetzten geohrfeigt oder sich heimlich aufgemacht hatte, um zu desertieren und quer durch die Wüste heim zu seiner Mama zu laufen. Dann verkündete der Kommandant mit philosophischer Gleichmut beim Morgenappell das Urteil. Der Todgeweihte wurde aus der Zelle geholt und an die Wand gestellt, während am Himmel die Mauersegler kreisten, in der Ferne ein Esel brüllte und der Kommandant seine Fingernägel betrachtete.

Lukas Faesch ertrug die allgegenwärtige Brutalität mit Gleichmut, ebenso das ewige Gebelfer, den allumfassenden Stumpfsinn und die ungeheure, gigantische Langeweile, die mit fortschreitender Dienstdauer jedes menschliche, irdische und kosmische Maß zu übersteigen begann. Tagsüber verrichtete er pflichtbewusst seine Arbeit als Lieutenant. Er überwachte das Gewehrputzen und Kartoffelschälen, hielt mit seinen Männern Schießübungen ab und ging mit ihnen auf Patrouille ins Gebirge. Während der Mittagsstunden ließ er im Schatten eines Felsens rasten, und wenn kein Fels in der Nähe war, ließ er aus blauen Zelttüchern Schattendächer spannen. Während die Männer und die Maultiere dösten, ziselierte er Schachfiguren aus leer geschossenen Patronenhülsen. Wenn er einen Figurensatz beisammen hatte, schenkte er ihn einem Kameraden und fing einen neuen an. Spielfelder fertigte er keine an.

In der Legion war es üblich, das Schachbrett mit der Bajonettspitze in den Sand zu zeichnen.

So vergingen Tage und Wochen, dann Monate und Jahre. Lukas Faesch schnitzte ein Schachspiel ums andere. Er setzte Muskeln an und baute Fett ab. Im dritten Jahr wurde er zum Capitaine befördert. Gesundheitlich ging es ihm gut. In der trockenen Hitze Nordafrikas gab es kaum Krankheitserreger, nur vom brackigen Wasser mancher Dorfbrunnen musste man sich fernhalten. An das Töten und Sterben gewöhnte er sich, seine Seele kam zur Ruhe. An seine Frau und die Kinder dachte er selten. Er schrieb ihnen förmliche kleine Briefe, und sie schrieben ihm ebensolche zurück. Es gab nichts, was er für sie hätte tun können. Also hatte es keinen Sinn, sich um sie zu sorgen. In seiner Vorstellung lebten sie fort in einer zeitlosen Zwischenwelt. Nach Ablauf seiner Dienstzeit würde er zu ihnen zurückkehren, und ihr gemeinsames Leben würde genau dort anknüpfen, wo es in der Minute des Abschieds abgebrochen war. Bis dahin befolgte er die Befehle seiner Vorgesetzten und erteilte seinerseits Befehle, und darüber hinaus stellte er keine nutzlosen Fragen und ließ die Zeit vergehen.

Jeden Samstag nach dem Zapfenstreich aber stach ihn wie alle Legionäre der Hafer. Dann verließ er die Kaserne durchs Seitentor, lief in der schmeichelnd weichen Abendluft vorbei am Soldatenfriedhof, dem Maultierpferch und dem muslimischen Friedhof, und dann tauchte er, während am Himmel die ersten Sterne blinkten und die Rufe des Muezzins verhallten, hinter der Moschee hinein in die Medina, ins Labyrinth der engen, von Teerfackeln beleuchteten Lehmmauern, wo die Straßenhändler auf ihren Bauchladen Honiggebäck und Glitzerkram verkauften, während Gaukler mit brennenden

Fackeln jonglierten und stark geschminkte Frauen mit entblößten Beinen durch die Nacht stolzierten.

Sechs Stunden dauerte der Freigang. Um Mitternacht mussten alle Legionäre wieder in der Kaserne sein.

Lukas Faesch ging durch schiefe Torbögen in dunkle Gassen, betrat schummrige Kaschemmen und rauchte Kif in kleinen, tönernen Pfeifen. Er trank süßen Rotwein aus irdenen Krügen und scharfen Feigenschnaps aus gehöhlten Ziegenhörnern, und er spielte Karten um Geld mit Juden, Türken und Arabern, während barbusige Nubierinnen zwischen den Tischen tanzten. Unter der Decke waberte beißender Rauch, blakende Öllampen hingen an rußgeschwärzten Ketten. Wenn ein Betrunkener gegen eine Lampe stieß, geriet ihr Licht ins Pendeln, als schwankte die ganze Gaststube auf hoher See.

Um halb elf mussten die Kneipen zusperren, damit die Legionäre sich rechtzeitig auf den Heimweg machten. Für die Stunde, die ihnen dann noch blieb, entzündeten sie an der Kasernenmauer kleine Lagerfeuer aus dürrem Halfagras und trockenem Thymian, und dann hockten sie sich in kleinen Gruppen hin und erzählten einander ihre Lebensgeschichten, die sie zur Legion geführt hatten. Es waren fast immer Geschichten von verratener Liebe, väterlicher Despotie und obrigkeitlicher Willkür, und jeder Legionär, der mit am Feuer saß, war ein verratener Prinz, ein zu Unrecht verstoßener Sohn oder ein widerrechtlich verfolgter Freiheitskämpfer. Natürlich wussten die Zuhörer, dass diese Geschichten für gewöhnlich ziemlich frei erfunden waren, denn jeder Legionär war ja gerade deshalb zur Legion gegangen, weil er seine tatsächliche Lebensgeschichte vergessen und – zumindest für die Dauer seiner Dienstzeit – hinter sich lassen wollte. Trotzdem gaben sie ihr Bestes, die Geschichten der anderen zu glauben und ihre eigenen Geschichten so glaubhaft als möglich zu erzählen; denn alle Geschichten zusammen verwoben sich zu einer gemeinsamen Erzählung, die dann wiederum wahrhaftig und jedem Legionär ein Trost in der Einöde des Alltags war.

Lukas Faesch hatte drei oder vier Kameraden, mit denen er besonders gern am Feuer saß. Sie wurden ihm über die Monate und Jahre zu Freunden, sie wuchsen ihm ans Herz. Und weil sie immer beisammen waren und weil alle die gleiche Kleidung trugen und das gleiche Essen aßen und weil sie das gleiche Handwerk verrichteten und nachts aus den gleichen Albträumen aufschreckten, standen sie ihm bald näher als irgendwer sonst auf der Welt; näher als die Gefährten seiner Kindheit, näher als die Mutter, näher auch als seine Ehefrau und näher als die eigenen Kinder.

Einer von ihnen war der junge Regimentsarzt Karl Valentiny aus Dortmund. Er war wegen irgendeiner Dummheit zur Legion gegangen – wegen eines Mädchens vielleicht oder wegen eines Streits mit dem Vater oder wegen einer Geldgeschichte –, und er hatte sich an Lukas Faeschs Rockzipfel gehängt mit der ganzen Hingabe eines Welpen, der zu früh der mütterlichen Obhut entlaufen ist.

»Erstens ist das Pferd von allein zusammengekracht«, sagte Lukas Faesch. »Ich war schon lange abgestiegen. Zweitens war es nicht dein Pferd, es war Eigentum der Legion. Und drittens war es kein Pferd, sondern ein Maultier. Unser Regiment hatte Maultiere, keine Pferde.«

»Der Kommandant hatte ein Pferd.«

»Aber ich war nicht der Kommandant. Und du auch nicht.«

»Das ist nicht der Punkt. Der Gaul ist zusammengekracht, daran wirst du dich erinnern.«

»Da war ich schon abgestiegen, ich muss es wiederholen.«

»Ein gesunder junger Gaul. Kracht einfach so zusammen.«

»Dehydriert vermutlich.«

»Man hätte ihn saufen lassen sollen.«

»Wie die Gäule saufen konnten! Man spürte es zwischen den Schenkeln, wie sie beim Saufen dicker wurden.«

»Die afrikanische Sonne.«

»Der scharfe Schattenwurf der Dattelpalmen.«

»Ach, die Datteln! Die großen Datteln aus dem Tafilalet.«

»Und Kuskus und Lammragout. Mit Pfefferfrüchten, Ingwer und Kurkuma.«

»Das war schon etwas anderes als, sagen wir, gedünsteter Weißfisch aus dem Rhein mit salzlos gekochten Pellkartoffeln und wässrigem Rotkraut.«

»Zum Nachtisch süße Stachelfeigen. Überall am Wegesrand gab's Stachelfeigen.«

»Und Minztee. Stark wie Kaffee, süß wie Honig.«

»Und die schwarzen Augen der Berberfrauen.«

»Und das Gebrüll auf dem Kamelmarkt von Tamanrasset.«

»Und die Sterne am Himmel, wenn es Nacht wurde über der Sahara.«

»Das Geheul der Schakale in der Arak-Schlucht.«

»Das Echo ihres Geheuls zwischen den Felswänden.«

»Und die hundert Tage, die wir in der Arak-Schlucht auf Abd el-Kader gewartet haben.«

»Aber der ist nie gekommen.«

»Der hat schon gewusst, dass wir dort warten würden, bevor wir selbst es wussten.«

»Dafür kam jeden Abend nach Sonnenuntergang dieser einsame Tuareg und hat ein Schubert-Lied gesungen. Auf Deutsch.«

»Der ehemalige Missionsschüler.«

»›Am Brunnen vor dem Tore‹.«

»›Ich wollt', ich wär' ein Fisch‹.«

»›Nacht und Träume‹.«

»Hoch zu Ross auf seinem Kamel hat er Schubert gesungen, ganz in blaue Tücher gehüllt. Mit einem Krummsäbel an der Seite.«

»Hundert Lieder an hundert Abenden, und Schubert hat widergehallt von den roten Felswänden der Arak-Schlucht, und wir haben geweint vor Heimweh in der hereinbrechenden Dunkelheit.«

»Und jedes Mal hat der Tuareg nach dem Singen seitlich ausgespuckt. Dick und fett beiseitegespuckt, bevor er sein Kamel wendete und in die Nacht hinausritt, während wir weinend unter den Oleanderbäumen lagen.«

»Wir hätten ihn von seinem Kamel herunterschießen sollen, den Hund. Zu übersehen war er ja nicht, so dunkelblau vor dem lila Himmel.«

»Damit hätten wir gegen das Dienstreglement verstoßen. Das Absingen von Schubert-Liedern ist ja doch keine feindliche Kampfhandlung.«

»Jedenfalls war unsere Moral im Eimer. Man musste froh sein, dass Abd el-Kader nicht gekommen ist.«

»Der war da schon in Marokko.«

»In Libyen.«

»Wie?«

»Nach Libyen ist er geflohen.«

»Nach Marokko.«

»Libyen.«

»Marokko. Glaub mir.«

»Libyen. Wenn ich es doch sage.«

»Nach Marokko. Zum Sultan. Mit seinen vier Ehefrauen, ein paar Dienern und den zwanzig Kindern. Aber ohne die Roten Krieger.«

»Mag sein. Aber er ist nach Libyen geflohen.«

»In Libyen gibt's keinen Sultan. Der Sultan von Marokko war ein Freund von ihm.«

»Das ist jetzt wirklich … Na gut. Diesmal magst du recht behalten. Aber das nächste Mal habe ich dann wieder recht.«

So versandete der Disput ohne Sieger und ohne Wahrheitsfindung. Lukas Faesch behauptete dies, Karl Valentiny das. Wer recht hatte und wer nicht, war an jenem trüben Januarsonntag des Jahres 1849 im Blauen Salon nicht herauszufinden; nicht mit den technischen Mitteln jener Epoche. Also schwiegen sie und schürten das Feuer im Kamin, steckten sich Zigarren an und sprachen dann über etwas anderes.

Wir Heutigen klären solche Streitfragen im Nu. Wir nehmen unsere Taschengeräte zur Hand und drücken ein paar Tasten, und schon lesen wir in Abd el-Kaders Leben wie in einem offenen Buch. Er würde sich wundern, was wir alles über ihn wissen. Womöglich mehr, als er selbst über sich gewusst hat.

Wir wissen, dass er als Sohn eines noblen Marabut in der Nähe von Mascara geboren wurde und dass seine Mutter Lalla Zohra hieß und eine kluge und gebildete Frau war, die ihrem Sohn, kaum dass er laufen und reden konnte, das Lesen und Schreiben beibrachte. Wir wissen, dass er an seinem siebenten Geburtstag beschnitten wurde und dass er dabei tapfer war und nicht weinte und dass er mit vierzehn den ganzen Koran auswendig kannte von der ersten bis zur letzten Sure. Auch ist uns bekannt, dass Abd el-Kader mit fünfzehn seine zwei Jahre jüngere Cousine Kheira heiratete, die ihm bis an sein Lebensende von allen Frauen, die er noch heiraten sollte, die liebste blieb. Wir wissen, dass er kurz darauf ohne Kheira, aber mit seinem Vater eine Pilgerreise nach Mekka unternahm, sechstausend Kilometer auf dem Rücken eines Maultiers hin und sechstausend Kilometer auf dem Rücken eines anderen Maultiers zurück, und dass er danach in den Guerillakrieg gegen die französischen Invasoren zog und mit nur vierundzwanzig Jahren vom Rat der Ältesten zum Emir aller Rechtgläubigen im Nordwesten der Sahara gewählt wurde.

Es ist überliefert, dass er sich nach der Schlacht am Makta-Fluss angewidert abwandte, als seine Krieger in einem wilden Wirbel um die Pyramide tanzten und »Mehr Köpfe! Mehr Köpfe!« schrien. Nachlesen kann man aber auch, dass die Roten Krieger die Praxis des Köpfeabschneidens nicht eigentlich erfunden hatten. Namentlich in Frankreich hatte sich das Enthaupten ein paar Jahrzehnte zuvor derartiger Beliebtheit erfreut, dass man zu dessen rascherer Verrichtung eine Maschine hatte erfinden müssen.

Weiter steht geschrieben, dass die französischen Eroberer, weil sie Abd el-Kaders nicht habhaft wurden, ihn schließlich in die Knie zwangen, indem sie vorsätzlich und zielstrebig das algerische Volk in Hunger und Elend trieben. Jeden Frühling und jeden Herbst fielen die Legionäre über die Dörfer her, steckten die Kornfelder der Bauern in Brand und fällten die Obstbäume, zerstörten die Speicher, stahlen das Vieh und enthaupteten die arbeitsfähigen Männer. Die Frauen, Kinder und Greise aber töteten sie nicht, sondern überließen sie einem langsamen Hungertod und zwangen damit die Roten Krieger, ihren Angehörigen zu Hilfe zu eilen und Abd el-Kader im Stich zu lassen. So löste sich dessen Armee in Luft auf. Sie versickerte im Sand, wurde vom Wüstenwind verweht. Dem

Emir blieb nichts anderes übrig, als mit seinen Frauen, Kindern und ein paar Dienern nach Marokko zu fliehen.

Nach Marokko, nicht nach Libyen.

So steht es geschrieben.

Geschrieben steht weiter, dass die Franzosen ihren Staatsfeind schließlich mit List, Tücke und Wortbruch doch noch gefangen nahmen und übers Mittelmeer nach Frankreich verschleppten. An jenem 13. Januar des Jahres 1849, an dem Lukas Faesch und Karl Valentiny vor dem Kaminfeuer des Blauen Salons Erinnerungen austauschten, saß Abd el-Kader im ehemaligen Königsschloss Amboise hoch über der Loire in Festungshaft. Er teilte die königliche Schlafkammer mit seinen vier Ehefrauen und der Mutter, nebenan schliefen zwanzig Kinder, in den angrenzenden Räumen seine drei Brüder mit ihren Frauen, dann ein paar Freunde und Getreue und schließlich die Dienerinnen und Diener; insgesamt umfasste die Sippe achtundachtzig Menschen.

Das tausendjährige französische Gemäuer war kalt, feucht und rattenverseucht. Abd el-Kaders Leute wurden krank und schwermütig, fünfundzwanzig starben an Lungenentzündung, Cholera und Diphtherie. Der Emir verlor seine jüngste Ehefrau Embaraka, dann auch seine Tochter Kadija und den Sohn Ahmed sowie die Nichte Aischa und den Großneffen Messaoud.

Ihre Grabmäler stehen bis auf den heutigen Tag im Schlosspark, nur einen Steinwurf entfernt von Leonardo da Vincis Grab, der seine letzten Lebensjahre ebenfalls in Amboise verbracht hatte. Mitten durchs Gräberfeld führt eine niedere, schnurgerade Rosmarinhecke und weist den Weg nach Mekka.

WIEDER ZU HAUSE

Auf den ersten Blick mag es scheinen, als ob diese Ereignisse ohne Belang gewesen wären für Susanna Faesch. Tatsächlich aber hätte eine winzige Änderung genügt – eine Gewehrkugel, deren Flugbahn anders verlief, ein paar Bakterien, die sich dahin und nicht dorthin ausbreiteten, ein Skorpion, der sich in einen Soldatenstiefel verkroch, oder ein Frauenherz, das sich an Karl Valentiny oder an Lukas Faesch verlor –, und die Geschichte wäre ganz anders verlaufen. Dann wäre Susanna vielleicht gar nie geboren worden, oder sie hätte nicht Ragtime in New York getanzt und wäre nie auf einem Missouri-Dampfer gefahren.

Im Rückblick gesehen ist es also unbedingt notwendig, dass sich alles so ereignete, wie es geschrieben steht; genau so und nicht anders. Und tatsächlich steht es so geschrieben, wir können es nachlesen auf unseren Taschengeräten. Es steht geschrieben in den Zeitungen jener Zeit, in den Rapporten der französischen Generäle und in den Lebenserinnerungen des Emirs, die er viel später als allseits verehrter Weiser in Damaskus verfasste.

Anderes aber steht nicht geschrieben. Es steht nicht geschrieben, ob Abd el-Kaders eheliches Zusammenleben mit den Gattinnen glücklich war. Wir wissen nicht, ob die Frauen miteinander zurechtkamen und ob sie alle mit ihm zufrieden waren. Der Emir schweigt darüber. Die Frauen haben, soweit bekannt, keine schriftlichen Zeugnisse hinterlassen. Und den französischen Generälen, die sonst über jede Kleinigkeit Rapporte verfassten, scheint das Eheleben ihres Erzfeindes gleichgültig gewesen zu sein.

Als gesichert gilt einzig, dass Abd el-Kader sich an die Regeln des Korans hielt und nie mehr als vier Gattinnen gleichzeitig hatte. Wenn ihm eine wegstarb, heiratete er eine neue, meist deutlich jüngere. Wie oft das geschah, ist nicht überliefert.

Wir wissen auch nicht, ob Abd el-Kader seinen zwanzig Kindern ein zärtlicher Vater war und ob er für sie kleine Spielzeugpferde aus Kamelknochen schnitzte und ihnen abends im Nomadenzelt Schlaflieder sang. Es ist uns nicht bekannt, ob er weinen konnte beim Anblick eines Hundes, der im Straßengraben verendete, und ob er eine Schwäche hatte für vergorene Kamelmilch und Grießkuchen mit Orangenkompott. Zwar steht geschrieben, dass er sehr auf sein Äußeres bedacht war und sich bis ins hohe Alter das Kopf- und Barthaar schwarz färbte. Andrerseits werden wir wohl nie erfahren, ob er in den letzten Lebensjahren Zahnschmerzen hatte oder Schwierigkeiten beim Wasserlösen.

All das ist vergessen, versunken im Dunkel der Zeit. Vergessen sind Abd el-Kaders Frauen und Kinder, vergessen seine Freunde und Diener, vergessen fast alle der zwei Milliarden Menschen, die mit ihm auf der Welt waren und dieselbe Luft geatmet, dasselbe Wasser getrunken und dieselben Sonnenaufgänge gesehen haben. Vergessen sind die Freuden und Leiden der Namenlosen, verklungen ihre Lieder, vermodert die Früchte ihrer Arbeit, zu Staub zerfallen und in alle Winde verstreut; verpufft sind ihre Vorlieben, Abneigungen und Leidenschaften, ihre Gewissheiten, Zweifel und Ängste, verflossen ihre Augenblicke des Aufbegehrens und der Verzagtheit, ihre

Tage zuversichtlicher Tapferkeit, duldsamer Resignation oder stiller Verzweiflung; sogar das Andenken an ihre Namen hat sich in Luft aufgelöst.

Von Lukas Faesch und Karl Valentiny hingegen kennen wir immerhin die Namen, sie sind niedergeschrieben in den Registern der Kirchen und Zivilstandsämter. Dort ist festgehalten, wann und wo sie von wem geboren wurden, wann und wo sie wen geheiratet haben, wie viele Kinder sie gezeugt haben und wann und wo sie gestorben sind und wo sie begraben liegen. Im Archiv der Fremdenlegion steht zudem, wie viele Jahre sie in Algerien gedient haben, welche Grade sie erreichten und wie hoch ihre Ruhestandsrente war.

Hingegen schweigt die Legion sich darüber aus, ob Faesch und Valentiny selbst mit Hand angelegt haben beim Niederbrennen der Kornfelder und beim Fällen der Obstbäume und ob auch an ihren Händen das Blut wehrloser Bauern klebte. Denn zu allen Zeiten haben immer nur die Opfer Zeugnis von den Gräueltaten abgelegt, sofern sie es noch konnten; die Täter schwiegen still und waren froh, dass sie Uniform getragen hatten und niemand ihre Namen kannte. Zwar träumten manche bis ans Ende ihrer Tage von ihren Taten und schreckten nachts schreiend aus dem Schlaf, das ist wahr; aber alle versuchten zu vergessen und hofften bis zuletzt, dass ihnen niemand dahinterkomme.

Immerhin wissen wir, dass Lukas Faesch und Karl Valentiny nach Ablauf ihrer Dienstzeit an Bord eines Truppentransporters übers Mittelmeer in den Norden zurückkehrten. In Marseille gingen sie an Land und verbrachten eine letzte Nacht in der Kaserne, bevor sie einen Monat lang über tausend Kilometer weit Seite an Seite heimwärts wanderten. Sie folgten den Ufern der Rhone, der Saône und des Doubs bis an den Rhein.

Lukas Faesch war nun wieder zu Hause. In seiner Vaterstadt erwarteten ihn seine Frau und seine Kinder, sein Schreibpult und die alte Köchin. Sein weiterer Lebensweg lag in aller Klarheit vor ihm – er war hier zu Ende. Hinter diesen Stadtmauern und nirgendwo sonst würde er Ämter und Würden antreten und den Rest seiner Tage verbringen. Seine Wanderung war vorüber. Sein Leben kam in der Stunde der Heimkehr zum Stillstand wie erkaltende Lava.

Er begleitete seinen Freund zur Schifflände, wo eine Fähre nach Straßburg schon unter Dampf stand. Er schaute ihm über die Schulter, als er die Fahrkarte kaufte, und sah ihm hinterher, wie er übers Fallreep an Bord ging. Als die Schiffsknechte die Leinen losgemacht hatten und das Schiff ablegte, drehte er sich um, brummte: »Na dann!«, und ging aufs Stadttor zu.

Zwar hatte er nicht erwartet, dass sich seine Heimatstadt in seiner Abwesenheit grundlegend verändert haben würde. Aber es überraschte ihn dann doch, dass der Torwächter immer noch derselbe war wie beim Abschied vor fünf Jahren und dass er auf die gleiche gelangweilte Weise salutierte wie damals und dass neben dem Wächterhäuschen an derselben rostigen Kette derselbe schwarz-weiße Köter döste, der über die Jahre noch nicht mal gealtert zu sein schien. Ihm war, als wäre er nur kurz zum Pilzesammeln in den Hegenheimer Wald gegangen. Immerhin war der Köter wohlgenährt. Der Stadt ging es anscheinend immer noch gut.

Am meisten überraschte ihn, dass er selbst im Augenblick der Heimkehr nichts empfand; kein Glücksgefühl und keine Abscheu, weder Bitterkeit noch Vorfreude oder Panik, auch keine Nostalgie oder Neugier, noch nicht mal Wehmut, Überdruss oder Langeweile. Er war einfach wieder da, das war alles; zwar braun gebrannt und muskulös wie nie zuvor, zudem flinker auf den Beinen als ein Jüngling und als Schütze treffsicherer denn je; aber das würde sich legen. Spätestens bis zum Herbst würde er ausbleichen und Muskeln abbauen. Und das Gewehr würde er nur noch einmal im Jahr zum Schützenfest aus dem Schrank nehmen.

Er war nun wieder der Alte. Sein anderes Ich als Legionär hatte er in der Stunde abgelegt, in der er die Uniform ausgezogen und zivile Kleider entgegengenommen hatte. Sogar die Albträume hatten sich auf dem Heimweg verflüchtigt. Nun war er wieder daheim. Zurück in seinem alten Leben. Nichts hatte sich verändert.

Er ging durchs Stadttor in die Hauptgasse und weiter den Weg, den er nun mal zu gehen hatte. Die Stadt war voller Leute. Er kannte sie alle. In den Hauseingängen standen Leute. An den Fenstern standen Leute. Auf den Kutschböcken standen Leute. Auf dem Kopfsteinpflaster gingen Leute Arm in Arm, zogen Karren hinter sich her oder hielten Kinder an den Händen. Lukas grüßte nach links und rechts, die Leute grüßten ihn mit Namen zurück. Sie grüßten respektvoll, aber gleichmütig, als hätten sie seine fünfjährige Abwesenheit nicht bemerkt. Dabei hatten sie sie bemerkt. Sie mimten den Gleichmut nur, um ihren Neid und ihre heimliche Bewunderung zu verbergen.

Lukas wusste das. Er kannte die Leute. Er war einer von ihnen. Bald würde er wieder sein wie sie – ein lebendig mumifizierter Bürger seiner Stadt.

Und dann kam er daheim an und stand vor dem Haus, das sein Urgroßvater väterlicherseits hatte bauen lassen. Sein

Großvater und sein Vater waren hier geboren und gestorben, und er selbst war auch hier geboren und würde ebenfalls hier sterben, und seine Söhne waren auch hier geboren und mindestens einer von ihnen würde auch darin sterben. Das Haus sah ganz unverändert aus. Die Fensterscheiben waren frisch verkittet, das war ein gutes Zeichen, und die Fensterläden und die Haustür frisch geölt und die Messingbeschläge poliert. Lukas Faesch war zufrieden. Seine Frau hatte das Haus gut in Schuss gehalten. Bestimmt hatte sie auch dafür gesorgt, dass einmal im Monat die Treppen gewienert und zweimal im Jahr die Schornsteine gefegt wurden.

Acht Schritte hatte er noch zu gehen bis zur Freitreppe und acht Stufen zur Haustür hinauf. Er würde anklopfen wie ein Fremder, damit niemand sich über seine Ankunft erschreckte, und wenn die Tür aufging, würde er sein Bündel abstellen, die erstaunlich groß gewordenen Kinder küssen und seine zwar älter gewordene, aber immer noch junge Gattin umarmen, und dann würde er sich mit ihnen zu Tisch setzen und sich später am Abend mit der Frau ins Ehebett legen, und danach würden sie tief und ruhig schlafen.

Gut möglich, dass es jene Nacht war, in der sie die kleine Susanna zeugten. Bis zu ihrer Geburt verging ein Dreivierteljahr.

Am nächsten Morgen würde er seinen schwarzen Anzug aus dem Schrank holen, der dort fünf Jahre lang auf ihn gewartet hatte. Er würde über die Brücke zum Rathaus gehen und den noblen Herren des Kleinen Rats seine Aufwartung machen, und diese würden ihn, wie es seit Langem geplant und verabredet war, auf Lebenszeit zum Verwalter der städtischen Wiesen und Wälder ernennen.

So war es geplant und vorherbestimmt. Fortan, man muss das leider so sagen, würde sich in Lukas Faeschs Leben nichts mehr ereignen; nichts, was zu vermelden die Mühe wert wäre. Er würde Tag für Tag in Ausübung seines Amtes über die städtischen Ländereien streifen, den Wuchs des Grases und der Bäume beobachten und den Durchfluss der Kanäle kontrollieren; er würde hier eine Anordnung treffen und dort ein Verbot aussprechen, abends im Kontor einen Rapport schreiben und zu Hause darauf achten, dass seine Kinder und die Frau wie vorgeschrieben ihre drei täglichen Gebete verrichteten.

Einförmig würden die Tage vergehen, einer nach dem anderen, bis zu dem einen, der sein letzter sein würde. Lukas Faesch war damit im Reinen. Er hatte zu seinem Leben A und B gesagt, jetzt musste er auch C und D sagen, und dann würde er auch noch den ganzen bitteren Rest des Alphabets herunterbeten.

Manchmal würde er zwar morgens im Spiegel eine Ahnung seines anderen Ichs erkennen, einen Schimmer seines lebendigen Doubles, das ein Herz voller Sehnsüchte hatte und nicht aufhören konnte, von den Lagerfeuern bei Sidi Bel Abbès zu träumen und vom Sternenhimmel über der Sahara. Er kannte sein Double, es begleitete ihn durchs Leben und half dem Ideologen in ihm – verlieh ihm vielleicht die notwendige Kraft –, die selbstgewählte Dürre seiner realen Existenz zu ertragen. Nur manchmal, wenn der Träumer die Überhand zu erlangen drohte, rief der Ideologe ihn zur Ordnung und verwies ihn an seinen Platz.

Es ist ja auch nicht wahr, dass seine Tage komplett ereignislos verliefen. Immerhin hatte er sich die Gabe bewahrt, Freude an den einfachen Dingen des Lebens zu haben; am Anblick einer Birke, die goldgelb in der Herbstsonne leuchtet, oder am Lachen der Kinder und am selbstvergessenen Ernst, mit dem seine Frau ihr Haar kämmte.

Und dann erwarteten ihn immer wieder auch Dramen, die ihn in seinem Innersten erschütterten.

Das erste ereignete sich sechs Jahre nach seiner Heimkehr, als seine Tochter dem Wilden Mann vor versammelter Bürgerschaft ein Auge ausstach. Das nächste folgte ein Jahr später, als seine Gattin ihn auf Nimmerwiedersehen verließ, und zwar nicht im Zorn und nicht in backfischhafter Verliebtheit oder anderweitigem Überschwang – was er vielleicht leichter hätte ertragen können –, sondern kühlen Kopfes und nach reiflicher Überlegung. Das dritte Drama war jener Schwarze Freitag an der Börse, an dem sich ein großer Teil des Familienvermögens, das noch sein Vater in russischen Zobel investiert hatte, in Luft auflöste. Und dann war da dieser Tumor, der sich irgendwann in seiner linken Lunge bildete, dort eine ganze Weile unerkannt wucherte und ihn schließlich an Silvester 1867 tötete.

Aber das waren Schicksalsschläge, die von außen auf ihn niedergingen. Weder hatte er sie selbst gewählt oder bewusst herbeigeführt, noch hätte er sie verhindern oder auch nur in ihrem Verlauf steuern können.

Soweit es in seiner Macht stand, lebte er sein Leben und erfüllte täglich seine Pflichten. Aber er brach nie mehr zu neuen Ufern auf, pflanzte keinen Baum und baute kein Haus mehr, beging keine Sünden und keine Dummheiten; er leitete keinen Fluss um und schrieb kein Buch, enträtselte keine Hieroglyphen und zeugte kein Kind mehr, sang kein Lied und tanzte keinen Tanz und legte auch sonst in keiner Weise mehr Zeugnis ab, weder von sich selbst noch von sonst irgendetwas auf der Welt. Eigentlich, kann man sagen, erlebte er nichts mehr in den fünfundzwanzig Jahren, drei Wochen und zwei Tagen, die ihm auf Erden noch blieben. Rein gar nichts mehr.

Karl Valentiny aber schon. Bei ihm ging es erst richtig los, er war ja noch jung und frei. Ihn erwarteten zu Hause weder Frau noch Kinder, auch hatte er keine Ämter anzutreten und keine Hypothekarzinsen zu bedienen.

Nachdem die Bootsknechte die Leinen losgemacht hatten, setzte er sich am Bug des Rheindampfers auf eine Taurolle und stopfte seine Tabakpfeife; in den letzten Monaten in Algerien hatte er sich die Kulturtechnik des Rauchens angeeignet. Backbord zogen die Vogesen vorbei, Steuerbord die Anhöhen des Schwarzwalds.

Als Erstes würde er seine Eltern in Dortmund besuchen, die ihren einzigen Sohn fünf Jahre lang nicht gesehen hatten. Danach würde er weitersehen. Einem wie ihm stand die Welt offen. Einen jungen Doktor der Medizin würde man überall mit offenen Armen empfangen. Zudem hatte er die Gabe, Leuten zuzuhören und mit ihnen zu reden. Nicht nur auf Deutsch, sondern auch auf Französisch und Englisch und ein bisschen auf Arabisch. Und er sah gut aus mit seinen Wangengrübchen und dem blonden Seitenscheitel. Die Leute mochten ihn, und er mochte sie. Und er hatte Geld. Einer wie er konnte gehen, wohin er wollte, und tun, wonach ihm der Sinn stand. Südamerika wäre interessant, auf den Spuren Humboldts. Oder London. Oder Indien. Vielleicht Lissabon. Oder Dresden. Mal sehen.

Aber natürlich kam es ganz anders. Kaum zu Hause angelangt, musste er für den alten Doktor Augsburger einspringen, der ein Freund seines Vaters war und einen Schlaganfall erlitten hatte. Der Doktor war Hausarzt ohne eigene Praxis. Er hatte einen großen Stamm von Patienten, die auf seine Besuche angewiesen waren. Er war schon wieder halbwegs auf den Beinen und würde in ein paar Tagen wiederhergestellt sein; nur manchmal lief ihm noch Speichel aus dem rechten Mundwinkel, und beim Gehen zog er ein Bein hinter sich her. Zu Hause fehlte es ihm an nichts, denn er hatte eine kinderlos verwitwete Tochter, die aus Frankfurt zu ihm zurückgekehrt war und ihn herb und schweigsam, aber hingebungsvoll pflegte. Nur Hausbesuche konnte er noch keine machen. Da musste ihn jemand vertreten. Jemand musste für ein paar Tage bei seinen Patienten nach dem Rechten schauen.

Karl verdrehte die Augen, als der Vater ihn um den Gefallen bat. Abwehrend hob er die Hände und erwog, aus dem Haus zu fliehen und auf Nimmerwiedersehen zu verschwinden. Aber dann legte ihm der Vater beide Hände auf die Schultern, schaute ihm tief in die Augen und appellierte an seinen hippokratischen Eid sowie an sein Christenherz und seine Sohnespflicht. Dagegen war Karl wehrlos. Er ließ es geschehen, dass der Vater ihn zum Haus des Doktors führte und dem Alten vorstellte, und er nahm es auch nicht als Beleidigung, dass dieser ihn argwöhnisch musterte und dann schulterzuckend ohne ein Wort durch die Tür verschwand. Karl wollte schon hoffen, dass er damit abgewiesen und entlassen sei. Aber dann tauchte durch dieselbe Tür die Tochter des Doktors auf, die nur wenige Jahre älter war als er und als Kind in denselben Straßen gespielt hatte, und reichte ihm den Arztkoffer. Karl dankte. Etwas anderes blieb ihm nicht übrig. Dann ging er mit dem Koffer in den Stall und sattelte das Pferd.

Er ritt nach Brackel und schnitt einem alten Bauern drei Hühneraugen aus den Zehen. Er ritt nach Wickede und entband eine Frau von ihrem achten Kind. Er ritt nach Asseln und gab einem fiebernden Kind Kamillentee. Er ritt nach Huckarde zu einem Metzger, der aber schon bleich und tot in seinem Blut lag. Er ritt nach Bodelschwingh und verarztete eine Kuh, die vom Horn einer anderen Kuh geritzt worden war.

Abends brachte er das Pferd zurück in den Stall, erstattete dem alten Doktor Bericht und ging in die Küche, wo ihm die Tochter mit vorgeschobener Unterlippe Suppe und Brot auftischte und ansonsten weiter ihrer Küchenarbeit nachging, als wäre Karl nicht da. Auf dem Heimweg kehrte er auf ein Glas beim Bierwirt Wencker ein. Er setzte sich allein an einen Tisch, aber die Männer am Stammtisch winkten ihn herbei, weil er ja doch einer von hier und der junge Herr Doktor war. Zum Schlafen ging er hinüber zu den Eltern, die ihm seine alte Bubenkammer unter dem Dach hergerichtet hatten und begierig waren zu erfahren, wie es ihrem Sohn in Afrika ergangen war. Ein paarmal kochte er Kuskus, den er eigens für sie aus Algerien mitgebracht hatte, und erzählte.

So vergingen die Tage. Ehe Karl es sich versah, waren aus den Tagen Wochen geworden. Und aus den Wochen Monate.

Die Eltern waren froh, ihren Sohn wiederzuhaben. Falls es je einen Streit zwischen ihm und dem Vater gegeben hatte, schien sich niemand daran zu erinnern. Und falls in Karls Leben je ein Mädchen von Bedeutung gewesen sein sollte, war es spurlos verschwunden.

Er musste sich eingestehen, dass ihm die Ausritte in die Dörfer gefielen. Anfangs wunderte er sich noch, dass kein Patient den Jüngling zurückwies und niemand nach dem alten Doktor verlangte. Er staunte, wie dankbar und hoffnungsvoll die Leute ihn empfingen, wie vertrauensvoll die Kranken sich in seine Hände begaben und wie ehrfürchtig die Kinder ihn von unten herauf anstarrten. Was habt ihr denn alle, hätte er zuweilen ausrufen wollen, ich bin's doch nur, der Karl aus Dortmund.

Mit der Zeit wusste er, was die Leute von ihm erwarteten, und spielte die Komödie mit. Mit gerunzelter Stirn nahm er den Kranken den Puls und fühlte ihnen mit dem Handrücken die Temperatur. Er kritzelte unleserliches Zeug in ein Quartheft und verabreichte ihnen Pulver, das meistens weiß war und in einem Glas Wasser aufgelöst werden musste, und dann tätschelte er Hände und sprach ermutigende Worte. Nach getaner Arbeit ließ er sich mit Speck und Schnaps bewirten und musste versprechen, recht bald wiederzukommen. Wenn Karl danach wieder im Sattel saß, war er immer erleichtert wie ein Hochstapler, dem man wieder mal nicht auf die Schliche gekommen ist.

Auffällig war, dass der alte Doktor in all den Monaten nicht genesen wollte. Unverändert lief ihm der Speichel aus dem Mundwinkel, noch immer zog er das Bein hinter sich her. Aber er schien zufrieden. Ganze Nachmittage verbrachte er in seinem Sessel. Versonnen lächelte er zum Fenster hinaus und aß Zwetschgenkuchen, den ihm die Tochter brachte, wenn er mit der Tischglocke nach ihr klingelte. Sie hieß übrigens Hildegard. Man nannte sie Hildi.

Der Winter kam. Draußen lag Schnee. Der Ofen bullerte. Den Großteil des Tages über döste der Alte. Manchmal schnarchte er im Schlaf; manchmal schnarchte er auch, wenn er wach war. Zuweilen befielen ihn unerklärliche Zustände von Heiterkeit, dann brummte er altertümliche Lieder, die er als Kind gelernt haben mochte. In der ersten Zeit suchte Karl ihn abends noch auf und versuchte ihm von den Hausbesuchen zu berichten, aber der Doktor schien das Interesse an seinen Patienten und an der Medizin im Allgemeinen verloren zu haben. Er scharrte mit den Füßen und verdrehte die Augen, wenn ihm Karls Rapporte zu lang wurden, und wenn Karl dann immer noch nicht aufhörte, schüttelte er beide Hände, als hätte er etwas Heißes angefasst, und quiekte: »Ist gut jetzt, ist gut!«

Also ließ Karl den alten Mann in Frieden. Er winkte ihm nur noch im Vorbeigehen durch die Stubentür zu, wenn er abends zu Hildi in die Küche ging. Meist gab es Kohlsuppe mit Rindermark, manchmal Steinpilzsuppe, Hühnerbouillon oder Mehlsuppe. Hildi war eine gute Köchin. Das Schwarzbrot, von dem sie Karl jeweils eine dicke Scheibe abschnitt, buk sie jeden Samstag selbst.

So kamen sie zu dritt recht angenehm durch den Winter. Der Frühling kam und dann der Sommer. Als sich der Zustand des alten Doktors auch im Herbst nicht bessern wollte, deutete Karl erst leise, dann immer vernehmlicher an, dass man in absehbarer Zukunft einen neuen Stellvertreter werde suchen müssen, weil er selbst nicht mehr lange zur Verfügung stehe. Aber niemand hörte ihm zu. Alle machten weiter wie bisher. Da begann ihm zu schwanen, dass er noch länger in Dortmund bleiben würde.

SATANSBRATEN

Anton Morgenthaler stieß einen gotteslästerlichen Fluch aus, als ihm dieses Mädchen vors Fuhrwerk sprang. Er war auf dem Rückweg aus dem Forst, wo er Brennholz für seine Herrschaft geholt hatte, und war gerade durchs Riehentor in die Stadt eingefahren und ein bisschen zu schnell unterwegs, weil die Pferde Stalldrang hatten. Mit aller Kraft zog er an den Zügeln und zerrte an der Wagenbremse, dass die Pferde schnaubend die Köpfe zurückwarfen und die Eisenreifen kreischend übers Kopfsteinpflaster rutschten. Aber das Mädchen ging nicht beiseite, weder nach links noch nach rechts, sondern blieb mitten auf der Straße stehen und schaute Anton entgegen, als fürchtete es weder Pferdehufe noch Wagenräder noch einen frühzeitigen Tod. Die Straße war schmal, an ein Ausweichen nicht zu denken. Das Fuhrwerk schlidderte auf die Kleine zu. Als es endlich zum Stillstand kam, war sie unter den Pferden verschwunden. Anton erhob sich vom Kutschbock, schaute sorgenvoll seitlich an den Pferdehälsen vorbei – und da stand sie, dicht vor den Hufen der Gäule, aber heil und unversehrt. Sie sah zu Anton hoch, als wäre es nicht an ihr, Platz zu machen, sondern an ihm mit seinen zwei Pferden, dem Wagen und den drei Ster geschnittenem und gespaltenem Buchenholz auf der Ladefläche.

»He! Spinnst du? Geh weg!«

Er hatte sie sofort erkannt, auch ohne die grüne Wollmütze. Ein Irrtum war ausgeschlossen. Die Mütze trug sie nur deshalb nicht, weil jetzt Hochsommer war und nicht Winter. Die dunklen Augen aber waren unverwechselbar. An die würde er sich erinnern bis ans Ende seiner Tage. Zu jeder Jahreszeit.

Er beschloss, sich nichts anmerken zu lassen. Mit diesem Satansbraten wollte er nichts zu schaffen haben. Nicht einmal ignorieren wollte er sie, das wäre schon zu viel der Verbundenheit. Sie sollte nur den Weg freigeben, damit er weiterfahren konnte.

»Na, was ist? Mach, dass du fortkommst! Los!«

Sie tat, als hätte sie nicht gehört. Stand einfach da und schaute zu ihm hoch, die halbe Portion. Und jetzt, was sagte man dazu, verschränkte sie auch noch die Arme vor dem Hühnerbrüstchen und zog vorwurfsvoll eine Braue hoch. Anton fragte sich, was mit der Kleinen los war. War sie ihm etwa absichtlich vor den Karren gerannt? Ihm persönlich? Hatte sie ihn ebenfalls erkannt, auch ohne die Ledermaske? Vermutlich. Wahrscheinlich. Ziemlich sicher wusste sie, wer er war. Die Augenklappe war ja nicht zu übersehen, und Anton war der einzige einäugige Kutscherknecht in der Stadt. Er war jetzt ein berühmter Mann. Jedes Kind wusste, wie er sein Auge verloren hatte. Dieses Kind hier wusste es am besten. Aus erster Hand sozusagen.

Es war also kein Zufall und kein Versehen, dass sie sich ihm in den Weg gestellt hatte. Wahrscheinlich hatte sie auf ihn gewartet. Sie führte etwas im Schilde. Aber was? Reglos stand sie vor den schäumenden Pferdemäulern und starrte zu ihm hoch wie eine Wölfin, die ihre Beute fixiert. Anton hatte keine Ahnung, was er tun sollte. Wäre die Kleine ein Mann gewesen, wäre er abgestiegen und hätte ihn beiseitegeschubst, notfalls mit ein paar Backpfeifen. Eine Frau hätte er am Arm genommen und fürsorglich über die Straße geschoben. Aber diese Kleine? Der konnte er doch keine Backpfeifen geben. Und fürsorglich am Arm nehmen konnte er sie auch nicht. Wohin Fürsorglichkeit bei ihr führte, wusste er bereits.

Anton hatte Kinder noch nie gemocht. Kinder waren wie Paviane. Denen konnte aus heiterem Himmel der undenkbarste Wahnsinn einfallen, man musste jederzeit auf alles gefasst sein. Kinder konnten von einer Sekunde auf die andere in Geheul oder Gelächter ausbrechen, oder sie schlugen Purzelbäume, gaben ohne ersichtlichen Grund Schmuseküsschen oder sprangen einem zähnefletschend ins Gesicht; mal so und mal so, es kam halt drauf an. Nur dass man nicht wissen konnte, worauf es ankam. Manchmal, wenn man Glück hatte, taten sie gar nichts. Kratzten sich gelangweilt am Hintern, schauten gähnend zum Himmel hoch und gingen weg. Je nachdem. Man konnte es nicht wissen. Es war nicht vorauszusehen.

Kinder waren unberechenbar. Sie waren gefährlich. Das lag daran, dass sie noch keine Erziehung und keine Kultur hatten, auch keine Zivilisation und kein Christentum. In ihren kleinen, unreifen Gehirnkästen waren noch keine Zügel und keine Bremshebel eingebaut, deswegen konnten sie so Amok laufen. Und diese Göre hier, verflucht noch mal, war zu allem fähig. Die konnte, wenn es ihr einfiel, die ganze Stadt in Schutt und Asche legen. Oder die Lachse im Rhein ausrotten. Ein Erdbeben auslösen. Eine tödliche Seuche übers Land bringen. Die Sonne auslöschen. Oder noch etwas Schlimmeres.

Eigentlich wollte Anton gar nicht wissen, was sie im Schilde führte. Er wollte nur, dass sie Platz machte und ihn vorbeiließ. Die Leute guckten schon. Manche guckten im Vorbeigehen, andere blieben stehen und reckten ungeniert die Hälse. Anton fand es seltsam, dass das Gaffen den Gaffern solchen Spaß machte. Er interessierte sich nicht für die Scherereien anderer Leute. Sein Bedarf an Scherereien war mit den eigenen vollauf gedeckt.

Nun also dieses Mädchen. Wie hieß sie noch mal? Er hatte es vergessen. Ihr Name war ihm egal. Ein vornehmes Küken aus guter Familie. Nicht gerade eine Sarasin oder Burckhardt, auch keine La Roche oder Hoffmann, aber etwas in der Art.

Eines musste Anton zugeben: Der Vater der Kleinen war in Ordnung. Er hatte Anton noch am selben Sonntag in seiner Kammer über den Stallungen aufgesucht, ihn um Verzeihung für die Untat seiner Tochter gebeten und angekündigt, dass sein Hausarzt in den nächsten Monaten regelmäßig bei Anton vorbeischauen werde. Und beim Abschied hatte er ihm eine Flasche Baselbieter Kirsch in die Hand gedrückt und einen gut gefüllten Beutel Goldmünzen auf den Tisch gelegt.

Trotzdem musste das Mädchen ihn jetzt durchlassen. Anton überlegte, ob er kurz mit der Pferdepeitsche durch die Luft zischen sollte. Nein, besser nicht. Die Pferde würden das Signal missverstehen und die Kleine über den Haufen rennen. Dann hätten die Leute aber was zu gucken. Und zu quatschen hernach. Was, wenn Anna davon Wind bekäme?

Ausgerechnet jetzt juckte ihn seine Narbe. In seinem ganzen Leben hatte ihn sein linkes Auge nie so gejuckt wie jetzt, da er es nicht mehr hatte. Der Doktor hatte ihm eingeschärft, nicht über die Narbe zu reiben, weil das den Heilungsprozess störe und gegen das Jucken nicht helfe. Anton versuchte dem Reiz zu widerstehen, glitt dann aber doch mit dem Zeigefinger unter die Klappe und rieb wonnevoll übers zugenähte Lid. Das tat ihm wohl, er konnte gar nicht mehr damit aufhören. Aber das Jucken blieb, da musste er dem Doktor recht geben. Als er dann doch damit aufhören konnte, stand das Mädchen immer noch da. Er beschloss, es mit Freundlichkeit zu versuchen.

»Jetzt mach Platz, Kleine, ja? Sei lieb. Na los.«

Sie rührte sich nicht.

»Geh einfach über die Straße. Da rüber. Oder dort rüber. Mir egal. Wie du willst. Was dir lieber ist.«

Sie rührte sich nicht. Immer mehr Leute blieben stehen und gafften. Ein paar quatschten auch schon. Bald war das Fuhrwerk umringt von Leuten. Anton beglückwünschte sich zu seiner Entscheidung, die Peitsche im Köcher zu lassen. Die Leute regten ihn auf. Wieso tat niemand etwas? Warum nahm niemand das Mädchen bei der Hand und brachte es weg? Dieser Opa dort zum Beispiel? Oder eine von den Frauen? Anton wünschte sich, dass Anna hier wäre. Die würde nur kurz mit den Fingern schnippen, dann wäre das Mädchen weg.

»Nun komm, sei lieb und mach Platz. Wir können doch hier nicht den ganzen Tag rumstehen. Schau, ich muss da durch, es geht nicht anders. Die Pferde sind müde und haben Hunger. Die hübsche Braune hier ist die Rosie. Der alte Klepper da heißt Albert. Die zwei verstehen sich gut, sie sind Freunde. Jetzt wollen sie nach Hause. Ich auch. Siehst du das Holz auf der Ladefläche? Das muss in den Schuppen, bevor der Regen kommt.« Anton hob schnuppernd die Nase. »Ich finde, es riecht nach Regen. Du nicht?«

Das Mädchen rührte sich nicht.

»Dann sag mir halt, was du willst.« Anton breitete die Arme aus wie der Heiland beim Abendmahl. »Was willst du - willst du etwas von mir? Ich tu's, wenn ich kann. Willst du eine Zuckerstange?«

In der Straße breitete sich Stille aus. Die Gaffer spitzten die Ohren. Eine Zuckerstange, ho, ho. Der Einäugige hat dem Kind eine Zuckerstange angeboten. Hört, hört. Da sind wir jetzt aber mal gespannt, wie's weitergeht. Die Sonne schien. Stute Rosie ließ plätschernd Wasser ab, dampfend stieg es vom heißen Kopfsteinpflaster auf. Anton schüttelte den Kopf über sich selbst. Wenn Anna spitzkriegte, dass er kleinen Mädchen Zuckerstangen anbot, würde sie ihn auf kleiner Flamme rösten. Lebendigen Leibes die Haut abziehen würde sie ihm. Und ihn vierteilen. Und an die Hunde verfüttern.

Anton ärgerte sich, dass Anna immerzu in seinem Kopf umherspukte. Anna hier, Anna da. Bei jedem Ärger, den er hatte, bei jedem Kummer und jeder Freude fiel ihm als Erstes Anna ein. Was würde Anna dazu sagen, was würde Anna jetzt machen, wie würde Anna das finden, wenn bloß Anna hier wäre. Anton wünschte, Anna würde sich aus seinem Kopf heraushalten. Solange sie ihn nicht küssen mochte und ihn immer nur auslachte, hatte sie dort nichts verloren.

In der Ferne pfiff ein Dampfschiff. Die Pferde schnauften und spielten mit den Ohren. In einer Seitengasse rief eine Frauenstimme nach einem Gottfried. Dreimal hintereinander rief sie nach Gottfried. Ihre Stimme klang einladend, als erwartete sie ihn zu Kaffee und Kuchen.

»Vergiss die Zuckerstange«, sagte Anton. »Schau, du musst jetzt einfach Platz machen. Ich kann nicht beiseite, und wenden oder rückwärtsfahren kann ich auch nicht. Ich kann nicht über dich hinwegfliegen und nicht im Boden versinken, und meinen Lebensabend hier verbringen will ich auch nicht. Also musst du mich durchlassen. Das ist die einzige Lösung. Und zwar nicht irgendwann, sondern jetzt. Sofort. Herrgottnochmal!«

Anton ließ die Arme sinken, erschöpft von seiner Ansprache. Er war zufrieden mit sich. Seine Argumentation war geradlinig, stichhaltig und unwiderlegbar, das würde sogar Anna zugeben müssen. Das Mädchen aber stand immer noch da und schwieg. Die Frau in der Seitengasse rief erneut nach Gottfried, diesmal schon ein wenig ungeduldig.

»Also, sprich. Was willst du, worauf warten wir? Spuck's aus, ich komme nicht drauf. Na los, hab Erbarmen. Nein? Moment. Stopp. Ach so. Sag bloß. Du willst doch nicht etwa – soll ich dich vielleicht – du willst doch nicht etwa aufsteigen? Willst du mit mir mitfahren?«

Da nickte sie, trat einen Schritt vor und verschwand zwischen den Pferdeleibern. Anton beugte sich übers Spritzbrett, konnte sie aber nicht sehen. Als er sich wieder aufrichtete, saß sie schon neben ihm auf dem Kutschbock und schaute zu ihm hoch. Ihr Blick war roh und eindringlich, furchtlos und selbstgewiss. Anton rückte erschrocken zur Seite. Es fehlte nicht viel, dass er sich schützend den Arm vors Gesicht gehalten hätte.

Er fragte sich, was nun weiter geschehen würde. Das Mädchen wandte sich von ihm ab und schaute geradeaus, als wäre nun alles geklärt. Die Leute glotzten. Manchen standen die Münder offen. Die Frau in der Seitengasse rief ein fünftes Mal nach Gottfried, jetzt hörbar verärgert.

Vorsichtig löste Anton die Bremse. »Soll ich losfahren?«

Das Mädchen nickte.

»Ich fahre zurück zu den Stallungen. Ist das in Ordnung?«

Das Mädchen nickte noch mal.

Also gab Anton den Pferden die Zügel. Das Fuhrwerk rollte ächzend an, vorbei an den Leuten. Und jetzt lächelte das Mädchen, sank gegen die Lehne und stemmte die Füße gegen das Spritzbrett. Anton räusperte sich und schob seinen Hut in den Nacken. Bis zu den Stallungen war es nicht weit.

Nachdem sie angekommen waren, schirrte er die Pferde ab, kratzte ihnen die Hufe aus und zeigte dem Mädchen, wie man die Gäule mit Stroh abrieb.

Danach beachtete er sie nicht mehr.

Er schmierte die Radnaben und den Drehkranz und fettete das Zaumzeug ein, während Susanna tatsächlich die Pferde abrieb. Dann stieg er auf die Ladefläche, füllte zwei Weidekörbe mit Holz und trug den ersten in den Schuppen. Als er aber zum Wagen zurückkehrte, stand das Mädchen auf der Ladefläche neben dem vollen Korb und streckte die Hand nach dem leeren aus. Anton stutzte. Und überlegte. Dann reichte er ihr den leeren Korb und nahm den vollen.

So arbeiteten sie stumm zusammen. Er lief hin und her, sie füllte die Körbe. Anton staunte, wie fix die Kleine war. Jedes Mal, wenn er aus dem Schuppen zurückkehrte, stand immer schon ein gut gefüllter Korb für ihn bereit. Dunkle Wolken nahten, der Regen würde nicht mehr lange auf sich warten lassen. Das Mädchen war ihm eine echte Hilfe. Anton fragte sich, was wohl Anna dazu sagen würde, dass er sich bei der Arbeit von einem kleinen Mädchen helfen ließ.

Als die Glocken der Clarakirche zum Abendgebet riefen, war die Hälfte des Holzes im Trockenen.

»Also gut, Kleine. Zeit für dich, nach Hause zu gehen.«

Das Mädchen sah ihn fragend an.

»Den Rest schaffe ich alleine.«

Sie blickte prüfend zum Himmel hoch.

»Es wird schon nicht gleich zu regnen anfangen.«

Er streckte die Arme nach ihr aus, um ihr von der Ladebrücke hinunterzuhelfen.

Nun war sie es, die zögerte.

Dann ließ sie sich in seine Hände fallen.

EIN ORKAN ZIEHT AUF

In der ersten Zeit hatte Karl Valentiny sich gefreut, wieder in der Heimat zu sein. Er hatte alles genossen – die Ausritte durch die Eichenwälder im sanften Bergland, die rauschende Gewalt der Herbststürme, den feuchten Duft nach Kohle an einem nebligen Wintermorgen. Er liebte Sauerbraten und Pillekuchen, Pumpernickelbrot und die süße westfälische Butter, und die Dortmunder Mundart war Musik in seinen Ohren. Trotzdem legte er Wert auf die Feststellung, dass seine Heimkehr nur eine vorübergehende war. Für einen wie ihn konnte Dortmund nur eine Zwischenstation sein. Bald würde er wieder fortgehen. Sein Bündel lag reisebereit in der Dachkammer.

Denn Dortmund war um die Mitte des neunzehnten Jahrhunderts, das musste man schon zugeben, noch nicht viel mehr als ein Kartoffeldorf mit Fabrikschloten und einer Hauptstraße mittendurch. Es gab einen Marktplatz und ein paar Seitenstraßen, und fast jedes Haus hatte einen Gemüsegarten und einen Stall fürs Vieh. Zwar hatte man während Valentinys Abwesenheit einen kleinen Bahnhof gebaut und Gleise für ein Schüttelbähnchen, das Kohle aus den umliegenden Bergwerken herbeischaffte und manchmal auch Leute transportierte, und auf der Wiese bei der Hörder Burg hatte der Fabrikant Piepenstock ein Eisenwerk errichten lassen, in dem achthundert Arbeiter Eisenbahnschienen sowie Achsen und Räder für Lokomotiven herstellten. Aber hinter den Gleisen lag immer noch die Kuhweide, und das Vieh stand Tag und Nacht dort draußen im Schlamm, und die Milchmädchen, von denen die meisten kaum zehn oder zwölf Jahre alt waren, stapften jeden Morgen im Dunkeln zu den Kühen hinaus, um sie zu melken; danach gingen sie in die Fabrik zur Arbeit, und nach Feierabend, wenn die Männer beim Bierwirt saßen, kehrten sie im Dunkeln auf die Weide zurück und melkten die Kühe noch mal. Währenddessen bimmelte die Kirche des ehemaligen Klosters zur Abendandacht, und die Krähen versammelten sich in der großen Linde, um gemeinsam in ihr Nachtquartier draußen im Eichenwald zurückzukehren.

Das war alles ganz schön. Aber sollte Karl die Rebberge an der Mosel nie wiedersehen? Die schroffen Klippen an der Lorelei? Das sanfte Gewoge Burgunds? Die würzige Dürre der Provence? Die Küste Nordafrikas? Die Dünen der Sahara? Die weiß getünchten Gemäuer Ghardaias? Und all die fernen Welten, die sein Auge noch nie erblickt hatte – sollte er ihrer für immer entsagen?

Es wurde wiederum Winter, dann noch mal Frühling und wieder Sommer. Die Tage reihten sich einförmig aneinander wie Perlen auf einer Schnur. Der alte Doktor saß in seinem Ohrensessel und aß Zwetschgenkuchen. Hildi wusch und buk, schrubbte und wischte von morgens früh bis abends spät. Wenn die Zwetschgen im Garten reif waren, weckte sie sie ein, damit sie übers Jahr Vorrat hatte für Vaters Kuchen. Karl ritt tagsüber in die Dörfer, abends löffelte er Suppe bei Hildi, und danach schaute er auf dem Weg zu seiner Dachkammer beim Bierwirt vorbei.

Ein Tag war wie der andere, das Heute unterschied sich nicht vom Gestern oder Übermorgen. Es war, als hätte die Himmelsuhr einen Defekt erlitten; als wäre der Strom der Zeit zum Stillstand gekommen. Auf den Montag folgte kein Dienstag mehr, sondern nur noch ein Montag und dann noch einer.

Und noch einer. Man hätte meinen können, dass es ewig so weitergehen würde.

Aber natürlich ging es nicht ewig so weiter. Bekanntlich ist nichts auf der Welt unveränderlich, weder die Cheops-Pyramide noch der Lauf der Gestirne und nicht einmal der Ehrenkodex deutscher Bierbrauer und schon gar nicht eine Ménage-à-trois zwischen einem todgeweihten Greis, einem freiheitsdurstigen jungen Mann und einer ebenfalls noch jungen Frau, die für ihr Leben noch ein paar eigene Pläne hat.

Zu Beginn des vierten Frühlings registrierte Karl sorgenvoll, dass die bis anhin so spröde Hildi, wenn er sie abends in der Küche aufsuchte, nun Wangenrouge und Kölnisch Wasser trug. Das allein wäre schon Grund zur Beunruhigung gewesen. Erschwerend aber kam hinzu, dass sie, während er Suppe aß, jetzt nicht mehr in der Küche umherfuhrwerkte, sondern sich zu ihm an den Tisch setzte, und dass sie nicht mehr schwieg, sondern geradezu lächelte und sich um eine Unterhaltung mit ihm bemühte. Sie fragte ihn etwa, wie es ihm gehe und wie sein Tag gewesen sei, und wenn er dem Frieden zuliebe irgendetwas über das Pferd oder die Patienten erzählte, hörte sie ihm zu, als eröffnete er ihr gerade, was die Welt in ihrem Innersten zusammenhält, und dazu nickte sie eifrig und sprach bei jedem seiner Sätze das letzte Wort mit, um ihm zu zeigen, wie sehr sie in allem seiner Meinung war. Und wenn er schließlich den letzten Rest Suppe mit Brot aufgetunkt, den Löffel in den leeren Teller gelegt und sich erhoben hatte, begleitete sie ihn zur Tür, reichte ihm zum Abschied die Hand und sah ihm hinterher, bis er um die Ecke verschwunden war.

Karl war in der Liebe nicht sehr erfahren. Aber dass dieser Zustand nicht von Dauer sein konnte, war ihm klar. Umso dringender sann er auf Flucht.

Der einfachste Ausweg hätte darin bestanden, sein Bündel zu packen und ohne ein Wort des Abschieds bei Nacht und Nebel in irgendeine Richtung hinter dem Horizont zu verschwinden. In den ersten Tagen hätte er das vielleicht noch übers Herz gebracht, aber jetzt nicht mehr; nicht nach all der Zeit, die er mit dem alten Doktor, dessen Patienten und mit Hildi verbracht hatte. Karl würde bleiben müssen, bis seine Hilfe nicht mehr benötigt wurde.

Das war allerdings nicht absehbar. Auf eine baldige Genesung des Alten wagte Karl nicht mehr zu hoffen. Ebenso wenig war zu erwarten, dass binnen nützlicher Frist ein neuer Stellvertreter auftauchen würde. Die einzige realistische Aussicht auf Veränderung lag in einem zeitnahen Ableben des Doktors. Aber damit wollte Karl nicht rechnen. Er hatte den kuchenmümmelnden Greis zu sehr ins Herz geschlossen, als dass er dessen Tod als Schlüssel zur Freiheit hätte herbeiwünschen können.

Also blieb er und ließ jede Hoffnung fahren. Er war gefesselt und geknebelt, da war nichts mehr zu machen. Seine Jugend würde vergehen. In ein paar Jahren würde er nicht mehr der »junge Herr Doktor« sein, sondern einfach der »Herr Doktor«. Noch etwas später, in zwanzig oder dreißig Jahren, würden die Leute von ihm als dem »alten Herrn Doktor« sprechen. Und irgendwann würde ein junger Arzt an seiner statt die Ausritte in die Dörfer unternehmen. Die Dinge nahmen ihren Lauf. Karl würde nie mehr von hier wegkommen. Er würde rechtzeitig daran denken müssen, einen Ohrensessel anzuschaffen.

Nun könnte man sagen, dass das gar nicht so furchtbar schlimm sei. Denn erstens widerfährt es den meisten Menschen im frühen Erwachsenenalter, dass sie vom Leben geknebelt und gefesselt werden. Zweitens hätte das Schicksal wesentlich härtere Strafen für ihn bereithalten können als Ausritte zu Pferd, Suppelöffeln bei Hildi und Biertrinken am Stammtisch. Und drittens war das, was ihm als Lebensplan bevorstand – eine gesicherte Existenz als Hausarzt in Dortmund – nun wirklich nicht die Hölle auf Erden.

Darauf wiederum hätte Karl dreifach antworten können. Erstens, dass für einen Unglücklichen das Unglück anderer noch nie ein Trost gewesen ist. Zweitens, dass eine Katastrophe nicht dadurch erträglicher wird, dass es noch größere Katastrophen gibt auf der Welt. Und drittens, dass es für einen jungen, lebendigen Menschen sehr wohl die Hölle auf Erden sein kann, sich mit einer gesicherten Existenz als Hausarzt in Dortmund abfinden zu müssen.

Denn was würde Karl realistischerweise sein Leben lang tun? Er würde in die umliegenden Dörfer reiten und Furunkel aufschneiden, Eiterzähne ziehen und gebrochene Gliedmaßen schienen in der Hoffnung, dass sie einigermaßen gerade wieder zusammenwuchsen. Das war's, mehr gab die medizinische Wissenschaft seiner Zeit nicht her. Im Übrigen musste er hoffen, dass seine Behandlungen nicht allzu viel Schaden anrichteten, und auf die mysteriöse Selbstheilungskraft des menschlichen Körpers vertrauen. Mit ein bisschen Glück wurde der Patient gesund. Wenn nicht, dann nicht. Dann war es Karls Aufgabe, ihn vom Krankenlager zum Sterbebett zu begleiten, wo der Pfarrer ihn übernahm und für die letzte Ölung vorbereitete.

Dass die Medizin gegen die Allmacht des Todes letztlich auf verlorenem Posten stand, hatte Karl schon während des Studiums akzeptieren gelernt. Er fand sogar Schönheit und Sinn in der Tatsache, dass seine Lebensaufgabe weniger eine körperlich-mechanische als eine seelsorgerische war. Ein Leben als Arzt konnte er sich schon vorstellen. Das war es nicht, was ihn schreckte. Was ihn wirklich in Panik versetzte, war die Vorstellung einer gesicherten Existenz in Dortmund - der Gedanke, dass er sein ganzes Leben bis zum letzten Atemzug hier und nirgendwo anders würde verbringen müssen.

Im fünften Jahr war es dann erstaunlicherweise der alte Doktor, der frischen Wind ins Haus brachte. Sei es, dass seine Geisteskräfte weiter geschwunden waren oder dass er sich der bedingungslosen Fürsorge seiner Tochter allzu sicher geworden war. Jedenfalls passierte es ihm nun gelegentlich, dass er beim Gehen das Hinken unterließ; und manchmal, wenn er sich unbeobachtet glaubte, versiegte sein Speichelfluss.

Hildi bemerkte das. Sie beobachtete ihn. Drei oder vier Tage lang, eine Woche vielleicht. Als sie ihrer Sache sicher war, dachte sie nach. Das dauerte noch mal drei Tage. Dann fasste sie einen Entscheid. Von da an verlor sie keine Zeit mehr. Sie beschloss, dass es mit der Sesselsitzerei ihres Vaters nun genug sei. Ab sofort würde er spazieren gehen, und zwar zweimal täglich, bei jedem Wetter. Seinen verdammten Zwetschgenkuchen sollte er weiterhin bekommen. Aber er würde an die frische Luft gehen. Einmal vormittags und einmal nachmittags. Ob ihm das nun gefiel oder nicht. Verdammt noch mal.

Am nächsten Morgen brachte Hildi dem alten Doktor wie gewohnt das Frühstück, dann trug sie das Geschirr ab und besorgte den Abwasch. Kaum aber war er fürs Verdauungsschläfchen eingenickt, kehrte sie zurück, riss ihm die Pantoffeln von den Füßen und stülpte ihm seine rahmengenähten Schuhe über, die er seit vielen Monaten nicht mehr getragen hatte. Der Alte schreckte aus dem Dämmer auf und murrte halblaut. Hildi achtete nicht darauf. Sie verknotete stramm seine Schnürsenkel, griff ihm unter die Arme und hob ihn, der vom Frühstück noch eine halbe Semmel im Mund hatte und nun lauthals zu protestieren begann, mit einem groben Ruck auf die Beine.

Verwundert schaute der Alte seine Tochter an. So hatte er Hildi noch nie gesehen. Sie schnaubte geradezu vor Wut. Und jetzt schubste sie ihn auch noch. Schubste ihn durch die Stube. Schubste ihn hinaus auf den Flur. Schubste ihn durch die Haustür auf die Straße. Und hakte sich bei ihm unter. Das hatte sie noch nie getan. Und zog ihn hinter sich her, dem Windmühlenberg entgegen. Da verstand der alte Doktor, dass dies ein Machtkampf war, den er angesichts des physischen Kräfteverhältnisses nur verlieren konnte. Also fügte er sich und stolperte im milchigen Licht der aufgehenden Wintersonne neben Hildi her.

Arm in Arm gingen die beiden auf die Windmühle zu. Auf halbem Weg aber blieb der Alte stehen und löste sich vom Arm seiner Tochter. Er blinzelte wie eine Eule, stammelte etwas Unverständliches und fasste sich an die Schläfe. Dann warf er triumphierend den Kopf in den Nacken und lachte laut auf, als hätte er nach lebenslangem Nachdenken endlich den Witz irdischer Existenz begriffen, und dann verfärbte er sich gelb, fiel steif vornüber und war schon tot, als er mit der Stirn auf dem Kopfsteinpflaster aufschlug.

Die Trauergemeinde war groß, der alte Doktor war ein beliebter Mann gewesen. Die Nonnen vom Kloster waren da, ebenso Bürgermeister Zahn mit Gattin, auch die Zunftleute und die meisten Ackerbürger, sogar Piepenstock war gekommen. Am offenen Grab lag ein Kranz, auf dem auch Karls Name stand.

Er musste eine Rede halten und viele Hände schütteln. Hildi tat geschäftig, rückte am Grab Blumensträuße zurecht und füllte Weihwasser nach. Während die Totengräber den Sarg in die Grube ließen, stellte sie sich an Karls Seite, nickte ihm aufmunternd zu und strich ihm tröstend über den Oberarm, als ob er der Sohn des Verstorbenen wäre und nicht sie die Tochter. Auf dem Rückweg vom Grab zur Kirche zogen die Leute an Hildi und Karl vorbei, gaben beiden die Hand und sprachen ihnen ihr Beileid aus. Manche gratulierten ihm zu seiner Rede, wünschten ihm Kraft und boten ihm ihre Unterstützung an.

Alles klar, dachte Karl. Das war's. Ich habe verstanden. Ihr habt mich erwischt. Ich bleibe. Für den Rest meines Lebens. Adieu, weite Welt.

Fürs Leichenmahl ging man zum Bierwirt Wencker. Es gab Speck und Sauerkraut und Dörrbohnen. Hildi kam für alles auf. Sie hatte schon vor Jahren herausgefunden, wo der alte Doktor seine Ersparnisse versteckte.

Nichts deutete an jenem Nachmittag darauf hin, dass dies alles für Karl Valentiny bald ein Ende haben würde – dass er in wenigen Wochen in einen Strudel geraten würde, der ihn fortreißen und ans andere Ende der Welt tragen würde. Es begann damit, dass beim Bierwirt Wencker plötzlich Zeitungen auflagen. Neue Zeitungen aus Köln. Sie lagen auf Tischen und Fenstersimsen, auf der Kommode und beim Ofen. Die Männer an den Stammtischen breiteten sie im gelben Licht der Petrollampen aus. Jene, die lesen konnten, lasen den anderen vor, und die anderen gaben Kommentare ab und schlugen mit den Fäusten auf die Tische.

Manche dieser Zeitungen waren verboten. Niemand wusste, wer sie hergebracht hatte. Aber jede war an einem Stock befestigt, und das musste jemand besorgt haben. Der Wirt beschwor seine Ahnungslosigkeit und Unschuld und versicherte wie jeder gute Gewerbler, dass er parteipolitisch vollkommen neutral, konfessionell total ungebunden und grundsätzlich frei von jeder persönlichen Meinung sei. Aber er ließ die Zeitungen doch auf den Tischen liegen, denn sie waren gut fürs Geschäft und brachten neue Gäste; den jungen Herrn Doktor zum Beispiel, der bisher immer nur auf ein rasches Feierabendbier vorbeigeschaut hatte. Nun blieb er länger, sprach mit den Leuten und bestellte noch ein zweites und ein drittes Glas.

Karl las die Zeitungen unersättlich. Er las sie von der ersten bis zur letzten Zeile. Wenn keine neue Zeitung zur Hand war, nahm er eine alte, die er schon gelesen hatte.

Straßenkämpfe in Paris.

König Louis-Philippe flieht nach England, verkleidet als armer Bürger und mit abrasiertem Backenbart.

Baden ruft die Republik aus.

Moselwinzer im Steuerstreik.

Kartoffelfäule in Böhmen.

Dreitausend Arbeiter vor dem Kölner Rathaus.

In Düsseldorf wird der Preußenkönig mit Rossäpfeln beworfen.

Krawalle in Ebersfeld.

Barrikadenkämpfe in Berlin.

Karl war begeistert. Das war das Brausen des Strudels. Die Welt war in Bewegung. Sein Leben war nicht vorbei, die Himmelsuhr intakt. Auf den Montag konnte sehr wohl ein Dienstag folgen und auf diesen ein Mittwoch. Der Strudel breitete sich über Europa aus und schwoll an zum Orkan. Noch brauste er nicht durch die Straßen Dortmunds. Aber er kam näher.

Sonderbar fand Karl nur, dass die verbotenen Zeitungen

beim Bierwirt über mehrere Wochen frei auflagen und dass Wencker wegen ihnen keine Scherereien bekam.

Dann kam jener frostige Morgen, an dem Karl wie gewohnt auf dem Pferd des alten Doktors, das nun allmählich ebenfalls die Gebresten des Alters spürte, über die Hauptstraße ritt. Schwer wie Bleipaste hing der Himmel über den Häusern, gefroren war der Schlamm auf der Straße, schwarz das kahle Geäst der Bäume, braun die Kuhweide und weiß der Dampf vor den Mäulern der Rinder.

Da hing am Haus des Schulmeisters Wolter, der im Wirtshaus gern Schmähreden gegen die katholische Kirche hielt, eine schwarz-rot-goldene, nach französischem Vorbild senkrecht gestreifte Trikolore – ein sogenannter Dreifarb. Karl staunte. Das Aushängen des Dreifarbs war im gesamten preußischen Herrschaftsgebiet streng untersagt. Die Fahne war mit groben Stichen zusammengeschnurpft und mit Hanfschnüren an den Fensterläden festgebunden. Ein paar Bürger standen davor und deuteten mit ausgestreckten Zeigefingern darauf. Karl ritt einen Bogen um die Leute. So früh am Morgen wollte er nicht in Diskussionen verwickelt werden.

Die Fenster waren dunkel, aus dem Kamin stieg kein Rauch. Schulmeister Wolter schien noch zu schlafen. Wenn die Polizisten auf ihrer Morgenrunde vorbeikamen, würden sie den Dreifarb herunterreißen, das konnte nicht ausbleiben; dann würden sie den Schulmeister aus dem Bett holen, ihn in Ketten legen und nach Marburg in Festungshaft bringen, und die Kinder würden eine Weile schulfrei haben.

Karls erste Patientin an jenem Tag war eine junge Löffelschnitzerin in Hörde, die mit einer leichten Grippe im Bett lag. Ihre Wangen waren gerötet, aber ihr Blick war klar und ihr Atem ging tief und ruhig. Karl wunderte sich, dass man ihn gerufen hatte. Jeder Laie konnte sehen, dass die Frau in drei Tagen wieder auf den Beinen sein würde, und zwar mit oder ohne medizinischen Beistand. Auch gab sie, wie sie in ihrem ranzigen Bettzeug an die rußige Decke starrte, wortlos, aber umso deutlicher zu verstehen, dass sie sich Karls Visite nicht im Geringsten erwünscht hatte. Als er ihr die Hand auf die keineswegs glühende Stirn legte, wandte sie sich mürrisch ab, und als er ihr Bettruhe und Kamillentee empfahl, klopfte sie unwirsch auf ihre Wolldecke und deutete auf den Teekrug, wie um zu sagen: Sag selbst, du Klugscheißer, liege ich etwa nicht im Bett? Und das hier, ist das verflucht noch mal Marillenschnaps?

Karl wünschte gute Besserung und wandte sich zum Gehen. Unter der Tür aber hielt der Ehemann ihn am Ärmel zurück.

»Ach bitte, Herr Doktor, wo Sie schon mal hier sind.«

Verwundert betrachtete Karl die rostige Muskete, die der Mann ihm entgegenstreckte.

»Was meinen Sie, kann man damit noch schießen?«

»Mit diesem Ding?«

Karl spähte über den Lauf und versuchte das eingerostete Steinschloss zu spannen.

»Wo haben Sie die Flinte her?«

»Auf dem Dachboden gefunden. Hat wohl meinem Großvater gehört. Oder dem Urgroßvater. Könnten Sie sie bitte reparieren? Wo Sie doch beim Militär waren?«

»Worauf wollen Sie damit denn schießen?«

»Auf Kaninchen. Die fressen mir den Gemüsegarten kahl.«

»Na gut. Bringen Sie mir einen Lappen, einen Schraubenzieher und ein Stück Seife. Und Stahlwolle, wenn Sie welche haben. Und Fett und Öl.«

Karl setzte sich an den Küchentisch und reinigte die Waffe, wie er es in der Legion gelernt und zehntausendmal geübt hatte. Er konnte das blind. Seine Hände taten von sich aus, was getan werden musste, jeder Handgriff erfolgte aus dem vorangegangenen und führte zum nächsten. Wie alle Akademiker hatte Karl Freude an der Sicherheit, Unzweideutigkeit und Verlässlichkeit, die handwerklicher Expertise innewohnt. Er löste den Hammer, die Batterieachse und die Batteriefeder und entfernte Staub und Rost und Schmutz, dann ölte und fettete er alle Teile, fügte sie wieder zusammen und zog die Schrauben fest an, und dann spannte er den Hahn, drückte ab und lauschte zufrieden dem satten Klang des metallenen Mechanismus. Der Lauf war ein wenig verzogen, den würde allenfalls der Schmied richten müssen. Aber einen Hasen würde man damit auf zwanzig oder dreißig Schritt schon wieder treffen.

Zu Karls Verwunderung geschah es in den folgenden Tagen mehrmals, dass ihm Patienten mit auffällig milden Symptomen wurmstichige Schusswaffen vorlegten. Seine Handfertigkeit hatte sich herumgesprochen. Karl ölte die Schlösser und bürstete hundertjährigen Schmauch aus den Läufen, und wenn ihm noch Zeit blieb, wachste er auch den Schaft und fettete das Lederband. Die Arbeit machte ihm Spaß, sie erinnerte ihn an die Legion. Und die Leute bezahlten ihn gut. Erst wollte er dafür kein Geld nehmen, aber sie steckten ihm ihre Pfenninge und Silbergroschen in die Jackentasche. Bald nahm er mit der Flintenputzerei mehr ein als mit der ärztlichen Praxis.

So füllten sich seine Taschen. Auslagen hatte er kaum, die Hausapotheke des alten Doktors war noch für Jahre gut bestückt. Samstags legte er Hildi drei Groschen neben den Suppenteller, abends ließ er ein paar Pfenninge beim Bierwirt. Das

Pferd brauchte Stroh, Heu und etwas Hafer. Die Eltern wollten fürs Logis kein Geld. Seine Spardose versteckte er nachlässig unter dem Bett. Wenn sie voll war, wechselte er die Pfenninge und Silbergroschen in Goldtaler und steckte diese in einen Lederbeutel. Er hatte keine Ahnung, was er mit dem Geld anfangen sollte. Er brauchte es nicht. Seine Legionärsrente, die ihm halbjährlich per Postanweisung überwiesen wurde, war für seine Bedürfnisse völlig ausreichend.

Als Karl am Mittag von dem Besuch bei der Löffelschnitzerin heimkehrte, hing die Trikolore immer noch am Haus des Schulmeisters. Aus dem Kamin stieg Rauch, ein Fenster stand offen. Kinderstimmen sangen ein Lied, der Tenor des Schulmeisters dröhnte die zweite Stimme. Das war verwunderlich. Das Aushängen von Trikoloren war ein Offizialdelikt. Wenn die Polizei bisher nicht eingeschritten war, konnte das nur bedeuten, dass sie die Fahne noch nicht entdeckt hatte. Aber das war nach menschlichem Ermessen unmöglich. Die Wache befand sich gleich um die Ecke, und die Fahne war nicht zu übersehen.

Am nächsten Morgen hing die Fahne immer noch da und eine Woche später auch noch. Dann kam der Tag, an dem Karl beobachtete, wie zwei Polizisten achtlos am Dreifarb vorbeischlenderten. Da wusste er, dass sich auch in Dortmund etwas zusammenbraute. Er ging nach Hause, nahm den Lederbeutel mit den Goldtalern und versteckte ihn in Hildis Pferdestall unter dem Stroh.

Eines Abends saß Karl bei Hildi und aß Suppe, als durchs Küchenfenster Lärm hereinkam. Geschrei, Gesang, Getrommel. Solchen Lärm gab es in Dortmund sonst nicht. Er wischte sich den Mund ab und ging hinaus, um nachzusehen. Der

Lärm kam vom Marktplatz. Er war schwarz von Männerleibern. Die Arbeiter des Eisenwerks waren von der Fabrik zum Rathaus gezogen. Einige schwangen Trikoloren, andere brüllten Parolen. Piepenstock hatte Leute entlassen. Das Werk war in der Krise. Zwei Arbeiter standen vor dem Rathaus und rüttelten am Eingangstor. Ein dritter rief nach einem Brecheisen. Einige trugen Sensen oder Spitzhacken mit sich, andere Gewehre. Manche kannte Karl, sie waren seine Patienten gewesen. Ihre Gewehre kannte er auch.

Zwei Polizisten tauchten auf, machten runde Augen und verschwanden wieder. Karl fragte sich, ob sie Verstärkung holten. Wahrscheinlich nicht. Für Verstärkungen war das Dortmunder Polizeikorps zu schwach. Es umfasste nur acht Mann. Gut möglich aber, dass der Kommandant Kavallerie aus Köln anforderte. Dann konnte es gefährlich werden. Wenn die Preußen mit ihren Säbeln und Zündnadelgewehren den Rathausplatz umstellten, war man besser woanders; am besten nicht mehr in der Stadt.

Karl zog sich in eine Seitengasse zurück und ging auf einem Umweg zum Bierwirt. Von dort aus konnte er, falls die Preußen kamen, durch den Hinterausgang in die Gärten und hinaus zu den Rinderweiden flüchten. Aber auch an jenem Abend geschah nichts. Der Rathausplatz leerte sich, die Arbeiter zogen ab. Die meisten gingen nach Hause, einige zum Bierwirt.

Dort war jetzt alles voller Geschrei. Jeden Abend war in der Kneipe Geschrei, die Zeiten ruhigen Zeitunglesens waren vorüber. Ständig stieg einer auf einen Stuhl und proklamierte irgendetwas, dauernd wurden Lieder gesungen und Parolen gebrüllt, alle paar Minuten schmiss einer eine Lokalrunde und hob seinen Krug auf die deutsche Einheit, und wo man hinblickte, wurden Traktate und Resolutionen verlesen, Stimmen gezählt und Fahnen geschwungen, und alle trugen Kokarden und Brustbänder und Dreispitzhüte, und jeder, der zu Hause im Schrank oder im Stall noch eine Pistole gefunden hatte, brachte diese in die Kneipe, um damit herumzufuchteln und sie dem jungen Herrn Doktor zur Begutachtung vorzulegen.

Karl fand das alles lustig. Er lachte, als ein paar Betrunkene ihn zum Hauptmann und Waffenschmied der Revolutionstruppen ernannten. In jenen Tagen war ständig etwas los, jeder redete mit jedem, und es gab viel Gelächter, alles war halb Spaß und halb Ernst, und alle waren begierig, irgendetwas zu machen, aber keiner wusste, was zu tun war, und jeder hatte das Herz voll heißer Gefühle und den Kopf voll undeutlicher Gedanken, und einig waren sich alle nur darin, dass die Revolution unmittelbar bevorstand und das Elend und die Knechtschaft der Menschheit bald, sehr bald ein Ende haben würden; vielleicht schon an Pfingsten, spätestens aber zur Sommersonnenwende.

Jeden Montag tagte beim Bierwirt die Gesellschaft »Vorwärts«. Am Mittwoch kamen die »Lichtfreunde«, die man so nannte, weil sie häufig und gern die Metapher »Licht« benutzten. Samstags versammelten sich im Obergeschoss die Gymnasiasten. Sie verfassten Resolutionen und wollten ihre Lehrer selbst wählen, ihren Schulstoff selbst bestimmen, ihre Prüfungen selbst abhalten und ihre Noten selbst festlegen, und natürlich wollten sie Anfang und Ende der Schulferien selbst bestimmen und, vor allem, die obligatorische Morgenandacht aus dem Stundenplan streichen.

Manchmal wurde den Revolutionären das Gequatsche langweilig, dann gingen sie in den Garten und hielten Schießübungen am Kastanienbaum ab. Ihr Gejohle und Gelächter hallten durchs nachtschlafende Städtchen. Hin und wieder zersplitterte irgendwo weiter hinten im Dunkeln, wo die Bürger mit ihren Zipfelmützen in den Betten lagen, eine Fensterscheibe.

Karl wusste, dass das kein gutes Ende nehmen konnte. Über kurz oder lang würde jemand verletzt werden, dann würde die Polizei kommen und ein paar Revolutionäre einlochen. Vermutlich würde die Polizei sowieso kommen, früher oder später, und wenn sie erst mal da war, würde sie nicht anders können, als irgendwen einzulochen, ob nun etwas passiert war oder nicht.

Aber die Polizei kam nicht. Sie ließ sich nicht blicken. Niemand wurde eingelocht. Es war, als wären die Ordnungshüter aus Dortmund abgezogen worden.

Mit der Zeit wurden den Revolutionären auch die Schießübungen langweilig. Eines Sonntags beschlossen sie, die Revolution aufs Land hinauszutragen und die Bauern der umliegenden Dörfer zum Aufstand aufzurufen. Singend und mit ihren Flinten in die Luft schießend zogen sie aus der Stadt, dem Licht und der Freiheit entgegen.

Nach zwei Stunden waren sie wieder beim Bierwirt. Die Bauern der umliegenden Dörfer hatten vom Licht und der Freiheit nichts wissen wollen; sie hatten die Revolutionäre mit Kuhfladen beworfen. Außen waren die Kuhfladen trocken gewesen, was ihre Handhabung erleichterte; innen aber noch feucht, was ihren Effekt beim Aufprall verstärkte.

So verging der Winter, der Frühling zog ins Land.

Seit drei Monaten saßen die Revolutionäre nun jeden Abend beim Bierwirt und tranken, quatschten und schworen tausend Eide auf tausend verschiedene Sachen. Aber um Mitternacht gingen sie dann doch alle brav schlafen, weil sie am nächsten Morgen früh rausmussten.

Es blieb ihnen ja nichts anderes übrig.

Die Arbeiter mussten in der Fabrik malochen, weil sie und ihre Kinder sonst nichts zu essen hatten. Die Bürger mussten in ihren Kontoren den Papierkram erledigen, weil sie sonst ihre Häuser, ihre Wertschriften und ihre Ehefrauen verloren. Und die Gymnasiasten mussten sich zur Morgenandacht schleppen, weil sie sonst von der Schule flogen und von ihren Vätern verprügelt wurden. Also hielten sie tagsüber alle die Klappe und machten, was ihnen gesagt wurde. Abends beim Bierwirt aber ging das Gequatsche wieder von vorne los.

Nach drei Monaten wurden die Revolutionäre müde. Zwar saßen sie noch immer jeden Abend beisammen, aber das Gequatsche erlahmte. Es war doch immer dasselbe. Ihr Feuereifer kühlte ab. Im Revolutionsglauben keimten Zweifel auf, die Parolen klangen nun hohl. Nichts machte mehr richtig Spaß, auch nicht das Schießen am Kastanienbaum. Sogar der Dreifarb am Haus des Schulmeisters war ausgebleicht. Da ahnten die Revolutionäre, dass es zum Lichte und zur Freiheit noch ein weiter Weg sein würde und dass es unterwegs keine Abkürzungen gab.

So legte sich der Orkan. Der Strudel verlor seine Schwungkraft. Die Zeitungen in Wenckers Gaststube waren vergilbt und zerfleddert, niemand legte mehr neue auf. Allmählich kehrte die alte Ordnung wieder ein. Es war nicht, dass jemand sie wiederherstellte. Sie kehrte nur zurück, weil die Unordnung sich am Mangel an Widerstand erschöpft hatte.

Aber als es längst keiner mehr erwartete, traten die Preußen mit ihren Zündnadelgewehren doch noch auf den Plan. Es hatte sie niemand gerufen, und von sich aus wären sie gewiss nicht eigens nach Dortmund gekommen; nicht wegen der paar

Quatschköpfe und gewiss auch nicht wegen des einen Dreifarbs und des Geballers am Kastanienbaum. Aber jetzt waren sie auf dem Rückweg aus Baden-Baden, wo ziemlich viel los gewesen war, da konnten sie ja kurz nach dem Rechten schauen. Der Kommandant hatte eine Namensliste.

Sie kamen an einem frühsommerlich warmen Dienstagnachmittag. Die Hunde dösten im Schatten. Der Bierwirt hatte Zimmerstunde. Die Rinder grasten auf der Weide. In der Ferne schnauften die Dampfmaschinen des Piepenstockschen Eisenwerks.

Plötzlich waren die Gassen voller Hufgetrappel, Säbelrasseln und Pferdedung. Stiefel marschierten im Gleichschritt, Straßensperren wurden errichtet, Kommandos gebrüllt.

Karl kehrte nichts ahnend von einem Krankenbesuch aus Brackel zurück. Bevor das Stadttor in Sicht kam, hob sein alter Gaul den Kopf, blähte die Nüstern und fing an zu schnauben, weil er die Nähe fremder Pferde spürte. Da witterte auch Karl die Gefahr. Seine soldatischen Instinkte erwachten. Er stieg ab und ging vorsichtig weiter.

Am Schlagbaum standen drei Dragoner. Karl band sein Pferd an einen Wegpfosten, nestelte umständlich an seiner Hose und ging hinter die Hecke wie einer, der sich erleichtern muss. Dann duckte er sich, lief im Schutz von Gestrüpp und Umfassungsmauern zum alten Wehrwall und weiter durch Gärten und Höfe bis in Hildis Küche.

»Haben die dich gesehen?«, fragte sie.

»Ich glaube nicht.«

»Die waren schon hier. Haben nach dir gefragt. Dein Name steht auf ihrer Liste. Du bist Waffenschmied und Hauptmann der Aufständischen. Du musst raus aus der Stadt. Sofort. Weit fort.«

Karl staunte. Eine so lange Rede hatte Hildi noch nie gehalten.

»Kannst du irgendwohin?«

»Ich glaube schon.«

»Wohin?«

»In die Schweiz. Ich habe da einen Freund.«

»Dann geh rasieren. In Vaters Zimmer liegt Rasierzeug. Ich bringe dir ein Kleid von mir.«

»Ein Kleid?«

»Und eine Haube. Für die Straßensperre. Wir gehen als Milchmädchen. Wenn du erst mal rasiert bist, gibst du ein hübsches Blondchen ab, wirst sehen. Falls uns jemand aufhält, überlässt du das Reden mir.«

»Ich muss noch kurz in den Pferdestall.«

»Dein Geld habe ich schon hier.«

Hildi griff unter ihre Schürze und reichte ihm den Lederbeutel.

»Wenn wir erst draußen auf der Weide sind, gibst du mir das Kleid zurück, und dann holst du das Pferd. Ein paar Tage wird dich der Klepper noch tragen. Geh außenrum, hinter dem Bahnhof durch.«

»Hildi ...«

»Was.«

»Hildi.«

»Nein.«

»Hildi.«

»Mach mich nicht bräsig. Geh dich rasieren. Ich schmiere dir unterdessen ein paar Bütterken.«

»Hildi.«

»Rasch. Na los, mach hinne!«

SCHON WIEDER AN DER BACKE

Am Tag nach ihrem Ausflug mit dem Einäugigen frühstückte Susanna wie gewohnt bei der Haushälterin in der Küche. Der Vater war schon aus dem Haus, die Mutter schlief noch. Früher war die Mutter immer als Erste aufgestanden, jetzt war sie meist die Letzte. Und abends ging sie vor den Kindern schlafen. Die Mutter war nicht mehr dieselbe, seit der Deutsche abgereist war. Er war vor ein paar Wochen überraschend verschwunden, von einem Tag auf den anderen.

Nachdem die Brüder zur Schule gegangen waren, schlüpfte Susanna in ihre Sandalen, lief hinüber zur Clarakirche und setzte sich auf die Freitreppe. Von hier aus hatte sie die drei Längsstraßen und die Rheinbrücke im Blick. Wenn Anton irgendwohin fuhr, würde er ziemlich sicher hier vorbeikommen.

Es dauerte nicht lange, bis das Fuhrwerk ächzend und schwankend in Sicht kam. Susanna erhob sich und ging einige Schritte wortlos neben ihm her. Dann sprang sie aufs Trittbrett, packte die Griffstange und schwang sich auf den Kutschbock.

Anton tat, als bemerkte er sie nicht. Das durfte doch nicht wahr sein, dass er die Kleine schon wieder an der Backe hatte. Sie war ja gestern ganz brav gewesen, das musste er zugeben. Hatte ihm nicht in den Finger gebissen, die Pferde nicht kopfscheu gemacht und kein Unwetter heraufbeschworen. Und mit dem Holz war sie ihm eine echte Hilfe gewesen.

Trotzdem hatte er keine Lust, schon wieder Kindermädchen zu spielen.

Anton war unterwegs zur Schifflände, wo er amerikanische Baumwolle, ägyptische Sommerkartoffeln und Straßburger Sauerkraut laden sollte. Die Schiffländе war kein Ort für Kinder. Da gab es rohe Kerle und liederliche Weiber, loses Stückgut, morsche Planken, tiefes Wasser. Er überlegte, wie er das Mädchen auf elegante Art loswerden konnte. Die naheliegendste Lösung wäre es gewesen, sie einfach vom Kutschbock zu schubsen und den Pferden die Zügel zu geben. Aber das kam nicht infrage, die Straße war voller Leute.

Sie saß neben ihm, streckte ihr Bäuchlein vor und spielte mit ihren Fingern, wie Kinder es nun mal tun. Und sie hielt die Klappe, das war immerhin schon mal gut. Na schön. Sollte sie eben mitfahren. Ihm doch egal. Wie war noch mal ihr Name? Er hätte sie gestern fragen sollen, da wäre die Gelegenheit günstig gewesen. Jetzt war es zu spät.

Anton entspannte sich. Das Wetter war gut. Er hatte keinen Grund zur Eile. Die Zügel hielt er locker in der Linken, um die Tageszeit waren die Pferde noch schläfrig. Sie schlugen von allein den richtigen Weg ein. Es war, als hätte ihnen jemand eingeflüstert, dass es zur Schiffländе ging. Woher wussten die Viecher nur immer, wo er hinwollte? Er musste sie nur einspannen und aufsteigen, schon wussten sie Bescheid. Die Pferde kannten ihn gut. Aber er sie auch.

Anton pfiff ein paar Töne. Wenn er auf dem Kutschbock saß, pfiff er immer dasselbe Bruchstück eines bestimmten Liedes in vielfacher Wiederholung, seit vielen Jahren schon. Diese paar Töne waren für ihn ausreichend, mehr brauchte er nicht. Zwei- oder dreimal hatte er versucht, das ganze Lied auswendig zu lernen. Aber er hatte den Rest immer wieder vergessen.

Susanna schaute auf die Straße, dann hinauf zu den Vögeln am Himmel und hinunter zu den Ratten im Rinnstein und dann zu dem großen, schweigsamen Mann an ihrer Seite, der so stark nach Pferd roch. Sie fand es angenehm, dass er nicht mit ihr redete. Da kam ja nie was Gescheites raus, wenn Erwachsene mit Kindern zu reden versuchten. Ein Kutscher musste nicht reden, der musste nur die Pferde lenken. Und den Weg kennen. Lustig sah er aus von der Seite, wie er beim Pfeifen die Lippen spitzte. Es klang furchtbar. Wie eine Tür, die in der Angel kreischt. Und seine Nase war so knubbelig, als würde sie aus drei Kirschen bestehen. Eine Kirsche links und eine rechts und eine vornedrauf.

Susanna hatte ein Geschenk für den Einäugigen mitgebracht. Ein Butterbrot, das sie rasch für ihn geschmiert hatte, nachdem die Haushälterin aus der Küche gegangen war. Sie nahm es aus der Rocktasche und reichte es ihm. Er sagte: »Danke«, und zog ein Messer aus dem Stiefelschaft, schnitt das Brot entzwei und gab ihr eine Hälfte. Dann nahm er seine Wasserflasche hervor.

Während sie aßen und tranken, trotteten die Pferde zur Schifflände.

Natürlich blieb ihre Fahrt nicht unbemerkt. Die Bürger guckten. Die Spießer gafften. Die Frömmler tuschelten. Die Lästermäuler zischelten.

Schau, da fährt der Einäugige mit der kleinen Faesch.

Das ist doch die, die ihm das Auge ausgestochen hat.

Was? Auch noch das andere Auge? Dann ist er jetzt blind?

Das eine Auge, du Depp, nicht das andere.

Jenes, das unter der Klappe war?

Genau. Bevor er die Klappe trug.

Schon seltsam, dass die jetzt zusammen ausfahren.
Sie so klein und er so groß.
Ausgerechnet die beiden.
Nach allem, was passiert ist.
Sie geht ja noch nicht mal zur Schule.
Und er ist immer noch ledig.
Was meinst du damit?
Gar nichts.
Gut. Verheiratete sind diesbezüglich nämlich nicht besser.
Worauf bezüglich?
Nur so.
Schau, jetzt picknicken sie auch noch.
Was wohl in der Flasche drin ist?
Man soll nicht immer gleich das Schlimmste denken.
Schon richtig.
Trotzdem.
Blutsverwandt sind sie jedenfalls nicht.
Wo die wohl hinfahren?
Ob der Herr Papa Bescheid weiß?

Es dauerte dann nur wenige Minuten, bis jemand dem Herrn Papa Bescheid sagte. Kurz darauf sagte auch dem Herrn Pfarrer jemand Bescheid, und als Susanna und Anton an der Schifflände anlangten, lag auf der Polizeiwache schon eine Anzeige vor.

An jenem Morgen war am Rhein viel Betrieb. Ein Treidelkahn und zwei Dampfer hatten angelegt, ihre Fracht war schon gelöscht und stand abholbereit am Pier. Anton ging mit dem Abholschein zum Hafenmeister, dann lud er Kisten, Ballen und Tonnen auf. Als er mit der Arbeit fertig war, gesellte er sich zu einer Gruppe Männer, die miteinander redeten und eine Flasche im Kreis herumgehen ließen. Susanna blieb währenddessen auf dem Kutschbock. Nach einer Weile kehrte Anton zurück und vertäute die Ware. Dann machten sie sich auf den Heimweg.

Sonderbar war, dass jetzt niemand mehr gaffte. Dieselben Leute, die bei der Hinfahrt noch gegafft hatten, guckten jetzt durch sie hindurch oder kehrten ihnen den Rücken zu. Vielleicht hätte es Susanna und Anton auffallen sollen, wie auffällig wenig Aufsehen sie nun plötzlich erregten; aber die Abwesenheit eines Phänomens ist nun mal in den meisten Fällen schwerer zu erkennen als dieses selbst. So fuhren sie an den Leuten vorbei und ahnten nicht, dass ihre Kutschenfahrt schon Stadtgespräch war.

In der Zwischenzeit hatten nämlich die Spießer, Frömmler und Lästermäuler für einmal den Kürzeren gezogen.

Die Strafanzeige hatte der Polizeikommandant kurz und bündig abgewiesen, weil eine bloße Kutschenfahrt, ganz unbesehen von der Identität der Passagiere, kein strafrechtlich relevantes Verhalten darstelle.

Der Pfarrer hatte die Frömmler erst stirnrunzelnd angehört. Als er aber erfuhr, von wem die Rede war, hatte er laut aufgelacht und abgewinkt.

Auch Susannas Vater hatte sich geweigert, im Bericht der Lästermäuler etwas Ungehöriges zu erkennen. Zwar gefiel es ihm nicht so richtig, dass seine fünfjährige Tochter mit fremden Männern kutschenfuhr. Wäre es irgendein anderer Mann gewesen, hätte er wohl interveniert. Mit dem Einäugigen aber wollte er sich nicht anlegen. Er hatte ihm vor nicht allzu langer Zeit ein nicht unerhebliches Schmerzensgeld bezahlt, damit er gar nicht erst auf die Idee kam, eine Zivilklage einzureichen, die vermutlich gute Aussichten auf Erfolg gehabt hätte.

Das Letzte, was Lukas Faesch jetzt gebrauchen konnte, war ein neuerlicher Skandal mit dem Mann.

Also fuhren Anton und Susanna am nächsten Morgen erneut zusammen aus und am übernächsten auch. Mal fuhren sie in den Forst und mal zum Bahnhof, mal zur Schifflände oder in die Farbenfabrik, und jedes Mal brachte Susanna ein Butterbrot mit, das Anton mit seinem Messer in zwei Teile schnitt.

Wenn sie unterwegs waren, redeten sie nicht viel. Sie saßen schaukelnd nebeneinander und schauten über die Kruppen der Pferde auf die Straße. Gelegentlich sagte Anton: »Pass auf« oder »Halt dich fest« oder »Warte hier«, dann antwortete sie: »Ja« oder »Nein« oder »Ich pass schon auf«.

Einmal fragte sie ihn, ob das Auge noch wehtue.

Welches Auge, fragte er zurück.

Dann lachten sie.

Ein anderes Mal fragte sie ihn, ob er eine Freundin habe.

Ich glaube schon, sagte er.

Er selbst fragte nie etwas. Er hätte nicht gewusst, was man einen derart kleinen Menschen hätte fragen können.

Die Leute gewöhnten sich an ihren Anblick. Die Erwachsenen guckten nicht mehr. Die Kinder winkten ihnen zu. Einige liefen neben dem Fuhrwerk her, bis Anton zum Spaß die Peitsche zückte, dann stoben sie kreischend davon. Dann kam der Morgen, an dem das mutigste Kind sich neben Susanna auf den Kutschbock schwang. Am nächsten Morgen stieg ein zweites Kind auf, dann ein drittes. Ein paar Tage lang hatte Anton den Kutschbock voller Kinder, die dicht an dicht nebeneinandersaßen. Dann verloren sie das Interesse und wandten sich wieder anderen Spielen zu.

Eine Weile noch fuhren Anton und Susanna allein zusammen aus.

Dann verlor auch sie das Interesse.

Eines Morgens, als Susanna mit Kreide aufs Straßenpflaster malte und Anton vorbeifuhr, stieg sie nicht auf. Sie hob nur grüßend die Hand, dann malte sie weiter. Sie malte Wasser und ein Schiff, am Ufer ein Haus und ein paar Bäume, darüber den Himmel und die Sonne, und große Fische im Wasser. Sie malte gern und konnte es schon gut. Besser als ihre Brüder, die ihr das Malen früher einmal, als sie noch klein gewesen war, beigebracht hatten.

Nanu, dachte Anton, was ist denn jetzt wieder los. Dann gab er den Pferden die Zügel. Na schön, sagte er sich. Meinetwegen. Umso besser.

Susanna fuhr nie wieder mit Anton mit. Wenn sie einander fortan auf der Straße begegneten, hoben sie beiläufig die Hand zum Gruß.

Die Sache war erledigt.

Sie konnten nun weiterleben.

DASS DU NIE MEHR WIEDERKOMMST

Nachdem der Deutsche abgereist war, verrichtete Maria Faesch weiter ihre täglichen Pflichten. Sie stand morgens auf, wusch sich und kleidete sich an, kämmte ihr Haar und steckte es hoch und ging in die Küche, um Tee zu trinken und mit der Köchin die Einkäufe des Tages zu besprechen. Dann lief sie hinüber zur Mädchenschule, an der sie die Buchhaltung besorgte und einige Stunden Französisch unterrichtete. Nachmittags kümmerte sie sich um den Gemüsegarten hinter dem Haus, überwachte die Hausaufgaben ihrer Söhne und schrieb Briefe an ihre Schwestern und Cousinen. Manchmal spielte sie ein bisschen Geige. Und in der Nacht lag sie neben ihrem Ehemann, bis der nächste Tag anbrach.

Vier Monate lang hatte sie Karl Valentiny in ihrem Haus beherbergt. Die Zuneigung, die sie für ihn empfand, hatte sie für das übliche Wohlwollen der Hausherrin gegenüber einem angenehmen Gast und Freund des Ehemanns halten wollen. Zwar wusste sie still für sich selbst, dass das nicht die Wahrheit war. Aber sie versuchte es sich einzureden.

Sie war hochgradig empört gewesen, als die Stadtregierung ihm schriftlich eröffnete, dass sein Bleiberecht als Flüchtling abgelaufen sei und er die Stadt binnen Wochenfrist zu verlassen habe. Als Karl beim Abendessen beiläufig bemerkte, dass er eine Schiffspassage nach Amerika zu buchen gedenke, hatte sie zu ihrer eigenen Überraschung mit der flachen Hand auf den Tisch geschlagen.

»Wieso das denn?«, wollte sie von ihm wissen.

»Weil mich zu Hause das Erschießungskommando erwartet.«

»Aber warum Amerika? Warum nicht Frankreich? Oder England? Oder Spanien?«

»Weil die mich alle ausliefern würden. Überall in Europa sind die alten Fürsten zurückgekehrt. Bleibt nur Amerika. Oder Australien.«

»Australien ist eine Sträflingskolonie.«

»Also Amerika.«

»Dann wollen wir keine Zeit verlieren«, sagte Maria. »Sie reisen mit Zwilchenbart, das ist die beste Agentur in der Stadt. Das Büro befindet sich am Bahnhof. Ich begleite Sie hin, gleich morgen früh.«

Dann war Valentiny abgereist. Die ganze Familie hatte auf dem Bahnsteig gestanden, als er in den Zug einstieg.

Jetzt war Maria ihn los.

Darüber wäre sie gern erleichtert gewesen. Es war ja doch mit Arbeit verbunden, über längere Zeit einen Gast im Haus zu haben.

Aber sie war nicht erleichtert.

Sie wäre froh gewesen, beim Einschlafen nicht immer an ihn denken zu müssen. Sehr gern hätte sie frühmorgens beim Aufwachen an etwas anderes gedacht als immer nur an ihn. Sie gab sich Mühe, im Esszimmer nicht ständig an jenem Fenster zu stehen, in dem sein Gesicht sich gespiegelt und in dem ihre Blicke sich so oft getroffen hatten. Sie gab ihr Bestes, ihren Mantel nicht an den Garderobenknauf zu hängen, an dem seiner gehangen hatte. Sie zwang sich, nicht mehrmals täglich gegen alle Vernunft im Briefkasten nachzuschauen, ob schon ein Brief aus Amerika eingetroffen sei. Und wenn es endlich Abend wurde und die Sonne unterging, versuchte sie, nicht daran zu denken, dass dieselbe Sonne in New York jetzt noch schien und vielleicht in diesem Augenblick Valentinys Schatten auf den Gehsteig warf.

Sie gab sich wirklich Mühe.

Aber sie schaffte es nicht.

Es ging über ihre Kraft.

Wenn sie sich einen Tee zubereitete, nahm sie doch immer die ramponierte Henkeltasse, die er stets benutzt hatte. Sie konnte nicht anders, als sich alle paar Tage bei Zwilchenbart zu erkundigen, ob Karls Schiff heil und unfallfrei in Amerika angelangt sei. Und als sie eines Nachmittags im Holzschopf die Trümmer jenes Stuhls entdeckte, der unter ihm zerborsten war, nahm sie ein Stuhlbein an sich wie eine Reliquie und versteckte es in ihrem Kleiderschrank.

Maria wunderte sich jeden Tag aufs Neue über den Aufruhr in ihrem Herzen und dass der Schwindel, der sie erfasst hatte, sich nicht mehr legen wollte. Anfangs versuchte sie sich noch einzureden, dass ihre Gefühle für den acht Jahre Jüngeren eher mütterlicher oder allenfalls schwesterlicher Natur seien. Aber sie wusste, dass das eine Lüge war.

Der einzige Mann, den es bisher in ihrem Leben gegeben hatte, war ihr Ehemann. Sie war noch ein junges Mädchen gewesen, als sie ihn nach vernünftigen, pragmatischen Erwägungen ausgesucht hatte, und sie hatte vorgängig das Einverständnis ihrer Eltern eingeholt, bevor sie Lukas Faesch auf die Idee brachte, ihr einen Heiratsantrag zu machen. Die Stabilität ihrer Ehe hatte ihr recht gegeben.

Kein Zweifel, Lukas war ein guter Mensch und Familienvater. Er war ehrlich und treu, achtsam und zuverlässig, fürsorglich und ausgeglichen; ein Fels in der Brandung. Mit der

Zeit aber war es gerade seine Verlässlichkeit gewesen, die ihr unerträglich geworden war. Wie konnte ein Mensch aus Fleisch und Blut nur so gar keine Wünsche, überhaupt keine Träume haben? Nicht einmal heimliche und ungelebte, schamhaft verschwiegene? War das nicht ein Zeichen, dass es ihm an Lebensmut, Fantasie und Witz gebrach? War seine Rechtschaffenheit nicht die reine Bigotterie? Und sein religiöser Tiefsinn – war der nicht hohl, ohne wahre Empfindung und bar jeden selbstgefertigten Gedankens? Was würde von diesem Menschen übrig bleiben ohne die Krusten an Wohlanständigkeit, die sich in all den Jahren um sein lebendiges Herz gelegt hatten?

Maria staunte, wie fremd der Mann, dessen Namen sie doch trug und dessen Kinder sie geboren hatte, ihr hatte werden können. Sie war zwar nie kopflos in ihn verliebt gewesen, aber ein Empfinden für seine lebendige Seele hatte sie früher immerhin gehabt. Jetzt sah sie in ihm nur noch die kauende und verdauende, zum Krepieren verurteilte Kreatur.

Maria bewahrte Haltung. Die Leute merkten ihr nichts an. Anderer Leute Ehen verliefen ähnlich. Und sie war keine zwanzig mehr, ihre Schläfen waren schon grau. Hin und wieder suchte sie Trost bei ihrer Geige. Aber ihre Finger gehorchten ihr nicht mehr, es fehlte ihr an Übung. Meist legte sie den Bogen nach wenigen Takten entmutigt beiseite. Maria wusste, dass jede menschliche Fertigkeit – sei sie nun musikalischer, handwerklicher oder geistig-seelischer Natur – mindestens zehntausend Stunden Übung erforderte. Deswegen warfen ihre Söhne so unermüdlich Kiesel in den Rhein, darum spielten die Mädchen so ausdauernd mit ihren Puppen. Aber Maria war kein Bub und auch kein Mädchen mehr. Sie hatte nicht mehr die Courage, die erste von zehntausend Stunden in Angriff zu nehmen.

In einer anderen Fertigkeit aber hatte sie es zu wirklicher Meisterschaft gebracht. Von Kindesbeinen an hatte sie sich in der Kunst geübt, mit ihren Mitmenschen einen verbindlichen und freundlichen Umgang zu pflegen, um von ihnen in Ruhe gelassen zu werden. Darin war sie wirklich gut. Sie hatte es zehn mal zehntausend Stunden geübt. Mindestens.

Im Grunde genommen war es – wie jede Kunst, wenn man sie erst einmal beherrscht – ganz einfach. Es war völlig ausreichend, dass sie beim Verlassen des Hauses eine freundliche Miene aufsetzte und auf der Straße die Nachbarskinder mit Namen grüßte, und dass sie die Bäckersgattin über den aktuellen Stand ihres Weichteilrheumas befragte und an heißen Tagen den Männern vom Straßenbau kalten Pfefferminztee reichte. Die Belohnung dafür bestand darin, dass man sie in Frieden ließ. Was für eine nette Frau, sagten die Leute. So im Reinen mit sich und der Welt. Und Geige spielt sie auch. Nicht grad großartig, aber immerhin.

Manchmal wunderte sie sich, dass ihr niemand auf die Schliche kam. Kein Mensch ahnte, wie gleichgültig ihr die Nachbarskinder waren, wie egal ihr das Weichteilrheuma der Bäckersgattin war und wie einerlei der Durst der Arbeiter. Sie war ihnen allen wohlgesinnt und wünschte ihnen das Beste, hoffte aber gleichzeitig sehr, von ihnen wie auch vom gesamten Rest der Menschheit in Frieden gelassen zu werden.

Nur einen gab es, der sie durchschaute, das war Lukas Faesch. Er hatte kurz nach der Hochzeit entdeckt, dass seine jederzeit so freundliche und liebenswerte Gattin die Fähigkeit hatte, mit ihm zu reden und gleichzeitig Musik zu hören, die sonst niemand wahrnahm. Er kannte das Gesicht, das sie machte, wenn sie Aufmerksamkeit mimte und doch woanders war. Manchmal glaubte er sogar zu erkennen, ob sie Mozart oder Beethoven hörte - oder ihre ganz eigenen, nur ihr angehörenden Töne.

Anfangs hatte ihr autarkes Seelenleben ihn belustigt, später hatte er die Distanz betrauert, die sich zwischen ihnen auftat. Manchmal versuchte er sich damit zu trösten, dass auch ein aufgesetztes Lächeln immer noch ein Lächeln sei. Aber er musste sich damit abfinden, dass seine Frau ihm stets eine Fremde bleiben würde und er ihr ein Fremder. Niemals würde es zwischen ihnen die Intimität geben, die er an den Lagerfeuern von Sidi Bel Abbès mit seinen Kameraden genossen hatte. Sie würden als Ehepaar Seite an Seite die Aufgaben des Lebens bewältigen, sie würden einander achten, dienen und ehren, und ihre Leiber würden einander wärmen in der Kälte der Nacht. Ihre Seelen aber würden nicht zueinanderfinden.

Die Fremdheit zwischen ihnen wuchs, als Maria schwanger wurde; und sie wurde noch größer, als nacheinander die drei Söhne zur Welt kamen. Das distanzierte Wohlwollen, das bis anhin zwischen ihnen geherrscht hatte, kühlte unter der Last der Elternschaft ab zu gegenseitigem Befremden. Die Eheleute nahmen das hin als ein Unglück, das sie gemeinsam zu tragen haben würden.

Eines Abends aber, es muss im sechsten Jahr ihrer Ehe gewesen sein, sagte Lukas nach dem Zubettgehen, als sie schon das Licht gelöscht hatten:

»Maria.«

»Ja.«

»Ich denke daran, noch mal in die Legion zu gehen.«

»Ja.«

»Für weitere fünf Jahre.«

»Ja.«

»Bist du einverstanden?«

»Ja.«

»Gut.«

Eine Woche später hatte er die Postkutsche nach Belfort genommen und im Wartesaal des Rekrutierungsbüros die Bekanntschaft Karl Valentinys gemacht. Nach fünf Jahren, welche die beiden Seite an Seite verbracht hatten, war Lukas zurückgekehrt und hatte vor der Tür gestanden, als ob er nie fort gewesen wäre, und neun Monate später war die kleine Susanna zur Welt gekommen. Weitere fünf Jahre später hatte auch Valentiny vor der Tür gestanden, mit einer kleinen Umhängetasche als einzigem Gepäck, dafür aber mit seinem blonden Seitenscheitel, seinen Wangengrübchen und einem struppigen alten Klepper im Schlepptau, der kaum noch gehen konnte und erschöpft die Ohren hängen ließ.

Und jetzt, da er fortgegangen war, hatte Maria keine Ahnung, wie sie weiterleben sollte. An manchen Tagen bereute sie, sich ihm nie offenbart zu haben, und zuweilen nahm sie es ihm übel, dass auch er nie die Skrupellosigkeit gehabt hatte, die Grenzen des Schicklichen zu übertreten. Aber dann war sie wieder froh, dass sie beide das Wort nicht ausgesprochen hatten. Wenn ihr Aufruhr vor der Welt verborgen blieb, würde er vielleicht mit der Zeit verebben, ohne größeren Schaden angerichtet zu haben, und irgendwann würde im Rückblick nichts geschehen sein. Andrerseits fürchtete Maria die Grabesruhe, die dann wieder einkehren würde.

Der Sommer verging. Es wurde Herbst, der Winter kam. Über dem Rhein kreischten die Möwen, am Jura stauten sich die Schneewolken. Und dann klapperte eines Nachmittags an der

Haustür der Deckel des Briefkastens. Maria eilte hin. Es war ein Brief aus Amerika. Sie nahm ihn heraus und lauschte ins Haus wie eine Diebin. Es war niemand da.

Der Umschlag hatte weder Knitterfalten noch Wasserflecken und wies auch keine anderweitigen Spuren der langen Reise auf. Oben rechts waren drei grüne Zehn-Cent-Briefmarken mit dem Porträt George Washingtons aufgeklebt, unten rechts drei braune Fünf-Cent-Marken mit dem Konterfei Benjamin Franklins. In der Mitte stand in schön geschwungener Schrift, mit schwarzer Tinte auf zwei Zeilen: *An Maria und Lukas Faesch, Basel.*

Sie ließ den Umschlag sinken und lehnte sich gegen die Wand. *An Maria und Lukas Faesch.* Der Brief war nicht nur an ihren Mann adressiert, sondern auch an sie. Karl Valentiny hatte in New York an sie gedacht. Er hatte ihren Namen geschrieben. Maria. Mit seiner Hand.

Sie roch an dem Brief, dann küsste sie die Vorderseite, über die seine Schreibhand gefahren sein musste.

Jede Briefmarke war einzeln abgestempelt, die Stempel trugen das Datum vom 14. Juni 1849. Ein halbes Jahr lang war der Brief unterwegs gewesen. Sechs Monate war es her, dass Karl Valentiny ihren Namen geschrieben hatte. Maria. Maria und Lukas Faesch, Basel. Der Blick seiner Augen hatte auf diesem Papier geruht. Auf der Rückseite der Absender: *Karl Valentiny, Grütli Hotel, Castle Garden, New York.*

Stufe um Stufe ging sie die Treppe hoch ins Schlafzimmer. Sorgfältig verschloss sie die Tür. Sachte setzte sie sich auf die Bettkante. Dann riss sie mit dem kleinen Finger der rechten Hand behutsam den Umschlag auf.

Es waren so liebe Zeilen, die er geschrieben hatte. Als Erstes fragte er nach ihrem und Lukas' Befinden und nach jenem der Kinder, dann bedankte er sich noch einmal für die großherzige Gastfreundschaft, die er im Hause Faesch hatte erfahren dürfen, und dann berichtete er von seiner Reise.

Die Bahnfahrt nach Le Havre und das Einschiffen hatten reibungslos geklappt, die Agentur Zwilchenbart hatte sich um alle Formalitäten gekümmert. Bei bestem Wetter und günstigen Winden war er mit dem Dreimaster *Normandie* an den englischen Inseln vorbei auf den großen Ozean hinausgefahren. Als das Land hinter dem Horizont verschwand, waren die Möwen zurückgeblieben, die Delfine und die Wale aber waren dem Schiff weiter gefolgt. Am neunten Tag hatten Regen, Kälte und Sturm eingesetzt, dass man nirgends auf dem Schiff mehr ruhig stehen, sitzen oder liegen konnte, und dann waren Wellen übers Deck geschwappt, dass man Tag und Nacht im Zwischendeck bleiben musste, das aus einem einzigen großen Raum ohne Trennwände mit beidseits je zweiunddreißig Doppelstockbetten bestand und Platz für hundertachtundzwanzig Passagiere bot, von denen die allermeisten, Gott sei's geklagt, keine seetüchtigen Matrosen waren. Eine Mutter und ihr Kind starben, sie wurden in Decken eingenäht und über Bord geworfen. Der Kapitän hielt eine kurze Predigt, die im Geknatter der Segel und dem Ächzen der Takelage unterging. Dann endlich die Ankunft in New York, Einfahrt in den großen Mastenwald vor Manhattan, ungeduldig erwarteter Landgang am Castle Garden und ein erster ausgedehnter Ausflug in die ungeheure Stadt mit ihren rechtwinklig angeordneten Straßen und den breiten Trottoirs, den West Broadway hinauf bis zum Washington Square Park, alles so groß und der einzelne Mensch so klein, mächtig viel Verkehr und Menschen und ein ständiges Rennen und Lärmen überall, dann aber eilige Rückkehr entlang des Hudson River nach Castle Garden und das Hotel Grütli aufgesucht, das im Besitz der Agentur Zwilchenbart war und tatsächlich ein Zimmer auf Karl Valentinys Namen frei hatte. Er hatte die Tür hinter sich zugezogen und Tinte und Papier zur Hand genommen, um sogleich einen ersten Bericht an seine lieben Beschützer, Gastgeber und Freunde nach Basel zu schreiben und seinerseits auf ein möglichst rasches Lebenszeichen von ihnen hoffen zu dürfen.

Am Abend ging der Brief durch alle Hände. Erst las ihn der Vater, dann lasen ihn die Söhne, dann wollte ihn Susanna vorgelesen bekommen. Maria wollte den Brief nicht mehr lesen. Sie kannte ihn schon auswendig, Wort für Wort.

Nach dem Essen setzten sich alle hin und schrieben ihre Antworten. Susanna malte für Valentiny ein Bild mit Walfischen und hohen Wellen, dazu weiße Gischt und weiße Möwen an einem schwarzen Himmel.

Später, nach dem Zubettgehen, sagte Maria:

»Lukas.«

»Ja.«

»Ich muss dir etwas sagen.«

»Ja.«

»Ich denke daran, nach Amerika zu fahren.«

»Du? Nach Amerika?«

»Ja.«

»Wann?«

»So bald als möglich. Sofort.«

Maria hatte sich dafür gewappnet, dass ihr Mann nun zu reden anfangen, eine seiner endlosen Ansprachen halten würde. Stattdessen sagte er nur:

»Fährst du wegen ihm?«

»Nicht nur.«

»Wegen mir?«

»Auch wegen uns.«

»Weiß er es?«

»Ich weiß es selbst erst seit gerade eben. Ich muss gehen, Lukas. Sonst sterbe ich.«

»Wirst du ihm schreiben?«

»Der Brief würde nach mir ankommen.«

»Ich verstehe.«

»Für dich wird sich nicht viel ändern.«

»Für dich schon.«

»Alles.«

»Du solltest erste Klasse fahren. Hast du Geld?«

»Ich nehme alles mit, was mir gehört. Zwilchenbart wird für mich ein Konto in New York einrichten.«

»Gut.«

»Es tut mir leid, Lukas. Das hast du nicht verdient.«

»Verdient, nicht verdient. Was heißt das schon.«

»Die Kleine nehme ich mit.«

»Ich weiß.«

»Die Buben bleiben bei dir. Bist du einverstanden?«

»Die Frage stellt sich nicht.«

»Du kannst den Leuten erst mal sagen, ich sei zur Kur gefahren. Nach Badenweiler oder so.«

»Wenn du meinst.«

»Sei mir bitte nicht böse. Gibst du mir deinen Segen?«

»Den brauchst du nicht.«

»Gibst du ihn mir?«

»Wenn du ihn willst.«

»Dann gebe ich dir auch meinen.«

»Maria.«

»Ja.«

»Wenn du gehst, musst du mir eines versprechen.«

»Was?«

»Dass du nie mehr wiederkommst. Ich werde dir schreiben und berichten, wie es uns geht. Ich werde mein Bestes geben, dass auch die Buben dir schreiben. Du kannst uns natürlich auch schreiben. Aber du kommst nicht zurück. Niemals.«

»Wieso nicht?«

»Ich will das sicher wissen. Sonst würde ich warten.«

Maria schwieg. Sie nahm seine Hand und drückte sie. Und dann küssten sie sich, zum ersten Mal seit langer Zeit.

EINE ILLUSION VON TRANSZENDENZ

Es war eine Reise ohne Wiederkehr geworden.

Jahre und Jahrzehnte waren vergangen.

Die Fulton Ferry lag abfahrbereit am Steg. Die Dampfpfeife über der Kommandobrücke gellte, stoßweise stieg schwarzer Rauch aus dem Kamin. Darunter zischte und fauchte die Dampfmaschine, fette Regentropfen verdampften an den heißen Messingrohren. Letzte Fahrgäste kamen durch den Regen angerannt, mürrische Matrosen standen bereit, die Anlegebrücke einzuziehen und die Manila-Trossen von den Pollern zu lösen. Bei einer Gaslaterne neben dem Kassahäuschen warteten fünf junge Burschen in blauen Segeltuchjacken kauend und rauchend auf den allerletzten Moment zum Aufspringen.

Das tiefe Wasser des East River war trüb und kabbelig, vielfach umgerührt und schaumig geschlagen von den Schrauben und Rädern der Schiffe, die den Fluss den ganzen Tag über befahren hatten. Ein saurer Geruch nach Kohle, feuchtem Holz und regennassem Teer lag in der Luft. Dicht an dicht lagen die Frachtschiffe an den Piers, schmutziggraue Möwen flogen Arabesken zwischen den Masten. Einen Steinwurf flussaufwärts standen himmelhoch die steinernen Türme der Brooklyn Bridge, die seit zehn Jahren im Bau war und bald alle Fähren aus dem Markt drängen würde.

Am gegenüberliegenden Ufer zeichneten sich schräg schraffiert die Fabrikschlote und Hafenkrane von Brooklyn ab, dazwischen Kohleberge und Sägereien, Piers und Docks und

Lagerhallen; durch den Regen drang das Zischen der Dampfmaschinen, das Kreischen der Sägen und das Klangklang der Dampfhämmer übers Wasser. Weiter hinten standen zwischen rußgeschwärzten Mietskasernen die Handwerksbuden und Baracken der Bäcker, Färber, Hutmacher, Sattler, Bestatter und Schneider; und noch weiter hinten, leicht erhöht in den Hügeln, leuchtend weiß die Villen der Reichen.

Im gedeckten Mittelgang standen nasse Pferde vor ihren Fuhrwerken und ließen die Köpfe hängen. In den Seitengängen saßen die Passagiere auf Holzbänken und bewachten, müde vom Tagwerk, ihre Körbe, Koffer und Taschen.

Das Vordeck war menschenleer bis auf eine Frau in dunklem Regenmantel und rotem Schal, die unter einem schwarzen Schirm im Regen stand. Susanna mied, wenn es das Wetter halbwegs zuließ, die muffige Beengtheit des Passagierraums und blieb für die kurze Zeit der Überfahrt im Freien. Ihr Stammplatz war eine Nische zwischen der vorderen Steuerbordklampe und der Eisentreppe, die hinauf zur Kommandobrücke führte.

Die Fähre löste sich vom Landesteg, die Matrosen rollten die Trossen ein. Die fünf Burschen bei der Gaslaterne schnippten ihre Zigaretten weg und rannten los. Behende wie junge Hunde sprangen sie übers breiter werdende Wasser und landeten knapp auf der Scheuerleiste, packten mit beiden Händen die Reling und schwangen sich an Bord. Die Matrosen schimpften und drohten ihnen mit den Fäusten. Die Burschen lachten und verschwanden im Passagierraum.

Susanna war zufrieden mit ihrem Tag. Am Morgen hatte sie ihren Sohn Christie in den Kindergarten gebracht, dann bei Roberto's einen Kaffee getrunken und die *New York Times* gelesen, und dann hatte sie mit der Zehn-Uhr-Fähre nach Manhattan übergesetzt und einem Schweizer Käsehändler das Porträt seiner verstorbenen Ehefrau in dessen Büro in der einundzwanzigsten Straße gebracht. Mittags hatte sie in Chinatown eine Kleinigkeit gegessen, am Nachmittag war sie durch den Central Park spaziert, hatte eine Kunstgalerie besucht und in der Public Library drei Romane ausgeliehen.

Zur Porträtmalerei war sie eher zufällig gekommen. Dreiundzwanzig Jahre war es nun her, dass Karl Valentiny ihr zu ihrem vierzehnten Geburtstag einen Kasten Gouache-Farben und fünf Pinsel geschenkt hatte, und zum Dank hatte sie ihm noch am selben Abend mit raschen Strichen auf einen Karton das Porträt ihrer Mutter gemalt. Valentiny fand, dass es herzerweichend gut gelungen war. Er erkannte zweifelsfrei die Frau, die acht Jahre zuvor mit ein paar Koffern und ihrer Tochter unangemeldet vor seiner Tür gestanden hatte. Er sah den Seelenfrieden, zu dem sie seither an seiner Seite gefunden hatte, aber auch ihre ruhige Verlorenheit im bunten Menschengewimmel Brooklyns, wo nichts unmöglich, alles belanglos und nichts von Dauer war, und ihre Einsamkeit, aus der sie in diesem Leben nicht mehr herausfinden würde.

Valentiny ließ das Gemälde rahmen und hängte es in seinem Behandlungszimmer an die Wand. Als aber Susanna ihr Werk so öffentlich ausgestellt sah, schämte sie sich. Sie hängte es ab, löste es aus dem Rahmen und fertigte auf der Rückseite des Kartons eine zweite Version an, und in den folgenden Wochen malte sie abwechselnd auf die Vorder- und die Rückseite noch eine dritte, vierte und fünfte Fassung.

So konnten die Patienten beobachten, wie das Kind, das sich vor Kurzem gleichsam unter ihren Augen in einen wortkargen, knochigen Backfisch verwandelt hatte, erstaunlich rasch bemerkenswerte Fortschritte machte. Als dann die sechste Version an der Wand hing, legte ein alter Ungar mit Reizdarm und Keuchhusten, der angeblich ein verarmter Graf war und noch mit Napoleon Bonaparte in Schönbrunn Krimsekt getrunken hatte, nach der Konsultation fünfzig Dollar und ein Fotoporträt von sich selbst auf den Schreibtisch und fragte Valentiny halb gönnerhaft und halb verschämt, ob das gnädige Fräulein eventuell geneigt sein könnte, zur Abwechslung auch mal ein anderes Konterfei als jenes der verehrten Frau Mama anzufertigen – und zwar durchaus gern, falls dies der guten Sache diene, auf einem anderen Stück Karton als dem schon so vielfach verwendeten.

Susanna nahm das unverhoffte Geld entgegen und machte sich an die Arbeit. Fünf Tage später war sie fertig. Der alte Graf sah auf ihrem Porträt deutlich jünger, erheblich kräftiger und wesentlich fröhlicher aus als auf der Fotografie. Susanna hatte ihm ein verschmitztes Lächeln gegeben, das in reizvollem Kontrast stand zur strengen Würde seines Backenbarts. Als sie dem alten Mann das Bild überbrachte, errötete er und nannte das gnädige Fräulein eine Schmeichlerin. Zum Abschied küsste er ihr die Hand.

Die Kunde von der begabten Vierzehnjährigen verbreitete sich rasch. Der alte Graf hatte einen weitläufigen Bekanntenkreis, und Valentiny hatte sich in der deutschsprachigen Gemeinschaft Brooklyns einen beachtlichen Patientenstamm erarbeitet. Eine zweite Bestellung ging ein, dann noch eine und noch eine. Bald waren es mehr Bestellungen, als Susanna bewältigen konnte. Ihre Mutter musste eine Warteliste führen.

Susanna verwendete immer Fotos als Vorlage. Fünfzig Dollar bei Lieferung des fertigen Porträts, das blieb über viele Jahre ihr Tarif. Valentiny richtete ihr in einem Dachzimmer ein

Atelier ein. Sie nahm jeden Auftrag an und malte alle Köpfe ohne Ansehen der Person; die Hübschen und Unversehrten genauso wie die Verwüsteten und die Hässlichen, die Brutalen wie die Sanftmütigen, die Gescheiten und die Seelenvollen wie die Blödiane und die Armen im Herzen. Und wenn ihr ein Kopf besonders gefiel, fertigte sie für sich eine Kopie an. Bald hatte sie eine ganze Sammlung. Sie nannte sie ihre »Menschensammlung«.

In jenen Jahren war die Fotografie eine aufregende Neuheit. Die Fotostudios schossen wie Pilze aus dem Boden. Jeder brotlose Kunstmaler, jeder verkrachte Student lieh sich irgendwo ein bisschen Geld, um sich eine Kamera, einen weißen Leinenanzug und einen kanariengelben Foulard zu kaufen und sich fortan »Fotograf« zu nennen. Besondere Vorkenntnisse waren nicht nötig. Das Wechselspiel von Licht und Zeit war leicht zu verstehen, und die Kameras waren schlichte Holzkästen mit einem schwarzen Deckel vor dem Glasauge, an denen es nicht viel zu bedienen gab. Zudem hielt sich das finanzielle Risiko in Grenzen, und die Aussicht auf Verdienst war gut.

Alle Welt wollte sich fotografieren lassen. Polizisten und Dienstboten, Klempner und Wäscherinnen, Soldaten und Lehrerinnen, Schauspieler und Dirnen und Hausfrauen, Straßenbahnschaffner, Tagelöhner und Großgrundbesitzer, Greise und Großmütter und Säuglinge – alle ließen sich ablichten und kauften von ihrem Bild fünf oder zehn Abzüge, die sie dann ihren Liebsten schenkten, für die Nachfahren als Andenken in die Schublade legten oder in die eigene Tasche steckten, um sich bei Bedarf ihrer Existenz vergewissern zu können.

Vor der Kamera waren alle gleich. Was jahrhundertelang

ein Privileg der Aristokratie gewesen war – sich mit einem handgefertigten Porträt eine Illusion von Transzendenz zu verschaffen –, wurde zum Freizeitvergnügen der Massen. Denn wie zu allen Zeiten hatten die Menschen es eilig, den Lebensstil ihrer Unterdrücker nachzuäffen, sobald sie deren Joch abgeschüttelt hatten.

Bedauerlich war nur, dass die Ärmlichkeit dieser kaum handtellergroßen Pappbildchen in scharfem Gegensatz stand zu der feudalen Grandezza vorindustrieller Ölmalerei. Manche hatten zwar ein dünnes, im Prägedruck angebrachtes Goldrändchen, aber sie waren doch alle blass und grau und ließen jede Strahlkraft und Lebendigkeit vermissen; die Porträtierten sahen auf ihnen aus wie die Wasserleichen, die man Tag für Tag aus dem Hudson River zog. Als polizeiliche Fahndungsfotos mochten sie halbwegs taugen, als Beilage zu einem Liebesbrief sicher nicht. Dem Selbstwertgefühl war ihr morbider Anblick sowieso abträglich, und als postmortaler Gruß an die Nachkommen waren sie ebenfalls nicht geeignet.

Im Grunde genommen war mit diesen so rasch, billig und lieblos produzierten Bildchen nichts anzufangen, die Kunden waren zu Recht enttäuscht. Manche trugen deshalb ihre Pappkartons direkt vom Fotostudio ins Künstleratelier und baten den Porträtmaler, mit Pinsel und Farbe etwas Ordentliches, Vorzeigbares draus zu machen – etwas Buntes, Großes und Lebensfrohes, bitte sehr, am liebsten in Öl und auf Leinwand, und gerne auch mit einem opulenten Goldrahmen. Das übernahmen die Maler gern. Aber der Goldrahmen kostete extra. Bald schossen neben den Fotostudios und den Künstlerateliers auch die Einrahmungsgeschäfte aus dem Boden.

Solange Susanna zur Schule ging, beschränkte sie sich auf ein Porträt pro Monat. Damit verdiente sie genug, um nicht um Taschengeld bitten zu müssen. Sie malte meist abends, wenn sie mit den Hausaufgaben fertig war, und an den Wochenenden. Die Kopien für ihre Menschensammlung stellte sie an die Wände des Ateliers. Als sie dicht an dicht an allen vier Wänden standen, begann sie eine zweite Reihe.

Susanna arbeitete konzentriert und ausdauernd. Wenn es Zeit war fürs Schlafengehen, musste die Mutter ihr mit sanftem Zwang die Pinsel aus der Hand nehmen. Dann ging sie nur widerwillig zu Bett, und bis in den Schlaf hinein lag auf ihrer Oberlippe ein harter Zug von Entschlossenheit, in dem die Mutter kummervoll die väterliche Unerbittlichkeit wiedererkannte. Sie versuchte diese Härte aus dem schlafenden Kindergesicht herauszustreicheln, aber Susanna erwachte davon und schaute die Mutter fragend an.

Ihr Arbeitseifer zahlte sich aus. Sie konnte sich auf eigene Faust neue Schuhe kaufen und legte sogar Ersparnisse an. Valentiny richtete für sie ein Konto auf der Bank ein. Im *Brooklyn Eagle* erschien ein Artikel über Susanna. Die Kundschaft war zufrieden, die Warteliste wurde länger.

Maria Faesch und Karl Valentiny waren stolz auf sie.

Die Nachbarn nannten sie »ein Wunderkind«.

Susanna aber glaubte nicht an Wunder.

Es war ja keine Hexerei, was sie machte. Sie malte einfach, was sie auf den Fotos sah, das war alles. Sie hatte ein gutes Auge, das schon, und eine ruhige Hand und ein Gespür für Farben, die sie sich ja denken musste. Ein Gespür für Menschen hatte sie auch, und sie war geduldig und hatte den Willen und die Ausdauer, ihre Sache gut zu machen.

Aber ein Wunder war das nicht. Metaphysik war nicht im

Spiel. Sie sah sich nicht als Künstlerin. Es war ein Handwerk; eine Arbeit wie die des Schuhmachers, des Schreiners oder der Wäscherin.

Die wichtigste Lektion hatte sie gleich bei ihrem ersten Kunden, dem ungarischen Grafen, gelernt – das war die Erkenntnis, dass die Leute in Wahrheit nicht so aussahen wie auf den Fotos. Die äußeren Formen mochten halbwegs stimmen. Aber im Wesentlichen lagen sie falsch.

Der alte Graf zum Beispiel war in natura ein Gentleman von weichem, zerfließendem Charme. Das sechs mal acht Zentimeter große Fotobildchen aber, das er im Behandlungszimmer für Susanna zurückgelassen hatte, zeigte ihn als bärbeißigen, auf den Backenzähnen mahlenden Griesgram.

Das lag daran, dass er während der zehn Sekunden Belichtungszeit nicht bei sich selbst gewesen war. Die Kamera hatte den Greis in einem Zustand der Schwäche abgebildet; bis die Aufnahme im Kasten gewesen war, hatte er einige Unbill erdulden müssen. Erst hatte man ihn in ein Studio geführt, das aussah wie ein verlassener Puff oder eine geplünderte Diebeshöhle. Dann hatte man ihn genötigt, zwecks Illustration seines Adelsstands eine nach Mottenkugeln müffelnde Operettenuniform anzuziehen, die aus dem Fundus des Fotografen stammte und ihm an den Schultern zu eng und am Bauch zu weit war, und dann hatte man ihm das Sonnenlicht, das durchs Fenster einfiel, mit großen Spiegeln aufs Gesicht gelenkt, dass es ihn blendete und er die Augen zukneifen musste. Man hatte ihm hinterrücks und für die Kamera unsichtbar den Nacken mit einem Gestänge aus eisernen Schraubzwingen fixiert, damit er sich nicht rühren konnte, und man hatte ihm eingeschärft, während der Belichtungszeit keinesfalls zu blinzeln und möglichst nicht zu atmen, und dann war der Fotograf unter einem schwarzen Tuch verschwunden und hatte allerlei seltsame Manöver vollführt, bis er endlich die Verschlusskappe von der Linse nahm, damit das Licht in die Kamera einströmen und die Silbersalze auf der Glasplatte schwärzen konnte – in dem Augenblick also, in dem das Bild entstand, hatte der alte Mann unter Muskelkrämpfen und multiplem Juckreiz sowie Sauerstoffmangel und Hitzestau gelitten und am Rande des Kreislaufkollapses gestanden.

So durfte Susanna ihn nicht malen. Sie kannte ihn ja und wusste, wie er wirklich aussah. Ihre Aufgabe war es, das Verkniffene und Verbissene aus seinem Antlitz herauszufiltern, indem sie seine Augen größer und die Lippen voller malte. Sie glättete ihm Stirn und Wangen, bog seine Mundwinkel nach oben und lockerte den verkrampften Hals, indem sie seinen Kopf ein bisschen beiseiteneigte. Das war ein einfaches mechanisches Verfahren, Zauberkunst war nicht im Spiel. Und es war keine Lüge. Susanna verhalf im Gegenteil der Wahrheit zu ihrem Recht, indem sie die Fehler der Kamera korrigierte. Sie hauchte den Bildern, die kalt und seelenlos geworden waren durch die harte, schnelle Mechanik ihrer Entstehung, eine Seele ein.

Sie arbeitete immer nach Fotos. Nur einmal hatte sie sich zu einer Porträtsitzung überreden lassen von einer Apothekersgattin aus der Clinton Street, die es sich partout nicht nehmen lassen wollte, einmal im Leben vor einer wahrhaftigen Staffelei Modell zu stehen. Es wäre Susannas zwölfte Auftragsarbeit geworden. Die Sitzung wurde zum Debakel.

Die Frau konnte keinen Augenblick still sitzen. Sie war zwar eine viktorianische Lady britischer Herkunft mit Stehkragen, Lorgnon und Riechsalz, die lebenslange Übung darin hatte, den Rücken gerade zu halten und unnötiges Gestikulieren zu unterlassen; auch hatte sie ihre Kinder mit größter Unnachgiebigkeit zum Stillsitzen erzogen. Jetzt aber, da sie selbst still sitzen musste, schaffte sie es nicht. Kaum hatte sie Platz genommen, wippte sie schon mit den Füßen, rollte die Augen und rutschte auf dem Stuhl umher, und dazu plauderte sie ohne Punkt und Komma übers Wetter und fuchtelte mit den Händen, riss alberne Witze und warf lachend den Kopf in den Nacken, dass man sich Sorgen um sie machen musste.

Susanna bewahrte Ruhe und setzte den Pinsel an. Als sie aber ein paar Striche gezogen hatte, erhob sich die Frau und tänzelte lustig sein wollend zu ihr hinüber, warf einen herablassenden Blick auf die Leinwand und holte tief Luft, und dann erteilte sie, die erklärtermaßen noch nie einen Pinsel in der Hand gehalten hatte, Susanna eine ganze Anzahl guter Ratschläge in Sachen Komposition, Pinselstrich und realitätsnaher Darstellung.

Die Frau benahm sich unmöglich.

Susanna ließ den Pinsel sinken und wartete.

Endlich ging ein Ruck durch die Apothekersgattin. Mitten in einem Wort verstummte sie, als hätte sie jemand mit einem Schlag auf den Hinterkopf zur Raison gebracht. Sie räusperte sich und schürzte die Lippen, stöckelte zierlichen Schrittes zu ihrem Stuhl zurück und setzte sich wieder hin, warf sich in Pose und sagte: »Na gut. Wie auch immer. Wo waren wir stehen geblieben?«

Ein paar Sekunden lang hielt sie still. Aber dann wippte sie schon wieder mit den Füßen, unmerklich erst, dann immer heftiger, rollte die Augen und redete dummes Zeug.

Da verstand Susanna. Die Frau ertrug es nicht, vor einem Kind still sitzen zu müssen; sie empfand es als Erniedrigung, sich der Autorität einer Minderjährigen zu unterwerfen. Deshalb sabotierte sie den Ernst der Situation, indem sie sich selbst zur Äffin machte. Zwar schämte sie sich ihres Gehampels, aber sie konnte nicht anders. Susanna hatte Mitleid mit ihr. Sie hob ihren Pinsel an und fuhr mit der Arbeit fort.

Eine Weile versuchte die Frau noch still zu sitzen. Aber dann juckte sie auf, als ob ihr eine wichtige Sache eingefallen wäre, murmelte etwas von einer unaufschiebbar dringenden Verpflichtung und raffte mit ein paar entschuldigenden Worten ihre Tasche und den Hut sowie Schirm und Mantel zusammen. Dann stürmte sie aus dem Atelier, polterte über drei Etagen die Treppe hinunter und kehrte nie mehr wieder.

Susanna vollendete das Porträt aus dem Gedächtnis für ihre Sammlung. Besondere Sorgfalt verwandte sie auf die kariösen Zähne im schiefen Grinsen und auf die roten Äderchen in den weit aufgerissenen Augen.

Von da an hielt sie sich an die Fotos. Die hielten die Klappe. Und hielten still. Und liefen nicht davon.

Nach der Highschool stand sie vor der Frage, welchen Lebensweg sie einschlagen sollte. Das Problem war, dass sie überhaupt keinen Lebensweg einschlagen wollte; keinen von den Trampelpfaden, die es ja nur deshalb gab, weil sie von so vielen Menschen schon begangen worden waren. Sie wollte keine von den abgekämpften Elendsgestalten werden, die im täglichen Überlebenskampf durch die knöcheltief mit Pferdekot bedeckten Seitenstraßen Brooklyns wankten; keine ausgezehrte Arbeitssklavin, die mit zwei oder drei anderen Sklavinnen in einer zugigen, verwanzten Dachkammer hauste; keine auf den Untod gelangweilte Bürgerin, die ihre Tage damit zubrachte, in vietnamesischen Hausschuhen übers glänzende Parkett zu gleiten und mit einer Nagelschere die Triebe ihrer

Bonsais zu stutzen; kein gehetztes Dienstmädchen und kein mausgesichtiges Bürofräulein, kein typhoides Bettelweib und keine jener Kleiderverkäuferinnen, denen nichts als Heiratsgier ins Gesicht geschrieben stand; keine grell bemalte Bordsteinschwalbe und keine nierenkranke Assistentin irgendeines Herrn Professors, Doktors oder Direktors und schon gar keine pausbäckige deutsche *Hausfrau*, keine vergessene Jungfer und kein professionelles Eheweib. Sie hatte keine Lust, sich zu schminken und zu frisieren und die Nägel zu lackieren, sie mochte weder flirten noch tändeln und auch keine Blumen pflücken, sie wollte keine Gardinen bügeln und sich weder die Beine noch die Achselhöhlen rasieren, kein Silberbesteck polieren und nicht Tennis spielen. Sogar das Kleiderkaufen war ihr eine lästige Pflicht. Ihr graute vor Hauswirtschaftsschulen, Klavierstunden und Debütantinnenbällen, und bei der Vorstellung, in die Flitterwochen zu fahren und eine Wohnung einrichten zu müssen, um dann Männersocken zu stopfen und Geburtswehen durchzustehen, Rosenkriege auszufechten und im Sonntagsstaat mit Kindern an der Hand zur Kirche zu gehen, bekam sie Gänsehaut.

Susanna wollte überhaupt keinen Lebensweg einschlagen. Für sie gab es keine Wege. Es gab nur Schritte, die sie machen würde. Einen Schritt um den anderen, Tag für Tag, Stunde um Stunde. Im Rückblick würden sich diese möglicherweise irgendwann zu einem Weg addieren; zu ihrem eigenen Weg, den sie dann gegangen sein würde. Aber vorgezeichnet war er nicht. Sie glaubte nicht an Leitsterne.

Zwar war es durchaus möglich, dass sie eines Tages die Weltmeere befahren und den Amazonas erforschen, durch den Grand Canyon reiten oder eine Orchideenfarm betreiben würde. Aber keinesfalls würde sie dafür Pläne erstellen, Taktiken entwickeln und Strategien befolgen. Sie wollte auch nicht, dass man ihr Steine aus dem Weg räumte oder rote Teppiche ausrollte, denn Teppiche musste man hernach wieder einrollen, und weggeräumte Steine lagen immer jemand anderem im Weg. Was Susanna wollte, war dies: jeden Morgen aufwachen, aufstehen und dann tun, wonach ihr der Sinn stand.

Nach den Sommerferien würde sie an der Kunstakademie ein paar Kurse besuchen, das konnte nicht schaden. Perspektive und Architektur, Lichtführung und Komposition. Mischtechniken vielleicht. Sie würde interessante Leute kennenlernen, abends mit ihnen durch die Bars ziehen und rumquatschen, trinken und Spaß haben. Aber ein Diplom würde sie nicht anstreben. Für Diplome hatte sie keine Verwendung.

Mit ihrer Mutter und Karl Valentiny verstand sie sich gut. Solange nichts Dramatisches geschah, würde sie bei ihnen bleiben. Ihr Haus bot ausreichend Platz, Susanna hatte ihr eigenes Schlafzimmer und ihr Atelier unter dem Dach. Und sie verdiente ihren Lebensunterhalt selbst, das konnten nicht viele Sechzehnjährige von sich behaupten. Ein Porträt pro Woche, zweihundert Dollar pro Monat, das würde reichen.

Die Malerei machte ihr immer noch Spaß. Ihre Menschensammlung war zu beachtlicher Größe angewachsen, die Porträts standen mehrfach voreinander an allen vier Wänden. Manchmal blätterte sie in ihnen wie in einem Buch. Sie studierte den kühlen Blick einer chinesischen Wäscherin, die wettergegerbte Stirn eines norwegischen Matrosen, das vorgeschobene Kinn eines italienischen Polizisten oder die Trauer im Gesicht eines befreiten Sklaven. Und manchmal kehrte sie mit einem Bild zurück an die Staffelei und nahm eine Verbesserung vor, die sich im Nachhinein nicht immer als solche erwies.

Maria wunderte sich nicht über die frühe Selbstständigkeit ihrer Tochter. Susanna war schon immer vorausgegangen, sie hatte nie zurückgeschaut. Schon während der Überfahrt damals hatte sie ganze Tage am Bug gestanden und niemals am Heck. Sie hatte mit polnischen Buben Karten gespielt und von einer russischen Mutter gelernt, wie man ein Baby wickelt, und sie war dem Schiffskoch zur Hand gegangen und hatte sich gegen Ende der Reise sogar mit dem Kapitän angefreundet, der ihr zeigte, wie man die Position bestimmt und den Kurs festlegt. Abends beim Schlafengehen in der Kabine hatte sie der Mutter hundert Fragen über Amerika gestellt, auf die sie keine Antworten wusste, aber keine über die alte Heimat. Und keine über ihre Brüder oder den Vater.

Als dann das Schiff nach vier Wochen in New York anlegte, war es die Kleine gewesen, die ihre Mutter, die halb tot vor Seekrankheit und Zukunftsbangigkeit auf ihrem Bett lag, an der Hand nahm und über die Gangway hinunter auf den Pier führte. Sie war es gewesen, die nach Erledigung der Zollformalitäten den Weg zum Hotel Grütli fand, wo Karl Valentiny tatsächlich seine Adresse hinterlegt hatte, und dann hatte sie den Weg zur Fulton Ferry gefunden, nach dem Landgang in Brooklyn eine Mietdroschke herangewinkt und dem Kutscher einen Zettel mit der Adresse in die Hand gedrückt. Als sie bei Anbruch der Nacht mit ihren Koffern anlangten, war es das Kind gewesen, das kräftig anklopfte und Valentiny stürmisch umarmte, während die Mutter ihm nur scheu die Hand reichte, und nach einem behelfsmäßigen Abendessen war es leicht und rasch auf dem Sofa eingeschlafen, während Maria Faesch und Karl Valentiny noch lange am Tisch saßen und redeten.

Am folgenden Morgen war Susanna aufgewacht, weil Kindergeschrei durchs offene Fenster drang. Sie hatte sich angezogen und war hinuntergelaufen auf die Straße, die voller Englisch sprechender Kinder war. Als der Hunger sie am Mittag nach Hause trieb, hatte sie schon ein paar Wörter Englisch gelernt.

Vom nächsten Tag an ging sie zur Schule.

Maria und Karl waren es langsamer angegangen. In den ersten Tagen hatten sie einander verwundert beäugt und auf leisen Sohlen umkreist, hatten artig Konversation gemacht und einander mit scheuer Höflichkeit umsorgt. Dann waren sie ein erstes Mal Seite an Seite aus dem Haus gegangen und hatten Besorgungen beim Bäcker, beim Fleischer und beim Gemüsehändler gemacht, und auf dem Rückweg hatten sie über den East River hinweg die erhabene Skyline Manhattans betrachtet. Eine ganze Woche hatte es gedauert, bis Maria sich auf einem Nachmittagsspaziergang bei ihm unterhakte, und weitere drei Tage, bis sie sich küssten. Und noch mal drei Monate, bis sie in seinem Bett schlief.

Nach einem halben Jahr war aus Basel ein Brief von Lukas Faesch eingetroffen, in dem er sich höflich nach Susannas und Marias Befinden erkundigte; die Söhne und er selbst seien wohlauf, die Dinge nähmen ihren gewohnten Lauf. Er wünschte Glück, Gesundheit und gutes Gelingen in allen Lebenslagen, und zum Abschied entrichtete er auch freundliche Grüße an seinen alten Kameraden Valentiny. Im Postskriptum bat er um Kenntnisnahme der beigelegten Scheidungspapiere sowie um Unterzeichnung und Retournierung des Doppels.

Maria Faesch und Karl Valentiny heirateten einige Monate später. Sie kauften ein großzügiges Reihenhaus aus braunem Sandstein in der Liberty Street und stellten eine Haushälterin ein. Im Erdgeschoss richtete Karl seine Praxis ein, in den oberen Etagen wohnten sie. Maria führte die Patientenakten und die Buchhaltung; wenn Sprechstunde war, saß sie am Empfang.

Die Mutter und ihre Tochter hatten keine Schwierigkeiten, sich unter Valentinys fürsorglicher Anleitung ins amerikanische Leben einzugewöhnen. Sie gewöhnten sich an gegrilltes Rindfleisch, Limonade und Rip Van Winkle, und sie spielten Hufeisenwerfen im Hof, aßen Kürbissuppe im Herbst und Truthahn an *Thanksgiving*; manchmal gingen sie zum Pferderennen. Nur das Tischgebet unterließen sie. Gebetet hatten sie in der alten Heimat fürs ganze Leben genug.

Nach wenigen Wochen sprach Susanna Englisch mit New Yorker Akzent, als hätte sie nie woanders gelebt. Den neuen Mann ihrer Mutter mochte sie gern. Sie nannte ihn schlicht Valentiny. Sie hatte ihn einmal im Scherz so gerufen, dann war sie, weil es so hübsch klang, dabei geblieben.

Auch die Mutter sprach bald akzentfrei Englisch; als Lehrerin hatte sie den Ehrgeiz, die vergleichsweise einfach strukturierte Sprache fehlerfrei zu beherrschen. Im Unterschied zu den meisten Einwanderern, die ihren Akzent bis ans Lebensende nicht loswurden, hörte man ihr die fremde Herkunft nur deshalb an, weil ihr Satzbau allzu korrekt und die Aussprache allzu deutlich waren. Zudem erlernte sie von ihren Nachbarinnen die Kunst des Small Talks. Sie fand, dass er große Ähnlichkeit hatte mit ihrer eigenen Methode anteilnehmender Gleichgültigkeit, mit der sie sich zeitlebens die Leute vom Leib gehalten hatte.

Jeden dritten oder vierten Samstag fuhren sie zu dritt mit der Pferdestraßenbahn nach Coney Island, wo es einen kilometerlangen Strand und ein paar Hotels gab. Sie waren Stammgäste im »Bristol« und bezogen stets dieselben zwei Zimmer mit Seeblick. Im Sommer badeten sie im Meer, im Winter unternahmen sie lange Spaziergänge am Strand.

Maria Faesch badete nie. Während ihr Kind und ihr Mann Sandburgen bauten, Federball spielten oder Drachen steigen ließen, saß sie stundenlang unter ihrem Sonnenschirm auf der Picknickdecke und schaute auf den Ozean hinaus, jederzeit tadellos gekleidet in Bluse, Rock und Jackett, die sie beim Schneider ihres Vertrauens nach Maß hatte anfertigen lassen. Sie hielt nicht viel von der preiswerten und bequemen amerikanischen Stangenware, die amerikanische Frauen so gern trugen; und um keinen Preis hätte sie sich dazu herbeigelassen, sich in einem dieser Badeanzüge zu zeigen, die in letzter Zeit in Mode gekommen waren. Die amerikanischen Frauen mochten sich solche Saloppheiten erlauben, sie waren hier zu Hause. Maria aber fühlte sich als Besucherin, auch im fünften und im zehnten Jahr noch; Immigrantin für den Rest ihres Lebens, niemals daheim und immer fremd. Für sie war es ein Gebot der Höflichkeit, überall und jederzeit ihre guten Manieren zu wahren. Deshalb enthielt sie sich der aufgesetzten Kumpelhaftigkeit und burschikosen Attitüde, die amerikanische Frauen so gern kultivierten, und auferlegte sich eine Zurückhaltung, die ihr manche als Hochmut auslegten. Übrigens hielt sie sich auch von ihren Landsleuten fern, die sich in Schweizerklubs zusammenrotteten und eine patriotische Heimattümelei betrieben, die sie zu Hause noch verachtet hätten. Auch rauchte Maria nicht und spuckte nicht aus; sie jauchzte nicht und brüllte nicht auf offener Straße umher, und sie spielte nicht Tennis und trug keine Wimperntusche auf; und ganz gewiss würde sie sich nicht vor den Augen fremder Leute halb nackt ausziehen, nur weil sie sich gerade am Ufer des Atlantischen Ozeans befand. Hätte man ihr zu bedenken gegeben, dass die allermeisten amerikanischen Frauen genau wie sie vor nicht allzu langer Zeit mit dem Schiff ins Land gekommen seien, hätte sie höflich gelächelt und geantwortet, dass es ihr selbstverständlich fernliege, anderen Leuten Verhaltensanweisungen zu erteilen.

Gewiss dachte sie, wenn sie auf ihrer Wolldecke saß und übers Meer schaute, oft an ihre Söhne und ihren geschiedenen Ehemann, die sie dort hinter dem Horizont zurückgelassen hatte. Sie bereute ihr Fortgehen nicht, aber sie hatte teuer dafür bezahlt. Alle ihre Erinnerungen an die erste Hälfte ihres Lebens waren verblasst und bedeutungslos geworden, weil niemand mehr da war, diese Erinnerungen mit ihr zu teilen. Was aber ist der Mensch ohne seine Erinnerungen?

Maria fühlte sich amputiert. Manchmal wunderte sie sich, dass die Leerstellen sie schmerzten. Weshalb konnte sie es nicht halten wie die Entenmutter, die ihre Küken aufopferungsvoll hegt und pflegt und unter Einsatz ihres Lebens gegen alle Gefahren verteidigt – sie dann aber, kaum dass sie halbwegs groß und flügge sind, verstößt und bei der nächsten Begegnung achtlos an ihnen vorbeischwimmt, als hätte sie sie nie zuvor gesehen?

Lukas Faesch schrieb ihr noch ein paarmal zu Weihnachten pflichtbewusste, dürre Briefe und dann nicht mehr, und die Söhne ließen gar nie von sich hören. Irgendwann schrieb Maria ihnen auch nicht mehr. Sie wusste, dass man zu Hause den Bann des Vergessens über sie verhängt hatte. Ihre sittenstrenge Heimatstadt hatte jahrhundertelange Übung darin, Ketzer und Sünderinnen nicht nur wahlweise in die Verbannung zu schicken, auf den Scheiterhaufen zu stellen oder im Rhein zu ersäufen, sondern auch jede Spur eines Andenkens an ihre Person restlos auszulöschen. Ihr Name wurde aus den

Taufregistern und Familienbüchern entfernt und in den Chroniken eingeschwärzt oder ausgekratzt, und den Einwohnern war es für alle Zeit bei Strafe verboten, ihn auszusprechen oder auch nur zu denken.

Zwar war Maria nun unter einem neuen Namen im Hochzeitsregister von Brooklyn eingetragen, und sie hatte eine neue Nationalität und ein neues Zuhause, einen neuen Mann und einen neuen Regenschirm, der nicht schwarz, sondern altrosa war; aber ein neuer Mensch war sie deswegen nicht geworden. Ihr neues Leben war zwar freier, fröhlicher und entspannter als das alte; an Valentinys Seite, das fühlte sie ruhig und sicher, war sie am richtigen Ort. In Amerika aber blieb sie bis zu ihrem letzten Atemzug ein höflicher Gast, verloren zwischen dem Hier und Jetzt und dem Dort und Damals, den Blick ratlos auf den Ozean gerichtet, der die Neue von der Alten Welt trennt.

Als Abraham Lincoln zum sechzehnten Präsidenten der Vereinigten Staaten von Amerika gewählt wurde, war Susanna sechzehn Jahre alt. Sie kaufte in einem Fotostudio dessen Porträt, entfernte die blau-weiß-rote Banderole und besorgte zwanzig Leinwände identischer Größe. Dann grundierte sie die Leinwände und trug zwanzig Mal die Farbe für den Hintergrund auf, malte den Präsidenten simultan zwanzig Mal und verkaufte ihn binnen weniger Tage neunzehn Mal für hundert Dollar pro Stück; das zwanzigste Exemplar behielt sie für ihre Sammlung. Der Präsident war ein gutes Geschäft, Susanna hatte für ein Jahr ausgesorgt. Sie wiederholte es nach vier Jahren, als Lincoln mitten im Sezessionskrieg die Wiederwahl gelang, und sechs Monate später noch mal, nachdem er in seiner Theaterloge erschossen worden war. In dieser Zeit träumte sie oft von Abraham Lincoln, seine asketischen Gesichtszüge vergaß sie nie; gut möglich, dass er sie an ihren Vater erinnerte. Bis an ihr Lebensende konnte sie seine Karikatur mit geschlossenen Augen auf jedes Tischtuch, jedes Holzscheit und jeden Schokoladenkuchen zeichnen.

Damit ihr das Handwerk nicht langweilig wurde, belegte sie Kurse an der Kunstakademie. Sie lernte spachteln und aquarellieren, hörte Vorträge über die flüchtige Malweise der französischen Impressionisten. Meist war sie die einzige Frau im Saal. Nach dem Unterricht ging sie oft auf einen Gin Tonic in eine Bar um die Ecke mit einer Gruppe von Dandys, die bei jedem Wetter runde, blaue Sonnenbrillen trugen und sich in zu enge Jacken und zu kurze Hosen kleideten, als wären sie eben erst dem Bubenalter entwachsen und hätten noch keine Zeit oder kein Geld gehabt, sich Erwachsenenkleider zu kaufen. Susanna mochte die Dandys. Sie machten ständig sonderbare Dinge – stahlen fremden Leuten die Sonnenschirmchen von den Longdrinks oder tanzten Walzer zu Rumba, badeten nachts um zwei im East River und gingen anschließend mit den absonderlichsten Menschen ins Bett, um tags darauf lachend darüber zu berichten – und taten dabei stets so, als wären sie sich selbst ein Rätsel und als bestünde ihre vornehmste Lebensaufgabe darin, den Kern ihres eigenen Wesens zu ergründen.

Susanna war ganz anders. Sie wusste immer, wer sie war und was sie wollte. Mit den Dandys hatte sie Spaß, weil diese alle ihre Energie darauf verwendeten, keine Langweiler zu sein. Wie viele junge Leute ihrer Epoche – und wie Susanna auch – waren sie von einer unbestimmten Hoffnung beseelt. Sie hatten keine Ahnung, worauf sie warteten, aber sie wussten, dass etwas Neues kommen musste und dass sie, um frei zu sein für das Neue, das Bestehende ablehnen mussten. Aber weil sie so sehr mit sich selbst beschäftigt waren, hatten sie anderen Menschen nicht sehr viel zu bieten und blieben als Künstler eine Enttäuschung, sowohl für sich selbst als auch für die Kunstwelt.

Seit der missratenen Porträtsitzung mit der Apothekersgattin malte Susanna ihre Porträts nur noch ab Fotos. Eine Ausnahme war jener Schweizer Käsehändler, dem sie das Porträt seiner verstorbenen Gattin in die Einundzwanzigste Straße gebracht hatte; er hatte es versäumt, die Frau zu ihren Lebzeiten fotografieren zu lassen. Solange sie am Leben gewesen war, hatte er sie jeden Tag anschauen können. Er hatte sie sprechen, niesen und mit den Stricknadeln klappern gehört, hatte ihren Duft gerochen, nachts unter der Decke ihre Wärme gespürt, ihrem Atmen und dem leisen Schnarchen gelauscht. Weshalb hätte er sein sauer verdientes Geld aus dem Fenster werfen, es einem dieser sogenannten Fotografen in den Rachen schieben sollen?

Nach dem Ableben der Gattin aber hatte er bemerkt, wie rasch seine Erinnerungen verblassten. Schon am Tag der Beerdigung hätte er die Farbe ihrer Augen nicht mehr mit Sicherheit zu benennen gewusst, und zwei Wochen später hatte er ihre Stimme zwar noch im Ohr, ihren Duft aber nicht mehr in der Nase. Bevor er nun auch noch das Andenken an ihr Aussehen verlor, wollte er es in Öl auf Leinwand festgehalten haben; am liebsten von jemandem, dem er seine Erinnerungen im kehligen Berglerdialekt seiner Heimat beschreiben konnte. Susanna war zwar als amerikanisches Mädchen aufgewachsen, sprach aber mit ihrer Mutter noch immer Baseldytsch.

Der Käsehändler empfing sie zu mehreren vorbereitenden

Sitzungen in seinem Kontor. Er schilderte ihr das Aussehen seiner Gattin, so gut er es vermochte, und Susanna skizzierte alles mit dem Kohlestift. Eine Schwierigkeit bestand darin, dass er sich nicht auf ein Bildnis seiner Frau festlegen konnte. Er hatte sie als dralles junges Mädchen wie auch als weißhaarige Gefährtin in Erinnerung, als leidenschaftliche Braut wie als erschöpfte Säuglingsmutter und würdevolle Dame der Gesellschaft; wie hätte er sich für eine von ihnen entscheiden können?

Immerhin wusste er noch, wie sich ihr Haaransatz im Nacken gekräuselt hatte und wie perlweiß ihre regelmäßigen kleinen Zähne einst gewesen waren und dass sie ein Muttermal über dem rechten Schlüsselbein gehabt hatte. Ein paarmal nahm er, als ihm die Worte fehlten, Susanna den Kohlestift aus der Hand und versuchte die Form der Augenbrauen, die Rundung des Kinns oder der Ohrläppchen selbst zu zeichnen; es gelang ihm nie. Nach der letzten Vorbereitungssitzung gab er Susanna das rot-grün geblümte Kleid mit, das ihm an seiner Frau so gefallen hatte, und auch die goldene Halskette mit den Opalen und die dazugehörenden Ohrringe, die er ihr zum dreißigsten Hochzeitstag geschenkt hatte.

Zu Hause in ihrem Atelier hängte Susanna das Kleid an die Vorhangstange und legte den Schmuck in eine Keksdose, breitete die Skizzenblätter auf dem Boden aus und stellte sich der Frage, welche Art Mensch sie aus diesen Ohren und diesen Augen, aus dem Kinn und der Nase und der Halspartie zusammenfügen sollte. Sie entschied sich dafür, die Frau weder als sterbenskranke Alte noch als junges Mädchen darzustellen, sondern als die Dame in mittleren Jahren, die sie wohl die längste Zeit ihres Lebens gewesen war. Auf ihrem Porträt würde sie weder lachen noch weinen, sie wäre nicht ängstlich, zornig oder empört, auch nicht fröhlich oder nachdenklich, sondern würde unbeteiligt ins Leere schauen, als wartete sie auf die Eisenbahn oder das Ende einer Sonntagspredigt; denn fast alle Menschen schauen, wenn man sie lässt, die meiste Zeit ihres Lebens unbeteiligt ins Leere, als warteten sie auf das Ende von etwas; das Ende ihres Lebens vielleicht. Den Goldschmuck würde Susanna der Frau nicht anhängen, weil der Schmuck einer Frau über die Dauer ihres Daseins gesehen fast immer in der Schatulle liegt. Das rot-grün geblümte Kleid aber würde sie, um dem Mann eine Freude zu bereiten, in eine Ballrobe mit üppigem Dekolleté abändern.

Als Susanna nun mit dem fertigen Porträt im Kontor des Käsehändlers stand, geriet dieser in große Aufregung. Er scheuchte die Sekretärin hinaus, während Susanna die Tasche mit dem geblümten Kleid und dem Schmuck neben seinen Schreibtisch stellte, und dann beobachtete er mit angehaltenem Atem, wie sie das Bild aus dem Packpapier schälte.

Sie hielt es ihm hin und wartete. Der Käsehändler schaute, ließ die Arme hängen und schwieg. Nach einer Weile fing er an, mit den Zeigefingern an den Mittelfingern zu reiben, wie alte Männer es tun, wenn sie spüren wollen, dass sie noch am Leben und noch nicht tot sind.

Es verging Zeit. Susanna fürchtete schon, dass der Witwer seine Frau auf dem Bildnis nicht erkannte und es vielleicht angezeigt wäre, das Werk einzupacken und sich mit einem Wort des Bedauerns zurückzuziehen. Sie wollte sich schon mit dem Gedanken trösten, dass sie das Bild, das sie selbst für recht gelungen hielt, in ihre Sammlung aufnehmen würde, und beglückwünschte sich dazu, bisher noch keine Kopie angefertigt zu haben – da löste sich der alte Mann aus seiner Erstarrung und nahm ihr das Gemälde aus den Händen. Mit ausgestreckten Armen hielt er es vor sich hin, ließ seinen Blick noch einmal darüberschweifen und drückte dann sachte, ganz sachte seine Lippen auf die frische, noch nach Leinöl duftende Leinwand.

DER EVOLUTIONÄRE TRUMPF DES WOHLGERUCHS

Dann war jenes Wochenende gekommen, an dem sie erstmals nicht zu dritt, sondern zu viert nach Coney Island fuhren. Susanna war einundzwanzig Jahre alt. Mit dabei war ein junger Arzt aus der Schweiz, der wenige Tage zuvor in New York an Land gegangen und bei ihnen Unterschlupf gefunden hatte. Er war groß und schlank und nur vier Jahre älter als sie, und er hatte einen wachen Blick und sehnige, stark behaarte Unterarme und eine tiefe Stimme, die in reizvollem Kontrast stand zu den hellen, klaren Vokalen seines Ostschweizer Dialekts, die seiner Männlichkeit eine überraschend feminine Note gaben. Wenn er lachte, surrte der Parkettboden.

Susanna schaute und lauschte.

Er war gebürtig aus Schaffhausen am Rheinfall, hieß Bernhard Claudius Schlatter und war entschlossen, sich fortan Claude zu nennen und eine Existenz als Hausarzt in Brooklyn zu begründen. Dafür fehlten ihm allerdings ein paar Papiere. Valentiny hatte ihm gleich am Abend seiner Ankunft angeboten, ihn fürs Erste als Assistenten einzustellen und ihm einige Hausbesuche zu überlassen. Er war nun auch schon fünfzig Jahre alt und empfand seit einiger Zeit den Wunsch, beruflich etwas kürzer zu treten. Die Fahrt nach Coney Island mit der Pferdestraßenbahn dauerte anderthalb Stunden und war ziemlich anstrengend. Nach der Ankunft wollten sich Maria und Karl in ihrem Zimmer eine Weile hinlegen. Die jungen Leute aber gingen zum Baden an den Strand.

Claudes Bauch war flach, die Schultern waren breit. Er war ein guter Schwimmer, machte aber keine Anstalten, Susanna imponieren zu wollen. Er schlug weder Purzelbäume noch Pfauenräder, gab keine Kostproben irgendwelcher Schwimmstile ab und legte auch keine Zwischensprints ein, um Susanna hinter sich zu lassen und ihr zu zeigen, was für ein toller Hecht er war. Höflich hielt er sich an ihrer Seite, erkundigte sich nach ihrer Malerei und nach der Kunstschule und hörte ihr aufmerksam zu, wenn sie sprach. Das gefiel ihr. Und wenn sie ihn etwas fragte, hielt er keine endlosen Ansprachen, sondern gab kurz und knapp, aber in befriedigendem Umfang Auskunft.

Am Abend setzten sie sich zu viert an den gewohnten Tisch im Speisesaal. Es gefiel Susanna, dass Claude ein weißes, gebügeltes und gestärktes Hemd trug und dass er die Ärmel, wenn er sie hochkrempelte, nicht irgendwie zu einer knitterigen Wurst in die Armbeuge schob, sondern akkurat zweimal umschlug und dann eine Handbreit zurückschob. Es gefiel ihr auch, dass der weiße Baumwollstoff sich an den Oberarmen ein wenig bauschte und dass sich darunter ein kräftiger Bizeps wölbte. Claude war ein Bild von einem Mann. Er hatte gute Tischmanieren und saubere Fingernägel, und er war freundlich zu den Kellnern; Valentiny hatte ihr stets eingeschärft, dass man die Leute danach beurteilen sollte, wie sie das Dienstpersonal behandelten.

Vor allem aber gefiel Susanna, wie Claude sie anschaute. Sie konnte spüren, dass sie ihm gefiel. Aber er starrte, gaffte und schmachtete nicht, sondern musterte sie nur mit kurzen, wachen Blicken. Susanna wollte mehr von diesen Blicken, sie hungerte nach ihnen. Sie konnte sich nicht vorstellen, dass sie sie jemals satthaben würde.

Für gewöhnlich bestritten Susanna und Valentiny die Unterhaltung bei Tisch, während die Mutter in tadelloser Haltung dabeisaß und abwesend lächelnd Aufmerksamkeit vorschützte. Diesmal aber hielt Susanna sich zurück. Natürlich sprachen die Männer über Medizin und Wissenschaft.

»Glauben Sie an Charles Darwin, Sir?«

Claude sagte schon »Sir«, dabei war er erst seit wenigen Tagen in Amerika und sprach noch Deutsch.

Valentiny hob verwundert die Brauen. »An den Mann?«

»An den Ursprung der Arten, Sir. Die natürliche Auslese.«

»Wohl schon, ja. Und Sie, Claude?« Valentiny tat dem jungen Mann den Gefallen, ihn nicht mehr Claudius zu nennen.

»Ich würde sehr gern daran glauben, Sir. Wenn Darwin recht hätte, wäre das der finale Triumph der Wissenschaft. Alle Religion wäre am Ende.«

»Aber?«

»Nehmen Sie zum Beispiel die Vögel. Laut Darwin sind sie aus den Echsen hervorgegangen. Ihr evolutionärer Vorteil war das Fliegen.«

»Richtig.«

»Um fliegen zu können, brauchten sie Federn. Deshalb sind aus den Schuppen Federn geworden, in Millionen kleinen Entwicklungsschritten, über Millionen Generationen.«

»Ich habe davon gehört.«

»Aber warum, Sir? Aus welchem Antrieb sind sie diesen Weg gegangen? Obwohl doch die Mischwesen, nicht mehr Echsen und noch nicht Vögel, sehr lange Zeit keinerlei Vorteil aus der Entwicklung zogen, sondern mit ihren halblangen Schuppen ein ganzes Erdalter lang wie Steine über die Klippen in den Tod stürzten?«

»Tja«, sagte Valentiny und hob die Schultern. »So unerbittlich ist die Natur. Das würde ich Charles Darwin nicht zur Last legen.«

Claude ließ sein dunkles Lachen hören. »Wenn Sie erlauben, Sir. Mein Punkt ist …«

Bevor er weitersprach, legte er Messer und Gabel auf den Tellerrand und presste seine Handflächen aufeinander wie zum Gebet.

Susanna war hingerissen. Zwar sagte Claude noch zu oft »Sir«, die richtige Dosierung musste er noch lernen. Aber wie er »Mein Punkt ist …« sagte, fand sie bezaubernd. Der junge Mann rang um seinen Glauben. Claude war ein Mann, der alles ernst meinte, was er sagte, und alles ernst nahm, was andere sagten. Er konnte zwar lachen, dass der Fußboden vibrierte, aber Ironie und Spott waren ihm fremd. Vermutlich wusste er nicht, was eine Lüge war. Einem solchen Mann war Susanna noch nie begegnet. Bisher hatte sie vor allem Umgang mit den Dandys von der Kunstakademie gehabt, die ihr schwaches Selbstwertgefühl mit Überheblichkeit kaschierten und nichts auf der Welt ernst nahmen mit Ausnahme ihres eigenen Egos. Sie konnten zotige Witze reißen über Gott, die Welt und ihre eigenen Mütter, aber herzlich lachen hörte man sie nie. So einer war Claude nicht. Er war ganz anders. Bisher hatte Susanna sich nicht sonderlich für den Ursprung der Arten interessiert. Jetzt wollte sie alles darüber wissen.

»Mein Punkt ist der, Sir«, fuhr Claude fort. »Wie konnte der blinde Zufall derart unbeirrt auf etwas so Zartes, Feines und Elaboriertes wie die Vogelfeder hinarbeiten, wo doch erst ein ferner gefiederter Nachfahr Millionen Jahre später den evolutionären Vorteil einkassieren und zum Flug abheben würde?«

»Ich verstehe«, antwortete Valentiny. »Sie befürchten, dass

eben doch jemand einen Plan verfolgte. Und wohl weiter verfolgt.«

»Ich gebe mein Bestes, das nicht zu glauben.«

Susanna sah, wie Claudes Kiefermuskeln arbeiteten. Es gefiel ihr, dass er ihr nun keine Blicke mehr zuwarf, sondern ganz auf seinen Gedanken konzentriert war. Sie hätte gern sein Porträt gemalt. In der Mitte ihres Leibes machte sich Wärme breit.

»Wäre das denn so schlimm?«, fragte Karl.

Claude nickte schwer. »Falls hinter der Entstehung der Vögel ein Plan steckt, hat Darwin verloren. Dann ist die Kirche wieder im Dorf.«

»Und wir Ärzte können einpacken.«

»Richtig, Sir. Dann sind wir aufgeschmissen.«

»Dann bleibt nur eine Hoffnung«, sagte Valentiny.

»Welche?«

»Dass der evolutionäre Vorteil der Vogelfedern gar nicht im Fliegen liegt.«

»Sondern?«

»Im Aussehen. Federn sind hübscher als Schuppen, nicht wahr?«

»Mit Verlaub, Sir ...«

»Je länger die Schuppen, desto höher die sexuelle Attraktivität des Trägers, ist es nicht so? Vögel sind ganz allgemein ungleich schöner anzuschauen als Reptilien, das scheint mir klar. Und liegt nicht darin der Motor der Evolution, dass der Hübschere sich fortpflanzt, während der Unattraktive ins Kloster geht oder irgendetwas anderes macht? Den Nordpol erobert zum Beispiel oder Mandoline spielt?«

Claude lachte. »Dann wäre der Flug der Vögel unbeabsichtigt. Ein zufälliger Nebeneffekt der Evolution.«

Valentiny nickte. »Ohne jede Relevanz für die Entstehung

der Arten. Angetrieben wurde die Entstehung der Vögel nur dadurch, dass die Viecher mit jedem Schritt ein bisschen hübscher wurden.«

»Das ist – genial, Sir.« Claude hob sein Glas. »Auf Ihr Wohl.«

Valentiny hob ebenfalls sein Glas. »Sind wir beide nicht zwei schlaue Burschen? Haben wir nicht gerade die Evolutionstheorie beerdigt und sie im nächsten Augenblick wieder auferstehen lassen?«

»Das haben wir, Sir.«

»Ich finde, Charles Darwin sollte uns dankbar sein.«

»Meinen Sie, wir sollten ihm einen Brief schreiben?«

Valentiny hob verwundert die Brauen. »Ist das Ihr Ernst?«

Claude schaute ihn schweigend mit großen Augen an.

»Ah, verstehe.« Valentiny winkte lächelnd ab. »Na, lassen wir's gut sein. Soll ich noch eine Flasche bestellen?«

Nachts im Bett hatte Susanna riesige Schwärme flugunfähiger Echsenvögel vor Augen, die jungfräulich betend und Mandoline spielend über schroffe Klippen in den Tod stürzten. Gleichzeitig musste sie an zwei starke Unterarme und einen Bizeps unter weißen Hemdsärmeln denken und an glitzernde Wasserperlen in den schwarzen Stoppeln eines ausrasierten Nackens.

Claudes Zimmer lag am Ende des Flurs. Eine Weile lauschte sie zu ihm hin. Aber eigentlich wusste sie, dass er, wohlerzogen, wie er war, ohne ausdrückliche Aufforderung nicht zu ihr kommen würde. Also wartete sie, bis im Haus alles ruhig war. Dann stand sie auf und schlich barfuß über den knarzenden Flur.

Seine Tür war nicht verriegelt. Im dunklen Zimmer bauschten sich die Gardinen vor dem offenen Fenster, das Rauschen der Brandung drang herein. Susanna fühlte glatte Fliesen unter ihren Füßen, dann einen flauschigen Teppich, dann wieder glatte Fliesen.

Sie ertastete sein Bett und schlüpfte unter die Decke. Claude hatte warme Haut und starke Arme, und seine Küsse waren zurückhaltend, aber fordernd. Seine Hände waren warm; er hatte Hände, die sich auskannten. Und er hatte die Geduld und die Aufmerksamkeit, die sie von ihm erwartet hatte. Und er machte nichts Falsches, auch das war wichtig; wenn einer im Bett nichts Falsches machte, machte er schon vieles richtig. Je länger es dauerte, desto mehr fand Susanna, dass Claude einfach nichts falsch machen konnte. Danach schliefen sie aufeinander ein wie Kinder.

Nach einer Weile löste sie sich aus seiner Umarmung und rollte sich von ihm weg, ertastete mit den Füßen die Fliesen, fand den Weg zum Teppich und zur Tür und schlich zurück in ihr Zimmer.

Dort versuchte sie einzuschlafen, aber es wollte ihr nicht gelingen. Sie spürte die Wärme seiner Haut an ihren Händen und sein Gewicht auf ihrem Leib, und sie hatte den Schemen seines Gesichts vor Augen und seine Stimme im Ohr, und vor allem hatte sie seinen Duft in der Nase; sein Duft war überall. Susanna musste sich eingestehen, dass Claude unfassbar gut roch. Er roch nach sonnenbeschienenem Pferdefell, nach einem frisch geschnitzten Haselstock, nach warmem Heu und neuem Lederzeug. Claudes Duft war ein echter evolutionärer Vorteil. Wer so roch, musste nicht an Gott glauben, nicht den Nordpol erobern und auch nicht Mandoline spielen. Susanna stellte sich vor, dass Claudes Vorväter irgendwann im Holozän diesen Duft durch natürliche Auslese erworben hatten und dass seither alle Männer vom Stamm der Schlatter diesen

Wohlgeruch als evolutionären Trumpf weiterreichten an ihre Söhne und Sohnessöhne bis ans Ende aller Tage. Interessiert hätte Susanna in diesem Zusammenhang, wie die Töchter der Schlatters rochen und ob auch ihnen ihr Duft zum evolutionären Vorteil gereichte. Übrigens war auch Claudes kurz geschorenes schwarzes Nackenhaar kein Nachteil. Und sein Bizeps. Und das Lachen. Und die harte Muskulatur an den Schultern.

Nach einer Stunde wachte Susanna wieder auf. Sie war nun sicher, dass Charles Darwin recht hatte. Es war sinnlos, gegen die Gesetze der Evolution zu rebellieren. Es wäre verschwendete Lebenszeit und ein Frevel gegen die Natur gewesen, die Nacht allein und schlafend zu verbringen. Also erhob sie sich und schlich ein zweites Mal über den Flur. Claude hatte sich im Schlaf abgedeckt, seine Haut war kühl. Und diesmal gefiel ihr alles noch besser, weil sie einander schon kannten und vertrauten und wussten, was sie aneinander hatten.

Als das erste Licht des Morgens durchs Fenster drang, wollte sie wiederum aufstehen und in ihr Zimmer zurückkehren, aber diesmal hielt er sie fest und zog sie zurück unter die Decke. Und als sie dann zum dritten Mal einschliefen, dämmerte ihr als Letztes der Gedanke, dass vielleicht jetzt schon in ihrem Bauch ein wohlduftendes kleines Schlatterbübchen heranwuchs; gern auch ein Mädchen, falls es ebenso gut roch.

Als Susanna aufwachte, war über dem Meer schon die Sonne aufgegangen. Sie eilte in ihr Zimmer und schlüpfte in den Badeanzug, lief durch den Hinterausgang zum Strand und sprang kurz ins Wasser, um der Mutter am Frühstückstisch glaubhaft erzählen zu können, sie sei in aller Früh spazieren gegangen und habe ein ausgiebiges Bad genommen.

Als Susanna nach dem Frühstück tatsächlich im goldenen Glitzern durch die Wellen glitt, war sie doch erleichtert, wieder allein und für sich zu sein. Zwar freute sie sich darauf, Claude beim Abendessen wiederzusehen. Aber sie hatte keine Lust, jetzt Händchen haltend über den Strand zu spazieren, Muscheln zu sammeln und mit einem angeschwemmten Stück Schilfrohr Herzen in den nassen Sand zu zeichnen. Sie wollte nicht, dass Claude ihr unter einem gemieteten Sonnenschirm Unsinn ins Ohr flüsterte, und auch nicht, dass er zurück zum Hotel rannte, um ihr einen Orangensaft mit einem Sonnenschirmchen obendrauf zu besorgen. Sie hatte solche Dinge schon erlebt und sich stets das Lachen verkneifen müssen über die rituelle Pflichtschuldigkeit, mit der diese vonstattenzugehen hatten. Das wollte sie sich und Claude ersparen. Sie mochte ihn wirklich gern.

Und sie hatte Pläne für den Tag. Nach dem Bad würde sie ihre Staffelei holen und sich an einer Meereslandschaft versuchen, dann würde sie mit Valentiny Schach spielen und später ihrer Mutter die Haare waschen, und vor dem Abendessen würde sie dem Sohn des Hotel-Clerks, der am Strand mit seinen Zinnsoldaten immer und immer wieder die Schlacht von Gettysburg nachspielte, jenen salutierenden Kavalleristen vorbeibringen, den sie auf dem Flohmarkt für ihn gefunden hatte.

Nach Sonnenuntergang aber würde sie sich dann sehr gern wieder mit Claude und der Entstehung der Arten befassen. Und wenn sein Hemd wiederum so weiß war und er erneut so starke, ernste und doch sanfte Dinge sagte, würde sie später am Abend sehr gern wieder über den Flur schleichen und sich Claudes evolutionärer Vorteile vergewissern.

ALS WÄRE DER ALLTAG EIN FLÜCHTIGER TRAUM

Die Dampffähre arbeitete sich schräg gegen die Strömung über den Fluss. Es hatte aufgehört zu regnen, die Sicht auf Brooklyn klarte auf. Schon war das Gewimmel der Menschen und Fuhrwerke auf den Piers zu sehen, in wenigen Minuten würde das Ufer erreicht sein. Susanna dachte an das sanfte Inselvolk, das am Ufer des East River tausend Jahre lang in Frieden und ohne jeden Drang nach Fortschritt oder Expansion gelebt hatte, an seine Dörfer ohne Befestigung und die einfachen Häuser aus Schilf und Holz, an die Fischernetze am Strand und die nackten Kinder im Wasser, und an die steinernen Spitzhacken in den Gärten und die bunt bemalten Kanus, in denen wohlgewachsene, schöne Menschen pfeilschnell über den jungfräulichen Fluss geglitten waren, bis die Holländer kamen und ihnen die Insel Manhattan für vierundzwanzig Dollar abkauften.

Sie schloss ihren Regenschirm und hängte ihn an die Reling. Der Umschlag mit den hundertzwanzig Dollar, den der Käsehändler ihr beim Abschied überreicht hatte, fühlte sich gut an in ihrer Tasche. Noch besser fühlte sich der Zwanzigdollarschein an, den er ihr aus Dankbarkeit zusätzlich in die Hand gedrückt hatte.

Sie freute sich auf den Abend. Zuerst würde sie Christie vom Kindergarten abholen und auf dem Heimweg in der französischen Bäckerei zwei Baguettes kaufen, dann würden sie mit der Mutter und Valentiny zu Abend essen, und wenn Christie im Bett war, würde sie noch eine Stunde oder zwei im Atelier arbeiten.

Valentiny und Maria waren beide gealtert in den letzten Jahren. Er hatte sich lange einen Anschein jugendlicher Geschmeidigkeit bewahrt, wie es vielen Blonden gelingt, wenn sie nicht dick werden und keine Glatze bekommen, und auch Maria, für die es immer eine Frage der Erziehung und des guten Geschmacks gewesen war, niemals krank, gebrechlich oder hilfsbedürftig zu erscheinen, hatte sich mit einer Aura von Alterslosigkeit umgeben. Allmählich aber war Karls Haar doch schütter geworden, und auch Maria hatte nach dem siebzigsten Geburtstag ihre rheumatischen Beschwerden nicht mehr verbergen können.

Früher waren sie oft ins Theater, ins Konzert oder ins Restaurant gegangen, aber jetzt nicht mehr. Maria ermüdete nun rasch. Meist schrieb sie nach dem Abendessen noch ein paar Anweisungen für die Haushälterin, dann verabschiedete sie sich für die Nacht und ging zu Bett. Die Schlafzimmertür ließ sie offen. Sie konnte besser einschlafen, wenn sie Karl im Blick hatte, wie er am Kaminfeuer saß und las. Wenn sie das Rheuma plagte, rief sie nach ihm. Dann brachte er ihr Laudanum.

Valentiny war ein fürsorglicher und zufriedener Ehemann. Mehr als drei Jahrzehnte war es nun her, dass ihm diese Frau mit ihrem Kind zugelaufen war wie eine heimatlose Katze. Er wunderte sich immer noch, wie sie unangemeldet so arg- und schutzlos an seiner Tür hatte stehen können, als wäre das lange so verabredet und gar nicht anders möglich gewesen. Dabei hatte es in Basel keine Vertraulichkeiten zwischen ihnen gegeben, keine langen Blicke und kein Getändel, und schon gar kein Getuschel über eine gemeinsame Flucht. Selbstverständlich hatte er sich gefreut, seine ehemalige Gastgeberin und Beschützerin nun seinerseits beherbergen zu können. Aber dass sie ohne weitere Fragen über so viele Jahre innig verbunden Seite an Seite leben würden wie das Ehepaar, das sie wohl eben doch schon von der Sekunde an gewesen waren, da sie einander zum ersten Mal gesehen hatten – das wunderte ihn noch immer.

Als Mediziner neigte er zur Ansicht, dass die romantische Liebe ein Trick der Natur zum Zweck der Fortpflanzung und Aufzucht der gemeinsamen Brut sei. Dagegen sprach allerdings, dass Maria bei ihrer ersten Begegnung schon vierfache Mutter und mutmaßlich jenseits ihrer fruchtbaren Jahre gewesen war. Die schlichte Wahrheit war vermutlich die, dass sie einander einfach sehr mochten. Die Biologie war nicht im Spiel. Sie gefiel ihm. Er hatte sie gern. Ohne Absicht. Und sie ihn auch.

Wenn die zwei Frauen und das Kind sich für die Nacht verabschiedet hatten und es in der Wohnung still wurde, machte Karl es sich am Kaminfeuer bequem, stopfte seine Tabakpfeife und nahm ein Buch zur Hand. Seit einer Weile las er Émile Zola. Er las ihn auf Französisch, jeden Abend drei oder vier Stunden lang bis tief in die Nacht hinein, konzentriert und gründlich, ohne Hast und ohne Ablenkung, mit langen Pausen des Sinnens und Nachdenkens zwischendurch, viele Wochen und Monate lang, einen Band um den anderen; manchen las er auch zwei- oder dreimal. Über viele tausend Seiten folgte er dem Leben der Rougon-Macquart; bald fühlte er sich ganz als Mitglied der Familie und kannte sich in Paris, wo er nie gewesen war, fast ebenso gut aus wie in Brooklyn. Er ruckelte im Morgengrauen auf einem mit Kohlköpfen beladenen Ochsenkarren von Neuilly her kommend in die Stadt hinein, half Florent Rougon in der Gemüsehalle beim Abladen und ging weiter durch die Blumen- und die Früchtehalle zu den Seefischen, dann zum Geflügel und weiter in die Fleischhalle, wo die Rinderhälften und Schweinsköpfe zu Hunderten in langen Reihen für eine nimmersatte Bourgeoisie bereitlagen; er besuchte die schöne Lisa Macquart in ihrer Metzgerei und bewunderte ihre runden, weißen Arme, spazierte nach Notre Dame und streichelte die moosbewachsenen Grundmauern, dann ruhte er in den Tuilerien auf einer Bank und betrachtete die Ringeltauben auf dem Rasen, bis ein Mädchen mit einem Reif angerannt kam und die Tauben verscheuchte. Er fuhr in Eugène Rougons Kalesche zum Montmartre und trank einen Absinth im »Chat Noir«, dann ging er ins Variététheater und hörte Nana beim Singen zu, und lang nach Mitternacht trank er Champagner im »Café Riche« oder spazierte mit Renée durch den Bois de Boulogne.

An solchen Abenden war ihm, als wäre sein Alltag als Hausarzt in Brooklyn nur ein flüchtiger Traum, das erträumte Leben in der Lichterstadt hingegen seine tatsächliche Existenz. Und manchmal hielt er, nachdem er das Buch zugeklappt und sich zu Maria ins Bett gelegt hatte, nicht seine Ehefrau in den Armen, sondern Renée oder Nana oder gar die arme Louise.

Wahr ist auch, dass Valentiny sich in dieser Zeit wissentlich oder unbewusst nach der französischen Mode kleidete und dass er eine Vorliebe für die französische Küche entwickelte. Einmal kaufte er sogar aus einer Laune heraus für zweihundert Dollar französische Bergbau-Aktien, die er zwei Wochen später, nachdem sich ihr Wert in Luft aufgelöst hatte, wehmütig lächelnd im Kamin verbrannte.

Ansonsten war sein Leben zur Ruhe gekommen; schwer zu

sagen, wann das geschehen war. Vielleicht am Tag seiner Ankunft in Brooklyn, vielleicht im folgenden Jahr, als Maria und Susanna vor seiner Tür gestanden hatten. Oder erst nachdem sie geheiratet und das braune Sandsteinhaus in der Liberty Street bezogen hatten? Es spielte keine Rolle mehr. Karl war zufrieden. Es hätte ihm Schlimmeres widerfahren können, als eine gesicherte Existenz als Hausarzt und Familienvater in Brooklyn zu führen und abends am Kamin französische Romane zu lesen.

Und war es die richtige Entscheidung gewesen, sich hier und nirgendwo anders niederzulassen? Auch das spielte keine Rolle mehr. Karl hätte auch in Lissabon, London oder Dresden kein anderes Leben geführt; vielleicht wäre es sogar in Dortmund gleich verlaufen. Gut möglich und wahrscheinlich zwar, dass er an einem anderen Ort eine andere Frau geheiratet hätte; in Dortmund wäre es wohl die Hildi gewesen. Zu vermuten war aber auch, dass er eine andere Frau, wer immer sie gewesen wäre, ebenso gern gehabt hätte wie Maria – einfach deshalb, weil er ein Mann war, der über die Fähigkeit verfügte, seine Gefährtin gern zu haben.

Und sein Brotverdienst wäre überall die Medizin gewesen, da machte Karl sich nichts vor. Und was schließlich ihn selbst betraf, so wäre er überall auf der Welt Karl Valentiny gewesen. Er selbst und niemand anderes.

Auf halber Strecke nahm die Fähre Fahrt weg. Sie musste einem blendend weißen Klipper den Vortritt lassen, der von einem kleinen schwarzen Dampfschlepper flussaufwärts zur Anlegestelle gezogen wurde. Seine gerefften Segel waren schneeweiß, und der Rumpf war ebenfalls weiß, und auch die Masten und die Blöcke der Flaschenzüge waren weiß. Sogar die Flagge am Großmast war mehrheitlich weiß. Es war ein deutsches Schiff. Die Gesichter der Matrosen waren bleich, der Größe nach aufgereiht standen sie an der Reling, schauten hinüber nach Manhattan und drehten Brooklyn den Rücken zu.

Susanna beobachtete, wie das arbeitsame schwarze Entchen den hilflosen Schwan gegen die Strömung zu seinem Liegeplatz zog.

Da spürte sie Blicke in ihrem Nacken. Sie wandte sich um. Die fünf Burschen mit den blauen Segeltuchjacken standen hinter ihr an der Reling. Susanna wunderte sich, dass sie sie nicht früher bemerkt hatte. Die Burschen mussten sehr leise aus dem Passagierraum ins Freie getreten sein. Scheinbar gelangweilt lehnten sie an der Reling und schauten aufs Wasser hinaus. Keiner redete oder lachte, auch schubsten und knufften und umarmten sie einander nicht, wie Jungs in ihrem Alter es für gewöhnlich tun. Sie standen nur da. Der eine rauchte, ein anderer kaute, der dritte rieb sich das bartlose Kinn, der vierte klaubte abblätternde Farbe von der Reling, und der fünfte schaute hinauf zu den Möwen am Himmel. Und keiner würdigte Susanna eines Blickes. Das weckte ihren Argwohn.

Die Burschen waren vielleicht fünfzehn oder siebzehn Jahre alt und kaum größer als Susanna. Gut möglich, dass sie noch im Wachstum waren. Sie hatten feine Glieder, schwarzes, schulterlanges Haar und schmale, kantige Gesichter, aus denen aber das kindlich Runde noch nicht ganz verschwunden war. Es konnte noch nicht sehr lange her sein, dass sie der Obhut ihrer Eltern entlaufen waren. Irgendwo in den Wäldern, in denen ihr Clan sich verstecken mochte, waren sie wohl losgerannt und gelaufen bis zum Fluss, an dem die Eisenbahn entlangfuhr, dann waren sie auf den nächsten Güterzug aufgesprungen und in die große Stadt gefahren, wo sie ein paar

Monate lang als Tagelöhner auf wechselnden Baustellen und Werften malochten, um dann vor Einbruch des Winters – oder auch erst ein Jahr später – als siegreiche Krieger zu ihren Leuten zurückzukehren.

Susanna kannte Burschen wie diese. Sie streiften in Rudeln durch die Stadt, waren Tag und Nacht beisammen und ließen einander nie aus den Augen. Tagsüber schufteten sie, nachts schliefen sie in feuchten, ratten- und flohverseuchten Kellern, und in der übrigen Zeit spielten sie Ball, pfiffen den Mädchen hinterher und balgten sich mit anderen Rudeln.

Sie waren noch Welpen, sie wollten nur spielen wie alle Buben überall auf der Welt. Aber sie waren schon kräftig, deshalb konnten ihre Spiele gefährlich werden. Susanna wusste das. Wenn diese Jungs zum Beispiel auf die Idee kamen, dass jetzt Kaninchenjagd ein lustiges Spiel wäre, sollte man besser nicht wie ein Kaninchen vor ihnen herlaufen. Besonders nicht als Frau. Nicht beim Verlassen der Fähre. Und nicht in einsamen Seitenstraßen.

Susanna musste ihnen zeigen, dass sie kein Kaninchen war.

Sie nahm ihr Messer aus der Handtasche und zog es aus dem Futteral. Es war ein gutes, scharfes Messer aus Sheffield-Stahl mit einem schönen Griff aus poliertem Rinderhorn. Sie hatte es immer in der Tasche, obwohl sie nur selten Verwendung dafür hatte. Lässig stützte sie sich mit dem rechten Ellbogen auf die Reling, nahm die Klinge zwischen Daumen und Zeigefinger und begann mit der Spitze die Fingernägel ihrer linken Hand zu putzen. Das wirkte. Die Jungs schnippten ihre Zigaretten weg, stießen einander in die Seiten und deuteten mit dem Kinn auf die Frau und das Messer.

Susanna war sehr zufrieden. Sie kehrte ihnen den Rücken zu und säuberte, um die Glaubwürdigkeit ihrer Demonstration nicht zu gefährden, auch noch die Fingernägel ihrer rechten Hand.

Der Dampfschlepper und der Klipper hatten den Weg freigegeben, die Fähre nahm wieder Fahrt auf. Die Reklameschriften der Brauereien und der Zuckerraffinerien von Brooklyn kamen näher.

Susanna drehte sich erst wieder um, als hinter ihr überraschend nah das Schiffshorn eines Dampfers dröhnte. Es war ein Holztransporter, schwer beladen mit Mahagoni aus Brasilien. Langsam zog er vorbei, der würzige Duft der aufgestapelten Baumstämme wehte herüber. Susanna sah ihm hinterher, und da fiel ihr Blick wieder auf die Jungs. Sie musste lachen. Alle fünf hatten sich in weibische Posen geworfen – Brust raus, Bauch rein, Hintern raus, Hüftknick, Standbein, Spielbein, Kopf in den Nacken, Kinn in die Höhe –, und jeder hatte ein Messer in der Hand und putzte sich hingebungsvoll die Nägel.

Und weil Susanna lachte, grinsten die Buben auch. Einer nach dem anderen steckten sie ihre Messer wieder weg. Da schob auch Susanna ihr Messer zurück ins Futteral und ließ es in die Tasche fallen.

Die Fähre nahm erneut Fahrt weg, die Anlegestelle war nah. Die Pferde wurden unruhig, die Kutscher kehrten zu ihren Fuhrwerken im Mittelgang zurück. Die Fahrgäste traten hinaus aufs Vordeck, die Matrosen gingen zum Bug und nahmen die Trossen fürs Festmachen zur Hand.

Susanna trieb in der Menge dem Ausgang entgegen und geriet zuvorderst am Bug zwischen die fünf blauen Segeltuchjacken. Aus der Nähe sahen die Burschen noch jünger aus. Ihre Wangen waren glatt, die Augen klar, die Stirnen frei von Furchen, und alle hatten das gleiche starke, seiden glänzende schwarze Haar. Ihr Anblick weckte in Susanna mütterliche

Empfindungen. Sie hätte die Buben füttern, ihnen die Hemdkragen zurechtrücken und das Haar aus der Stirn streichen mögen. Und schüchtern waren sie. Als sie Susanna in ihrer Mitte bemerkten, grinsten sie verlegen, rückten höflich beiseite und tippten sich an die Mützen.

»Guten Abend, Madam.«

»Guten Abend, Gentlemen. Wie war euer Tag?«

»Ziemlich windig«, sagte einer.

»Und nass«, sagte ein anderer.

»Ihr arbeitet draußen?«

»An der Brücke. Zwischen den Türmen.«

»Auf den Türmen der Brooklyn Bridge?«

»Zwischen den Türmen, Ma'am.«

»Da ist doch noch gar nichts. Nur Wind und Regen und die Möwen und der Rauch der Dampfschiffe.«

»Genau dort arbeiten wir, Ma'am. In der Mitte von nichts. Wir spannen die Trageseile, an denen später die Brücke hängen wird.«

»Die dicken Stahlseile? Quer durch die Luft?«

»Von einem Turm zum anderen.«

»Das klingt nach einer gefährlichen Arbeit. Habt ihr keine Angst?«

»Dort oben hat jeder Angst, Ma'am.«

»Ihr müsst mutige Männer sein.«

»Nur ein Idiot hätte keine Angst.«

»Aber wir machen es trotzdem.«

»Ich habe mich schon immer gefragt, wie man das macht«, sagte Susanna. »So dicke Stahlseile, quer durch die Luft. Wie macht man das?«

Die Fähre schlug mit einem dumpfen Stoß gegen die Pfähle der Anlegestelle. Die Matrosen warfen die Trossen über die

Poller, die Pferde schnaubten und scharrten mit den Hufen, die Passagiere setzten sich in Bewegung. Und während Susanna zwischen den blauen Jacken an Land ging, erklärten ihr die Burschen, wie man baumdicke, viele Tonnen schwere Stahlseile in hundert Metern Höhe über einen zwei Kilometer breiten Fluss spannt.

Zu sechst gingen sie im Strom der Menschen vorbei am Kassahäuschen, zwischen den Lagerhäusern hindurch und dann, während links und rechts die Gaslaternen aufblakten, die Old Fulton Street hinauf. Als Susanna nach einer Weile alles über das Spannen von Stahlseilen wusste, erkundigte sie sich, wie man eigentlich damals, als man mit dem Bau der Brücke begann, mitten im Fluss und tief unter Wasser, ohne sofort zu ertrinken, die Fundamente dieser zwei Türme hatte errichten können.

Während die Jungs ihr die Schrecken der Arbeit in einem Senkkasten erklärten, bogen sie in die Prospect Street ein. Susanna fragte nach ihren Namen, und sie lachten und sagten, auf den Baustellen rufe man sie meist Jacky, Johnny oder Bobby, manchmal auch Franky oder Freddy. Und als es so weit war, dass ihre Wege sich trennten, sagte Susanna:

»Hört mal, ich habe eine Idee. Wollen wir uns fotografieren lassen? Nur so, zum Spaß. Als Andenken an unsere Begegnung. Dort vorne gibt es ein Fotostudio. Ihr würdet mir eine Freude machen.«

Tatsächlich ragte weiter vorn an der Ecke ein Schild auf die Straße. Darauf war ein Fotoapparat mit einem schwarzen Tuch abgebildet, und darunter lugte ein Paar schwarz-weiß gestreifte Hosenbeine hervor.

Die Burschen schauten einander an. Was wollte die Frau von ihnen – Fotos machen? Bisher hatte die Sache ja Spaß gemacht, aber jetzt wurde es unheimlich. Die Tante war seltsam, als Karnickel jedenfalls ungeeignet. Man kam sich ja schon selbst wie eines vor.

»Ich schlage vor, wir lassen von jedem von uns sechs Bilder machen«, sagte Susanna. »Dann bekommt jeder von jedem eins. Ich bezahle.«

Die Jungs runzelten die Stirn und rieben sich den Nacken. Sonderbar, dass die Frau alles bezahlen wollte. Das waren sie nicht gewohnt, dass ihnen jemand etwas bezahlte. Die Frau war ja, wenn man genau hinguckte, schon ziemlich alt. Keiner würde sich um ein Foto von ihr reißen. Auf den ersten Blick war sie noch recht gut in Schuss, das schon, aber da waren doch schon Falten um die Augen und weiße Strähnen an den Schläfen. Ungefähr so alt wie ihre Mütter war sie vielleicht – oder wie die Großmütter. Schwer zu sagen. Wobei ihre Großmütter keine Jagdmesser spazieren führten und sich kaum für die Konstruktion von Hängebrücken interessierten.

Die Jungs wollten nicht mit Susanna ins Fotostudio. Sie wollten nach Hause in ihre Höhle, sie waren müde von der Arbeit. Das Fotostudio klang anstrengend. Anstrengung hatten sie für heute genug gehabt. Sie wollten jetzt nur noch ein bisschen rumbalgen und rumblödeln, dann etwas essen und schlafen.

Einer von ihnen hätte vortreten und der Frau das sagen müssen. Aber weil keiner als Schisser dastehen wollte, trat keiner vor. Und weil keiner Nein sagte, sagten sie eben Ja. Einer nach dem anderen.

»Na klar«, sagte einer. »Machen wir.«

»Warum nicht.«

»Sicher schon.«

»Alles klar.«

»Gehen wir.«

Und so gingen sie hinein ins Fotostudio, machten die Fotos und holten sie am folgenden Abend ab. Die Jungs verstauten die Bilder zuunterst in ihren Reisetaschen, um sie nach ihrer Heimkehr den Müttern, Tanten und Großmüttern zu schenken. Die fünf Abzüge von Susanna warfen sie weg.

Susanna aber trug die Fotos der fünf Jungs ins Atelier. Sie kaufte fünf Leinwände, malte Jacky, Johnny, Bobby, Franky und Freddy in Öl und stellte sie zu ihrer Menschensammlung an der Wand. Auf den Bildern schauten sie teilnahmslos in unterschiedliche Richtungen, wie damals auf der Fähre. Ihre Segeltuchjacken waren leuchtend blau, und auf jedem Porträt waren im dunstigen Hintergrund die Türme der Brooklyn Bridge zu sehen.

Von sich selbst fertigte Susanna kein Porträt an. Das hat sie, soweit bekannt, in ihrem langen Leben nie gemacht. Ihr Fotoporträt legte sie achtlos in die Schublade zu den vielen anderen Bildchen, die sich dort über die Jahre angesammelt hatten.

Von jenem Tag an geschah es oft, dass Susanna, wenn sie mit ihrer Arbeit an der Staffelei fertig war, die Porträts der fünf Jungs betrachtete. Ihre Gesichter waren anders als alle anderen. Es lag eine ruhende, furchtlose Kraft in ihnen und lauernde Wachheit. Susanna wünschte sich, eines Tages die Landschaften zu sehen, in denen sie geboren worden und aufgewachsen waren. Sie wollte in ihren Flüssen baden, die Winde atmen, die dort wehten, ihre Mahlzeiten teilen und das Wasser aus ihren Bächen trinken, und sie wollte abends mit ihnen am Feuer sitzen und den Erzählungen und Gesängen ihrer Väter und Mütter lauschen. Eines Tages würde Susanna dorthin reisen; sie hatte das Umland New Yorks in drei Jahrzehnten kaum verlassen.

DAS GIFT DES ZWEIFELS

Susanna hatte laut aufgelacht, als Karl Valentiny sie ein paar Wochen nach jenem Wochenende auf Coney Island fragte, ob sie sich vielleicht vorstellen könnte, unter Umständen den jungen Bernhard Claudius Schlatter, mit dem sie sich ja augenscheinlich gut verstehe, eventuell zu heiraten.

»Wieso das denn?«, fragte Susanna.

Die Sache sei die, sagte Valentiny, dass Claude noch ein paar Papiere fehlten, um in Brooklyn als Arzt praktizieren zu können.

»Aha«, sagte Susanna.

Natürlich lasse sich das auch ohne Heirat regeln, fuhr Valentiny fort. Aber es wäre erheblich komplizierter.

»Ich verstehe«, sagte Susanna.

Als ausländischer Staatsangehöriger müsste Claude sich zuerst um eine Arbeits- und Niederlassungsbewilligung bemühen, dann seinen Schweizer Doktortitel anerkennen lassen und am Pharmazeutischen Institut der University of New York eine Prüfung über seine Kenntnisse der in den USA zugelassenen Heilmittel ablegen. Erst danach könnte er sich um Aufnahme in die Ärztekammer bewerben, was wiederum Voraussetzung wäre für eine Approbation als Hausarzt in Brooklyn; ein langwieriger und kostspieliger Papierkrieg insgesamt, bei dem es zahlreiche Karenzfristen zu beachten und Gebühren zu entrichten gäbe und dessen Ausgang zudem recht unsicher wäre.

»Mit meiner gütigen Mithilfe hingegen …?«

»… würde tatsächlich alles bedeutend einfacher, rascher und kostengünstiger vonstattengehen«, fuhr Valentiny fort. Als Erstes würde Claude nach der Trauung eine erleichterte Einbürgerung anstreben, womit schon die Gesuche um Aufenthalts- und Arbeitsbewilligung hinfällig wären, und dann …

»Ich habe verstanden«, sagte Susanna.

»Es wäre ja nicht für ewig.«

»Geht klar.«

»Nur für die Zeit der Formalitäten.«

»Wieso nicht.«

»Sag mir bitte eines.« Valentiny fasste sie väterlich am Arm. »Du magst Claude doch? Ich meine, du hast ihn gern?«

»Klar«, sagte sie. »Schon.«

»Er ist ein feiner, gebildeter Mensch.«

»Ich weiß.«

»Ein aufrichtiger, warmherziger junger Mann.«

»Sicher.«

»Und genau in deinem Alter.«

»Ja.«

»Und er sieht gut aus.«

»Richtig.«

»Bitte verzeih, wenn ich dich das frage. Er gefällt dir doch?«

»Ja-haa.«

»Ich meine, als Mann. Du hast ihn gern in deiner Nähe? Du magst ihn gern riechen und spüren?«

»Bitte, Valentiny, lass gut sein. Ich schlafe jede Nacht in seinem Bett, falls du das meinst. Und zwar freiwillig.«

»Ich weiß. Aber es gibt da etwas, was du bedenken musst. Claude würde, falls du dich entscheiden könntest, ihn zu heiraten, offiziell bei uns einziehen.«

»Ah?«

»Die Behörden machen Kontrollen. Ihr müsstet eure Ehe glaubhaft vollziehen.«

»Daran sollte es nicht scheitern.«

»Scheinehen werden mit sofortiger Landesverweisung bestraft.«

»Wie lange müssten wir durchhalten?«

»Ein paar Monate. Ein halbes Jahr vielleicht.«

»Das kriegen wir hin.«

»Danach würde Claude sich eine eigene Bleibe suchen. Die Scheidung hinterher wäre Formsache.«

»Weiß er schon Bescheid?«

»Ich wollte erst mit dir sprechen.«

»Danke, Valentiny.«

»Claude würde sein Zimmer in der dritten Etage behalten. Wir würden es offiziell als eheliche Schlafkammer deklarieren.«

»Alles klar«, sagte Susanna. »Soll ich ihm einen Antrag machen? Oder macht er das?«

Die beiden heirateten am Mittwoch, dem 30. Mai 1866, in der Deutschen Evangelischen Kirche in Brooklyn. Als Trauzeugen amteten Susannas Mutter und Karl Valentiny, anwesend waren auch einige Nachbarn sowie ein paar von Valentinys Patienten und Susannas Dandys von der Kunstakademie. Von Claudes Seite war niemand da. Er hatte in Amerika keine Verwandten und noch keine Freunde.

Nach der Zeremonie fuhr die ganze Gesellschaft in einem eigens reservierten Wagen der Pferdestraßenbahn nach Coney Island. Man stieg wiederum im »Bristol« ab. Die Patienten gingen am Strand spazieren, Susanna und Claude badeten im

Ozean. Die Dandys stolperten über den Strand und blinzelten durch ihre blauen Sonnenbrillen ins grelle Licht, dann zogen sie sich in ihre Zimmer zurück, um Opium zu rauchen und dem Abend entgegenzudösen. Für sie war die Hochzeit eine Art Vaudeville; ganz unterhaltsam für ein Stündchen oder zwei, aber doch nicht abendfüllend.

Susanna fand es lustig, dass der Clerk, mit dem sie seit ihrer Kindheit befreundet war, sie nun als »Missis Schlatter« begrüßte und dass sie nicht mehr über den Flur zu Claude schleichen musste, sondern mit ihm ein schönes Zimmer mit Himmelbett, Balkon und Seeblick teilte. Sie fühlte sich wie ein Kind, das Verheiratetsein spielt.

Am Abend spielte eine Kapelle auf der Strandterrasse zum Tanz auf. Susanna eröffnete den Ball mit Claude und tanzte dann reihum mit Valentiny und seinen Patienten, anschließend mit den drei Dandys und später mit allen übrigen Gästen, den weiblichen wie den männlichen, und schließlich mit den Kellnern und den Köchen, die aus der Küche gekommen waren, um sich den Spaß anzuschauen; nur ihre Mutter blieb sitzen und weigerte sich, am Allotria der Tochter teilzunehmen.

Um Mitternacht brannten die Dandys bengalische Leuchtraketen ab.

Am Donnerstagmorgen geriet die Gesellschaft in Aufregung, weil einer von den Dandys fehlte. Man fand ihn schlafend am Strand unter einem umgedrehten Ruderboot. Die blaue Sonnenbrille hing ihm schief im Gesicht. Die Flut hatte ihn bis zur Leibesmitte umspült, seine Schuhe und die Hose waren nass.

Am Nachmittag kehrten alle gemeinsam mit der Straßenbahn zurück nach Brooklyn.

Fortan lebten Maria, Susanna, Karl und Claude zusammen im braunen Sandsteinhaus. Aus den Wochen wurden Monate. Als die Zeit der behördlichen Kontrollen vorüber war, hatten sich alle aneinander gewöhnt. Claude sagte der Höflichkeit halber gelegentlich während des Abendessens oder beim Sonntagsspaziergang, dass er bald in eine eigene Wohnung umziehen werde, machte aber keine Anstalten, sich eine zu suchen. Und es sah auch niemand eine Notwendigkeit dafür.

Also blieb er und machte weiter Hausbesuche. Valentiny hielt seine Sprechstunden, Maria besorgte die Buchhaltung und machte Small Talk mit den Nachbarinnen. Und Susanna fertigte in ihrem Atelier Auftragsporträts an.

Finanziell hatten sie keine Sorgen. Valentiny, Susanna und Claude verdienten reichlich genug Geld für die Dinge des täglichen Bedarfs, und Maria steuerte ihren Anteil aus den Zinserträgen ihres Vermögens bei.

Bedauerlich war nur, dass Susannas und Claudes Liaison kurz nach der Hochzeit abkühlte. An Claude lag es nicht. Er blieb immer gleich. Zwar störte er sich insgeheim daran, dass Susanna weiter mit ihren Dandys durch die Bars und Kneipen zog, um dummes Zeug zu reden und billigen Gin zu trinken. Aber er schwieg und ließ es sie nicht spüren.

Es waren Susannas Empfindungen, die erkalteten.

Zwar teilten sie weiter das Bett und das Frühstück. Sie zankten sich nicht und zeigten einander nicht die kalte Schulter. Er lächelte ihr zu, wenn sie ihm das Salz reichte, und wenn er ihr in den Mantel half, streifte sie mit der Schulter wie unabsichtlich seine Brust. Beim Spaziergang gingen sie Arm in Arm und unterhielten sich über Gott und die Welt, und wenn die Familie am Wochenende nach Coney Island fuhr, schwammen sie zusammen im Meer und schliefen im Himmelbett.

In Susannas Herz aber machte sich das Gift des Zweifels breit. Sie wunderte sich über sich selbst, dass so vieles, was sie an Claude zu Beginn so anziehend gefunden hatte, ihr nun auf die Nerven ging. Plötzlich fand sie es befremdlich, dass seine Hemden immer so zwanghaft blütenweiß und perfekt gebügelt sein mussten. Es strengte sie an, dass er immerzu »Sir« sagte. Seine Tischmanieren fand sie streberhaft und äffisch, seine Ernsthaftigkeit langweilig und einfältig. Und was seine geradezu orthodoxe Wissenschaftsgläubigkeit betraf, so hing ihr die zum Hals hinaus.

Gegen seinen Duft hingegen war sie immer noch wehrlos, und im Bett machte Claude weiter alles richtig. Eines Nachts jedoch befiel sie der Verdacht, dass Claude auch dort ein Streber war – dass er nur deshalb nichts falsch machte, weil er die richtigen Handgriffe auswendig gelernt hatte und diese fehlerfrei zur Anwendung brachte wie ein Mechaniker, der seine Dampfmaschine wartete. Lag sein Geheimnis schlicht in naturwissenschaftlicher Sachkenntnis? Verfügte er über ein Handbuch, eine Bedienungsanleitung? Kannte er die chemische Formel seines Wohlgeruchs, stellte er ihn gar synthetisch her? Gab es irgendeinen Bereich in Claude Schlatters Existenz, in dem er nicht nach Lehrbuch vorging?

Susanna wurde den Gedanken nicht mehr los. Hatte Claude wahre Empfindungen? War irgendetwas an ihm echt, unmittelbar und nicht ausgedacht? Sein tiefes, herzhaftes Lachen, bei dem der Fußboden bebte – klang es nicht hohl, wenn man genau hinhörte? Seine guten Manieren – waren die nicht sorgfältig auf den Effekt hin eingeübt? Und sein ernster Erkenntnisdurst – war der mehr als eine schlau berechnete, ausgedachte Pose? Seine zügellosen Orgasmen – waren auch die in Szene gesetzt?

Es gab, soweit Susanna es überblickte, nur eine Sache, in der Claude nicht nach dem Lehrbuch für ledige Männer vorging. Er benahm sich im Bett, als wüsste er nicht, woher die kleinen Kinder kamen. Erst hatte Susanna sich nichts dabei gedacht, weil sie in dieser Angelegenheit genauso gedankenlos war wie er. Wenn sie ein Kind bekäme, würde sie eines bekommen; wenn nicht, dann nicht. Aber Claude, der in allem so Pflichtbewusste, Achtsame und Umsichtige – wie konnte er so leichtfertig sein?

Und da verstand Susanna: Claude war gar nicht leichtfertig. Er hatte alles klug berechnet. Etwas Besseres konnte ihm gar nicht passieren, als dass sie von ihm schwanger wurde. Dann würde er sich alles gesichert haben: die Papiere und den Job, eine Frau und ein Kind und das Haus und eine sichere Existenz als Hausarzt in Brooklyn.

Susanna erwog, ihn zur Rede zu stellen. Aber dann hätte sie alles ansprechen müssen – auch die weißen Hemden, das subsonare Lachen und seinen hohlen Glauben an die Wissenschaft, und am Ende des Gesprächs hätte alles in Trümmern gelegen und Claude wäre, wenn er sein Gesicht hätte wahren wollen, nichts anderes übrig geblieben, als seine Sachen zu packen, fortzugehen und sich nie mehr blicken zu lassen.

Das wollte sie nicht. Sie mochte ihn ja gern. Seinen Duft vor allem, den empfand sie immer noch als evolutionären Vorteil. Und selbst wenn er sie behandelte wie eine Maschine, war er doch immerhin ein ausgezeichneter Mechaniker. Und schließlich konnte sie von seinem Herzen nicht mehr verlangen, als es zu geben imstande war.

Also machten sie weiter wie gewohnt. Susanna dachte sich

nichts mehr dabei. Ob Claude sich etwas dachte, weiß man nicht.

Zu ihrer Verwunderung aber wurde sie nicht schwanger, weder in den ersten Monaten noch in den folgenden zehn Jahren ihrer Ehe. Ihre Mutter warf ihr gelegentlich fragende Blicke zu, die Susanna nach Kräften ignorierte. Valentiny lächelte und schwieg. Und Claude tat, als wäre alles in Ordnung. Na gut, dachte Susanna. Wie auch immer. Was soll's. Umso besser eigentlich.

Sie machte ihren Frieden mit Claude. Sie hatte es ja gut mit ihm. Valentiny hatte recht, er war ein feiner Kerl. Verlässlich, freundlich, gescheit. Und ein guter Liebhaber. Sie war ungerecht gewesen. Es war ja keine unverzeihliche Sünde, dass er so oft »Sir« sagte. Seinen naturwissenschaftlichen Ernst fand sie langfristig zwar wirklich fad, aber immerhin erzählte er keinen Quatsch. Und sowieso hätte es keinen Sinn gehabt, ihn nach einem allfälligen Handbuch zu befragen. Falls es tatsächlich eines geben sollte, würde auf Seite eins ganz sicher die dringende Anweisung stehen, dessen Existenz unter allen Umständen zu leugnen. Was schließlich Claudes makellose Hemden betraf – wären Susanna schmuddelige etwa lieber gewesen?

Kam hinzu, dass sie ihn ja nicht rund um die Uhr ertragen musste. Abends bei Tisch war Claude ein angenehmer Gesellschafter, und die Nächte mit ihm waren schön; morgens nach dem Frühstück aber gingen sie beide ihrer Wege.

Susanna malte weiter zwei bis drei Porträts pro Monat. Wenn besondere Auslagen anstanden – ein neuer Esstisch, eine Lieferung französischen Rotweins oder ein Grammophon –, waren es auch mal fünf. Immer seltener aber fertigte sie Kopien für ihre Sammlung an. Denn immer seltener geschah es, dass sie ein Gesicht neu und aufregend und überraschend fand; die allermeisten waren Typen, die sie schon oft gesehen, gründlich studiert und mehrfach in ihre Sammlung aufgenommen hatte.

Die fünf Jungs in den blauen Segeltuchjacken aber waren anders. In ihren Gesichtern lag etwas, was sie von den anderen unterschied. Immer wieder nahm Susanna ihre Fotos hervor, um herauszufinden, was es war. Sie studierte sie unter der Lupe und verglich sie mit den Bildern, die sie gemalt hatte, dann griff sie zu den Pinseln und fertigte Variationen an.

Sie wusste, dass ihr diese Porträts niemand abkaufen würde; sie waren im selben Maße unverkäuflich, wie Präsident Lincoln ein sicheres Geschäft gewesen war. Trotzdem oder gerade deshalb gab sie sich dieser Arbeit mit besonderem Vergnügen hin. Sie spielte mit Licht und Schatten, Farben und Formen und beobachtete, wie harte Kontraste die scharfen Gesichtszüge der Jungs hervortreten ließen, während weiches Licht die runden Kindergesichter hervorhob. Sie ersetzte im Hintergrund die Brooklyn Bridge durch blauende Hügel und kleidete Jacky, Johnny, Bobby, Franky und Freddy in glasperlenbestickte Wildlederhemden. Einmal legte sie ihnen versuchsweise Tabakpfeifen und Kriegsbeile in die verschränkten Arme, ließ aber davon wieder ab. Am besten gefielen ihr immer noch die ersten Versionen, in denen sie die Jungs gezeigt hatte, wie sie wirklich waren: ohne Arg und ohne Tand, ernst und jung und ohne Schuld in ihren blauen Segeltuchjacken.

Im Juli 1876 berichtete die *New York Times,* dass weit weg im Westen ein Heer von Sioux, Cheyenne und Arapaho das 7. US-Kavallerieregiment unter General George Custer am Little Bighorn vernichtend geschlagen habe. Die Nachricht war ein Schock. Es dauerte Monate, bis Einzelheiten an die Ostküste gelangten. Die Sieger hatten die toten Soldaten grausam verstümmelt. Manchen hatten sie die Herzen aus der Brust geschnitten, anderen das Gedärm herausgerissen oder die Kopfhaut und einzelne Fingerglieder als Trophäen abgeschnitten. Die Anführer der Krieger trugen furchterregende Namen wie Crazy Horse, Spotted Elk und Sitting Bull. Nach der Schlacht waren sie auf ihren Ponys schnell wie der Wind in den Weiten der Prärie verschwunden. Die Kavallerie hatte keine Ahnung, wo sie nach ihnen suchen sollte.

Natürlich konnte es nicht ausbleiben, dass Susanna während ihrer Ehe mit Claude andere Männer kennenlernte. Da waren die Dandys an der Kunstakademie, die Ehemänner aus der Nachbarschaft und die Männer, deren Porträt sie malte, dann auch die Schauerleute an den Docks und die Matrosen auf der Fähre, die Buchhändler und die Journalisten, die Bibliothekare und die Galeristen in Manhattan und die Arbeiter aus den Fabriken. Einmal sah sie auf einem Fuhrwerk einen einäugigen Kutscher, den sie eine Sekunde lang für Anton Morgenthaler hielt. Sie wollte ihn schon anrufen, da war er im dichten Verkehr verschwunden. Sie sah ihn nie wieder. Manchmal stellte Susanna sich vor, wie Anton Morgenthaler westwärts aus der Stadt hinausfuhr, vielleicht sogar mit seiner Anna neben sich auf dem Kutschbock, die ihn endlich erhört und ihm einen Kuss gewährt hatte, und wie sie immer weiter geradeaus dem Sonnenuntergang entgegenfuhren, auf wackligen Fähren erst den Mississippi und dann den Missouri überquerten, um schließlich in den endlosen Weiten des Mittleren Westens verloren zu gehen.

Die ganze Stadt war voller Männer. Susanna war neugierig, wie manche von ihnen riechen, nackt aussehen und sich anfühlen mochten. Die meisten würden ihr nicht gefallen, das sah sie von Weitem; der eine oder andere vielleicht schon. Sie wollte wissen, wie es war, mit einem von ihnen zu schlafen.

Als junges Mädchen hatte sie zwei oder drei Jungen geküsst, dann versuchsweise ein paar von den Dandys an der Akademie. Aber einen wirklichen Mann noch nie. Keinen außer Claude. Jetzt wollte sie es wissen. Sie wollte es einfach. Sie wusste, dass es nicht sehr schwierig sein würde, sich einen Mann zu nehmen. Die meisten waren ja wehrlos gegen die Avancen einer Frau. Sie musste sich nur für einen entscheiden. Auf Dauer würde sie ihn vielleicht nicht behalten können. Aber erst mal haben konnte sie fast jeden.

Also ging Susanna auf die Pirsch. Sie wollte keinen, der selbst auf der Pirsch war. Die Schürzenjäger mochte sie nicht. Sie entschied sich für einen großen, fröhlichen Schotten namens Christopher Joseph Stevenson, der mit ihr die Meisterklasse in Porträtmalerei belegte. Sie musste nicht viel tun, um seine Aufmerksamkeit zu erregen. Es reichte, dass sie über seine Witze lachte und ihm etwas länger als üblich in die Augen schaute und dass sie, während er zu ihr redete, mit einer Locke ihres Haars spielte und ihn ein paarmal am Unterarm berührte. Der Mann wusste nicht, wie ihm geschah. Das gefiel Susanna. Es war schön, dass er keine Routine hatte.

Christopher war im Hauptberuf Grundschullehrer in Paterson, New Jersey, und er hatte eine Frau und zwei Kinder und ein Hochrad, mit dem er abends die Eltern seiner Schulkinder in den Elendsvierteln hinter den Seidenwebereien aufsuchte. Was er malte, war ziemlich gut; für einen Grundschullehrer, fand Susanna, sogar sehr gut. Während der mehrtägigen Blockseminare wohnte er in einer kleinen Herberge in der Nähe der Akademie. Ein paarmal ging sie in der Mittagspause mit ihm auf sein Zimmer. Alles an ihm war rotgolden und lustig, und er war verspielt und arglos und spontan wie ein Kind; danach gingen sie zurück in den Unterricht und waren erfrischt und fröhlich und unbeschwert. Nur dass er nicht so gut duftete wie Claude. Es war nicht, dass er stank. Sein Geruch war in Ordnung, aber weit davon entfernt, ein evolutionärer Vorteil zu sein. Wahrscheinlich roch er einfach nach der Seife, die er benutzte, und nach der Nahrung, die er zu sich nahm. Jedenfalls bedauerte Susanna es nicht allzu sehr, als er am Ende des Blockseminars sein Zimmer räumte und nach Paterson, New Jersey, zu seiner Frau, den zwei Kindern und dem Hochrad zurückkehrte.

Ein paar Wochen später aber löschte Susanna, nachdem sie mit Claude zu Bett gegangen war, die Petrollampe auf dem Nachttischchen nicht ab.

»Claude«, sagte sie. »Ich muss dich etwas fragen.«

»Ja?«

»Könntest du dir vorstellen, das Kind eines anderen Mannes großzuziehen?«

Er setzte sich auf und sah sie schweigend an. Sein Blick war der eines Arztes bei der Anamnese.

»Ich habe dich etwas gefragt«, sagte sie.

»Ich habe dich gehört.«

»Und?«

»Ist das eine Frage? Oder willst du mir etwas mitteilen?«

»Ich habe dich etwas gefragt.«

»Dann lautet die Antwort Nein.«

»Nein?«

»Auf gar keinen Fall würde ich das Kind eines anderen Mannes großziehen.«

»Warum nicht?«

»Weil es nicht meines wäre.«

»Es wäre ein Kind.«

»Das Kind eines anderen Mannes.«

»Ich wäre dieselbe Frau.«

»Das Kind wäre nicht meines.«

»Du würdest das nie vergessen?«

»Niemals.«

Am nächsten Morgen packte Claude seine Sachen und nahm Abschied von Valentiny, Maria und Susanna. Eine Weile wohnte er im Hotel, dann bezog er in schicklicher Entfernung eine Wohnung und eröffnete seine eigene Praxis, die ihm und einer jung verwitweten Arztgattin namens Henriette, die er bald nach der Scheidung heiraten sollte, eine gesicherte Existenz bot bis ans Ende ihrer kinderlosen Tage.

Susanna aber brachte acht Monate später einen fröhlichen, rotblonden Buben zur Welt. Es war eine schwere Geburt, Susanna verlor viel Blut. Als sie nach sechs Wochen wieder auf den Beinen war, schwor sie sich, dass ihr so etwas nie mehr widerfahren würde. Sie war jetzt zweiunddreißig Jahre alt. Umso mehr hängte sie ihr Herz an den Säugling. Sie taufte ihn auf den Namen Christopher. Alle nannten ihn Christie. Eine Weile dachte sie daran, mit dem Baby nach Paterson, New Jersey, zu fahren und es seinem ahnungslosen Vater vorzustellen. Sie entschied sich dagegen. Es wäre für niemanden gut gewesen, weder für sie noch für das Baby und auch nicht für Christopher Stevenson und dessen Frau und deren Kinder.

Als sie wieder bei Kräften war, kehrte sie zurück an die Staffelei. Sie konnte als Mutter arbeiten wie zuvor, der kleine Christie verbrachte seine Tage erst schlafend, dann krabbelnd und robbend im Atelier. In jener Zeit muss es gewesen sein, dass sie sich ein Pseudonym zulegte; sie signierte ihre Werke fortan mit »Caroline Weldon«; wieso, ist nicht bekannt. Vielleicht einfach, weil es hübsch klang.

Man kann übrigens nicht sagen, dass sie als geschiedene Frau und Mutter eines vaterlosen Kindes einen gesellschaftlichen Makel zu tragen gehabt hätte. Brooklyn war eine Stadt der Neuankömmlinge. Hier regte sich niemand auf, wenn eine alleinstehende Frau ein Kind zur Welt brachte. Alle waren vollauf damit beschäftigt, Tag für Tag irgendwie über die Runden zu kommen. Man ließ die Nachbarn in Frieden und war froh, wenn man keine Scherereien mit ihnen hatte.

DIE NACHT WURDE ZUM TAG

Ebenso unausweichlich war, dass nach Christies Geburt auch der Tod in Susannas Leben Einzug hielt; denn langfristig betrachtet – das ist so und lässt sich nicht ändern – sterben exakt gleich viele Menschen, wie zuvor zur Welt gekommen sind.

Zwar war Gevatter Tod ihr in ihrem jungen Leben schon oft begegnet. Einmal hatte auf ihrem Schulweg ein toter Trinker auf dem Gehsteig gelegen; Susanna hatte lange die purpurne Knollennase in seinem grauen Gesicht betrachtet und dann auch den dunklen Fleck in der Mitte seiner Hose. Ein anderes Mal war eine Nachbarin in einem schwarzen Sarg mit golden leuchtenden Messingbeschlägen aus dem Nachbarhaus getragen worden; den strengen Geruch hatte sie noch Stunden in der Nase gehabt. In der Schule war es mehrmals vorgekommen, dass ein Schüler Blut hustete und in der Folge dem Unterricht für immer fernblieb. Dann waren da auch die toten Tiere, die so sonderbar still in allen Zuständen der Verwesung an den Ufern des East River lagen, und schließlich die Zeitungen mit ihren täglichen Meldungen über Seuchen und Katastrophen und Mord und Totschlag.

Aber das waren Naturereignisse, die Susanna zur Kenntnis nahm wie den Sonnenaufgang und den ersten Schnee im November. Sie waren unvermeidlich und erklärten sich selbst, es gab über sie nicht viel nachzudenken. Ach ja?, dachte Susanna vielleicht; schon sonderbar, dass jemand in der einen Sekunde noch da ist und in der nächsten einfach nicht mehr. Aber dann fiel ihr ein, dass sie noch Knoblauch fürs Abendessen besorgen musste oder Zinnoberrot fürs Atelier.

Auch als aus Basel die Nachricht eintraf, dass ihr ältester Bruder mit zweiundvierzig Jahren an Diphtherie gestorben war, erschütterte sie das nicht sehr; sie hatte kaum Erinnerungen an ihn. Desgleichen, als ihr leiblicher Vater verschied, dem Vernehmen nach an einem Tumor, der ihn inwendig aufgefressen hatte. Susanna staunte, wie wenig ihr das ausmachte. Valentiny hingegen trauerte aufrichtig um den vor langer Zeit verlorenen Freund, und auch Maria gedachte mit Zuneigung dieses seltsamen Mannes, der ihr in zwanzig Jahren Ehe stets ein Fremder geblieben war.

Den richtigen Abschiedsschmerz lernte Susanna erst am 29. Mai 1882 kennen, als Karl Valentiny plötzlich und unerwartet seinen letzten Atemzug tat. Sie fand ihn frühmorgens im Salon, Maria und Christie schliefen noch. Im Kamin lag weiße Asche, das Feuer war erloschen. Zwischen den Vorhängen drangen Speere aus Licht ins Halbdunkel. Susanna sah sofort, dass sie keinen Arzt mehr zu holen brauchte. Valentiny saß in dem roten Ohrensessel, den er kurz zuvor noch angeschafft hatte. In seinem Schoß lag ein neuer Zola, *Une page d'amour*, der rechte Zeigefinger steckte als Buchzeichen zwischen den Seiten. Um seine Augen spielte ein Ausdruck freundlicher Verwunderung. Er sah aus, als hätte er in der Minute seines Todes an sich selbst einen beginnenden Herzinfarkt diagnostiziert, sich dann über die plötzliche Heftigkeit des Schmerzes gewundert und schließlich mit wissenschaftlicher Neugier den Augenblick begrüßt, in dem der große alte Freund, den er als Arzt ein Leben lang bekämpft hatte, ihn endlich in die Arme nahm.

»Ach, Valentiny«, murmelte Susanna und strich ihm eine

Strähne aus der kalten Stirn. Sie nahm ihm das Buch aus der Hand, legte es auf den Salontisch und versuchte ihm die Hände im Schoß zu falten. Es gelang ihr nicht, die Hände waren starr. Der Finger, der im Buch gesteckt hatte, deutete ins Leere, als zeigte er aus dem Jenseits auf etwas für Sterbliche Unsichtbares.

Sie setzte sich in den Sessel gegenüber und betrachtete den Toten. Da trat ihre Mutter in den Salon auf der Suche nach dem Mann, der erstmals in zweiunddreißig Jahren nicht zu ihr ins Bett gekommen war. Als sie ihn sah, riss sie die Augen auf und schlug sich die Hand vor den Mund, dann nickte sie und kehrte in ihr Schlafzimmer zurück, um leise und allein um ihn zu weinen. Und dann kam Christie. Susanna musste ihm erklären, was passiert war. Er blieb den ganzen Tag an ihrer Seite. Er folgte ihr zum Bestatter und in die City Hall, auf dem Heimweg kauften sie Brot und Obst; man musste ja trotzdem etwas essen. Und einen neuen Satz Pinsel hatte sie bestellt, die musste sie auch abholen.

Der Amtsarzt kam und stellte einen Totenschein aus. Die Gehilfen des Bestatters brachten einen Sarg und versuchten Valentiny hineinzubetten. Es gelang ihnen nicht, weil er in sitzender Haltung erstarrt war. Also setzten sie ihn zurück in den Ohrensessel und versprachen, am Abend wiederzukehren, wenn die Leichenstarre sich gelöst haben würde.

Drei Tage später fand die Beerdigung statt. Die Trauergemeinde war klein. Ein paar Nachbarn waren gekommen, eine Handvoll ehemalige Patienten und drei oder vier von Susannas Freunden. Diskret im Hintergrund hielten sich zwei schwarz gekleidete Männer. Sie stellten sich während der Beileidsbekundung als Vertreter des Deutschen Vereins in Brooklyn e. V. vor, der es sich zur Aufgabe gemacht hatte, allen verstorbenen Landsleuten, auch wenn sie nicht Mitglied waren, das letzte Geleit zu geben.

Valentinys Grab in Brooklyn Heights ist heute noch zu besichtigen. Es liegt im Green-Wood Cemetery in Sektor 41 und trägt die Nummer 13387. Im Winter hat man zwischen kahlen Bäumen hindurch einen schönen Ausblick über den East River nach Manhattan.

Karl Valentinys irdische Existenz hatte siebenundsechzig Jahre und sechs Tage gedauert. Hätte er in den letzten Stunden seines Lebens eine Vorahnung gehabt, hätte er vielleicht Bilanz gezogen. War all das die Mühe wert gewesen? War es die Anstrengung wert gewesen, Medizin zu studieren und als Soldat nach Afrika zu gehen? Aus der Heimat zu flüchten und über den Ozean zu fahren? Hatte es sich gelohnt, eine gesicherte Existenz als Hausarzt in Dortmund aufzugeben, um eine gesicherte Existenz als Hausarzt in Brooklyn zu führen? War es die Aufregung wert gewesen, die Frau eines anderen Mannes zu heiraten und deren Tochter als seine eigene großzuziehen? Und dass er über tausend Stunden Zola gelesen hatte – würde das noch von Bedeutung sein, nachdem sein Hirn und sein Herz zu Staub zerfallen waren? Würde überhaupt irgendetwas noch irgendwas bedeuten? Hätte er versuchen sollen, während der Zeit, die ihm gegeben war, Einfluss zu nehmen auf den Lauf der großen Dinge in der Welt? Hätte er für die Pariser Kommune auf die Barrikaden steigen, in Havanna die Cholera bekämpfen sollen? Hätte er ein Mittel gegen Wundbrand erfinden, die Ausgrabungen in Gizeh leiten müssen? Wäre es seine Pflicht gewesen, den Sklavenaufstand auf Haiti zu unterstützen, für die Rechte der amerikanischen Ureinwohner einzustehen? Hätte er auf irgendeinem Gebiet etwas Großes bewirken können? Hätte er es in der Hand, in seinem Herzen, im Kopf gehabt? Falls nein: Hätte er es trotzdem versuchen sollen?

Man kann annehmen, dass Valentiny sich spätestens an dieser Stelle mit einem nachsichtigen Lächeln zur Ordnung gerufen hätte. Was war er denn, eine Krämerseele? Ein Buchhalter? Ein Erbsenzähler? Er war zur Welt gekommen, und er hatte gelebt. Übers Ganze gesehen war's doch recht angenehm gewesen. Jetzt war es für ihn vorbei. Für die anderen würde es weitergehen. Alles in Ordnung.

So waren Maria und Susanna Faesch von ihren Männern verlassen worden, jede auf ihre Weise. Sie lebten weiter zusammen in dem braunen Sandsteinhaus, das nun viel zu groß geworden war. Die Arztpraxis im Erdgeschoss blieb verriegelt und verstaubte unbeheizt im Dunkeln, ebenso Claudes Zimmer im dritten Stock. In der Küche gab es nun zu viel Geschirr und Besteck, am Esstisch standen überzählige Stühle. Die Kleiderhaken bei der Eingangstür waren zu drei Vierteln leer, die zwei Ehebetten zur Hälfte auch.

Susanna fasste den Plan, Valentinys Porträt zu malen und es im Salon über den Kamin zu hängen. Wie nicht anders zu erwarten war, existierte keine Fotografie von ihm, sie musste ihn aus dem Gedächtnis malen. Sie spannte ein großes Stück Leinwand auf einen Keilrahmen und trug eine weiße Grundierung auf, dann zog sie mit dem Kohlestift rasch ein paar Striche – und ließ es dabei bewenden. Sie brachte es nicht über sich, den väterlichen Freund in fetten Ölfarben dingfest zu machen, sie wollte sich von ihm kein Bildnis machen. Die wenigen schwarzen Linien mussten genügen. Sie verwischte sie mit leichter Hand, nahm die Leinwand von der Staffelei und hängte sie über den Kamin. Dann setzte sie sich in den roten Ohrensessel und betrachtete ihr Werk. Es kam ihr vor, als lächelte Valentinys freundlicher Geist aus dem Licht des Jenseits ins Dämmerlicht des Salons.

Valentinys Sachen aber waren noch ganz diesseitig da. Seine Kleider lagen ordentlich gebügelt und gefaltet in der Kommode, die Toilettensachen standen auf dem Waschtisch und die Zola-Bände in der Bücherwand, und im Erdgeschoss ruhten hinter verschlossenen Türen die Patientendossiers und die Handbücher, die Hausapotheke und die Skalpelle und die Scheren, die Nadeln und die Schalen, das Formaldehyd und das Stethoskop. Sie lagen im Dämmer beisammen wie ein träumendes, atmendes Wesen, das zuversichtlich schlafend auf die Rückkehr seines Meisters wartete.

Aber Valentiny würde nicht zurückkehren, und seine Sachen waren tot. Es hatte keinen Sinn, das Zeug aufzubewahren.

Es war dann Susanna, die sich der Sache annahm. Eines Tages packte sie, als Maria mit Christie unterwegs zur Schule war, Valentinys Kleider und Toilettenartikel in einen Koffer und trug diesen zur Heilsarmee. Nur die Romane Émile Zolas behielt sie bei sich, die würde sie irgendwann lesen. Dann schrieb sie einen Brief an Claude Schlatter, in dem sie sich nach seinem Befinden erkundigte und ihn fragte, ob er allenfalls interessiert wäre, das Inventar der Praxis inklusive Patientenstamm kostenlos zu übernehmen. Claude ließ sich mit der Antwort Zeit. Erst zehn Tage später traf ein Brief von ihm ein, in dem er dankend annahm.

Als er in einer Droschke vorfuhr, war Susanna allein zu Hause. Maria war, um der Begegnung etwas von ihrer Peinlichkeit zu nehmen, mit Christie in den Zoo gegangen.

Claude trug leere Kisten ins Haus und packte alles ein. Susanna half ihm, die vollen Kisten wieder hinauszutragen. Danach kochte sie Kaffee. Claude hatte Kuchen mitgebracht und sogar Blumen. Die beiden hatten einander seit seinem Auszug sechs Jahre zuvor nicht mehr gesehen. Sie gingen in den Salon und setzten sich an den Kamin. Susanna machte Feuer. Nach anfänglicher Verlegenheit fingen sie an zu reden. Valentinys Porträt hing über ihnen, sein roter Ohrensessel stand leer am Fenster. Susanna erzählte von ihrer Malerei, die ihr über die Jahrzehnte bei aller Leichtigkeit des Broterwerbs allmählich fad geworden war, dann auch von ihrem Leben mit Christie, von Valentinys Tod und von ihrer Menschensammlung im Atelier, die in der Zwischenzeit noch mal kräftig gewachsen war. Claude seinerseits berichtete von seiner Praxis, der Hochzeit und den Flitterwochen in Atlantic City. Er zog eine Fotografie seiner Braut aus der Brusttasche, sie war eine junge, hübsche Frau mit einer Hibiskusblüte im Haar. Stolz berichtete er, wie gut die Praxis lief. Er war glücklich, sein Leben verlief nach Plan. Nur Kinder hatten sich noch keine eingestellt. Susanna glaubte in seiner Stimme einen Anflug von Triumph zu hören, eine kleine Rache für die Kränkung, die sie ihm zugefügt hatte; das wollte sie ihm nicht verübeln. Sie war erleichtert, als er die Fotografie wieder einsteckte; sie würde die Braut nicht malen müssen. Claude sah immer noch gut aus. In seinem Schläfenhaar blitzten ein paar Silberfäden, in die Mundwinkel hatten sich feine Falten eingegraben. Sein Bauch war immer noch flach und der Nacken muskulös; vermutlich hielt er sich mit Hanteln in Form. Susanna fragte sich, ob sein Duft noch derselbe war. Sie wusste nicht, ob sie es hoffen oder fürchten sollte. Und dann wurde ihr bewusst, dass sie ihn nie porträtiert hatte.

Als er sich nach ihrer Menschensammlung erkundigte, führte sie ihn hinauf ins Atelier. Zuvorderst an den Wänden standen immer noch die fünf Jungs in den blauen Jacken, daneben auch ältere Männer mit langem schwarzem Haar und hohen Wangenknochen.

»So viele Indianer. Malst du nur noch die?«

»Von denen könnte ich nicht leben, die kauft mir niemand ab. Das Wort ›Indianer‹ ist übrigens blöd. Die Leute sind ja nicht aus Indien.«

»Aber amerikanische Staatsbürger sind sie auch nicht.«

»Nein?«

»Sonst hätten sie das Wahlrecht. Übrigens nennen sie sich selbst ›*Indians*‹, soviel ich weiß, oder ›*Native Americans*‹ oder ›*Native Indians*‹.«

Susanna zuckte mit den Schultern. »Für mich sind's einfach Leute.«

»Wie nennst du sie?«

»Ich sage Mohawk. Oder Sioux. Oder Cheyenne. Es sind Leute, wie gesagt.«

»Wo nimmst du sie her?«

»Von der Straße.«

»Du sprichst sie auf der Straße an?«

»Ich spreche sie an und schleppe sie zum Fotografen.«

»Die gehen einfach mit?«

»Ich gebe ihnen Geld.«

»Ist das nicht peinlich?«

»Nur kurz. In der ersten Minute. Danach geht's.«

Claude betrachtete die Bilder lange schweigend. Dann rieb er sich den Nacken und sagte:

»Ich verstehe. Ich glaube, ich verstehe.«

Unter der Tür streckte Susanna ihm Valentinys alten Arztkoffer entgegen, den dieser vor langer Zeit in Dortmund vom alten Doktor Augsburger übernommen hatte. Claude nahm ihn dankend an und ging die Außentreppe hinunter. Als er am Gehsteig angelangt war, rief ihm Susanna hinterher:

»Wusstest du, dass es in der Sprache der Sioux kein Wort für ›Abschied‹ gibt?«

»Ist das wahr?«

»Sie glauben, dass alles eins ist und alle mit allen verbunden sind. Deshalb ist Abschied undenkbar.«

Dann machte sie die Tür von innen zu.

Sie sahen einander nie wieder.

Geblieben war den zwei Frauen der kleine Christie. Er wuchs heran zu einem arglos fröhlichen Buben mit hellblauen Augen und Sommersprossen. Alles an ihm war rotblond und knuddelig und lustig. Er gehörte zu der Sorte Kinder, die sich jeden Abend beim Einschlafen schon auf den nächsten Tag freuen. Die Nachbarinnen kniffen ihm in die Pausbacken, fremde Männer auf der Straße strichen ihm im Vorbeigehen übers Haar. Auch Susanna war vernarrt in ihren Sohn. Sie konnte ihn nicht ansehen, ohne lächeln zu müssen, wenn er in seiner Latzhose am Frühstückstisch saß und Porridge löffelte. Es gefiel ihr, dass er so gar keine Ähnlichkeit mit ihr hatte. Ein Fremder wäre kaum auf die Idee gekommen, dass sie Mutter und Sohn waren. Manchmal schien ihr, als verwendete dieser kleine Bursche seine ganze Kraft darauf, nicht nur im Aussehen, sondern auch im Wesen das Gegenteil von ihr zu sein.

Vor allem aber war Christie das späte Glück seiner Großmutter. Verwundert beobachtete Susanna, wie die stets so korrekte und wohlerzogene Maria nun, da Christie da war, albern sein konnte wie ein junges Mädchen. Ganze Nachmittage spielte sie mit ihm im Kinderzimmer Cowboy und Indianer, krümmte sich unter imaginären Schusswunden und rutschte als Reitpferd auf Knien umher. Und wenn sie mit ihm von einem Besuch im Tiergarten zurückkehrte, ahmte sie das Kreischen der Schimpansen nach und kratzte sich beidhändig an den Hüften.

Sie verschlief die Vormittage jetzt nicht mehr, sondern stand jeden Morgen als Erste auf, dann bereitete sie Christie das Frühstück und begleitete ihn zur Schule. Und wenn sie zu dritt übers Wochenende nach Coney Island fuhren, verbrachte sie ihre Nachmittage nicht mehr statuenhaft zugeknöpft auf dem Badetuch, sondern schlüpfte in den rot-weißen Badeanzug, den sie in der Strandboutique neben dem »Bristol« gekauft hatte, und spielte mit Christie in der Brandung Walfisch.

Wenn sie sich aber unbeobachtet glaubte, schaute sie nun immer öfter lächelnd zur Seite, als ob da jemand wäre, und manchmal murmelte sie halblaut ins Leere. Auch kleidete sie sich nicht mehr in hochwertige, maßgeschneiderte Sachen, sondern in preiswerte amerikanische Konfektionsware, die sie aus dem Katalog bestellte, als lohnte sich für die kurze Zeit, die ihr noch blieb, die Anschaffung teurer Tweedjacketts und rahmengenähter Stiefel nicht mehr.

Übrigens sprachen sie in der Familie nur noch Englisch. Sie sangen auch keine deutschen Lieder mehr, erzählten keine deutschen Märchen und kochten nicht mehr nach deutschen Rezepten. Sie waren nun eine amerikanische Familie, alles Deutsche hatten sie Valentiny mit ins Grab gegeben. Nur manchmal spätabends, wenn Christie schlief und den zwei Frauen besonders seelenvoll ums Herz war, unterhielten sie sich noch leise in ihrem lieben, alten Baseldytsch.

Und dann kam der Tag, an dem endlich die Brooklyn Bridge eröffnet wurde, nach vierzehn Jahren Bauzeit. Es war der 24. Mai 1883. Maria war sechsundsiebzig Jahre alt, Susanna achtunddreißig, Christie hatte kürzlich seinen sechsten Geburtstag gefeiert. Seit Tagen war die Stadt in heller Aufregung. In den Straßen hingen Wimpel und Fahnen, die Gehsteige waren frisch gefegt und die Ufer des East River freigeräumt von Schwemmgut und Kadavern.

Nach dem Abendessen liefen Maria und Susanna mit Christie zur Brücke, um dem Spektakel beizuwohnen. Es war ein großes Volksfest. Dicht an dicht standen die Schaulustigen am Ufer, Hunderte von Schiffen paradierten auf dem Fluss unter festlicher Beflaggung. Kanonen wurden abgefeuert. Die Heilsarmee gab Limonade aus. Bayerische Trachtenmädchen verkauften Bratwürste. Politiker hielten Ansprachen. Taschendiebe wuselten durchs Gedränge. Irgendwo spielte eine Blaskapelle, woanders ein Akkordeon, noch mal woanders eine Fiedel. Manche Menschen tanzten. Polizei und Feuerwehr standen bereit. Ein Adventistenprediger verteilte Pamphlete, in denen er des Menschen Hybris anprangerte. Die Journalisten machten Notizen, die Fotografen stellten ihre Apparate auf.

Die Dämmerung brach an, auf den zwei Brückentürmen wurde Feuerwerk abgebrannt. Bomben und Raketen stiegen auf und zerstoben vielfarbig am Nachthimmel, Vulkane und Fontänen aus glühenden Eisenspänen ergossen sich silbern und golden in die Tiefe. Unten am Ufer sperrten die Menschen die Münder auf und machten »Ah« und »Oh«. Aber alle wussten, dass das noch nicht der Höhepunkt des Abends war.

Nachdem die letzte Rakete verglüht und die finalen drei Böller verhallt waren, legte sich schwarze Nacht über die große

Stadt. Die Gaslaternen in den Straßen blieben an jenem Abend dunkel, ebenso die Schaufenster der Kaufhäuser und die Gasleuchten vor den großen Hotels. Schwarz lag der Fluss zwischen den Stadtteilen. Einsam wie rote Glühkäfer leuchteten über dem Wasser die Schiffslaternen.

Dann war es so weit, dass die Menschen New Yorks erstmals in ihrer Geschichte aus eigener Kraft die Nacht zum Tag machten. Um Punkt einundzwanzig Uhr legte irgendwo in einem Technikraum ein Ingenieur einen Schalter um, worauf hundert Volt Gleichstrom mit vierundzwanzigtausend Stundenkilometern durch vier Kupferdrähte flossen und auf der ganzen Länge der Brücke von einem Ufer zum anderen achttausend Kohlefadenlampen zum Leuchten brachten. Gleißendes Licht, wie es auf Erden seit Anbeginn der Zeit nur die Sonne hatte scheinen lassen, überstrahlte die Fahrbahnen zwischen den Türmen. Es erleuchtete auch den Fußweg und die darunterliegende Straßenbahn, fiel ins Bodenlose und spielte tief unten als fahles Glitzern wie von hundert Monden auf dem kabbeligen Wasser des East River.

Applaus brandete auf. Tausende warfen jubelnd die Hände in die Höhe, andere schauten in fassungslosem Entzücken zum Licht empor; wieder andere wandten sich wie geblendet ab. Unbekannte fassten sich an den Händen, Fremde fielen einander in die Arme, gestandene Männer brachen in Tränen aus. So etwas hatten die Menschen noch nie gesehen. Es war erst wenige Monate her, dass Thomas Alva Edison in Menlo Park seine Glühbirnenfabrik in Betrieb genommen hatte.

Beidseits der Brücke marschierten die Würdenträger auf. Der Bürgermeister von New York hielt eine Ansprache auf seiner Seite der Brücke, auf der anderen Seite hielt der Bürgermeister von Brooklyn eine Ansprache. Dann ließen sie sich je eine unterarmgroße Schere reichen und schnitten feierlich blau-weiß-rote Banderolen entzwei, worauf sich doppelläufig und wechselseitig der Strom der Menschen über die Brücke ergoss. Summend und johlend, kichernd und plappernd, tippelnd und stampfend wuselte ein vieltausendfüßiger Tatzelwurm über die erleuchtete Brücke, glückstrunken und voll vager Hoffnungen taumelten die Menschen einem besseren Leben in einer lichten Zukunft entgegen.

Maria, Susanna und Christie ließen sich mit dem Tatzelwurm treiben, zwei Kilometer hinüber nach Manhattan und zwei Kilometer zurück nach Brooklyn. In der Mitte der Brücke verpflegten sie sich bei einem fliegenden Händler namens Charles Feltman, den sie aus Coney Island kannten; der Mann war 1856 aus Hannover eingewandert und sollte in die Geschichte eingehen als der Erfinder des Hotdogs. Sie schauten über die Brüstung in die Tiefe, wurden von der Menge wieder mitgerissen und blieben später aufs Neue stehen, um mit Freunden und Bekannten zu plaudern, die auf der Gegenfahrbahn an ihnen vorbeigingen.

Der kleine Christie war selig. All das Licht und der gewaltige Stahl und die steinerne Macht der Türme, überall diese himmlische Musik und der Duft nach Bratwürsten und Honigäpfeln und die vielen glücklichen Menschen, und alles war so groß und neu und herrlich! Er zog und zerrte an der Hand seiner Großmutter, um ihr dies oder jenes zu zeigen. Maria ließ es geschehen und ging überallhin mit. Auch sie war glücklich. Ihr Glück war das Leuchten in Christies Kindergesicht.

Susanna beobachtete den kollektiven Glückstaumel mit hochgezogener Augenbraue. Die Lichterketten waren hübsch anzuschauen und die gotisch himmelwärts strebenden Brückentürme ein eindrücklicher Anblick, das musste sie zugeben.

Aber die Glühbirnen waren doch nur Glitzerkram und Firlefanz. Sie machten die Nacht nicht wirklich zum Tag und würden der Menschheit keine Erleuchtung bringen, sondern verlängerte Arbeitstage bis tief in die Nacht hinein. Und auch die Brücke war keine Straße in eine lichtere Zukunft. Ihr einziger Daseinszweck bestand darin, möglichst viele Arbeitssklaven frühmorgens in ihre Hamsterräder und abends zurück in die Schlafhöhlen zu verfrachten. Die gewonnene Zeit würde nicht zu mehr Muße und Freiheit führen, sondern zu noch mehr Schufterei. Zu Euphorie bestand kein Anlass.

Die Fährschiffe auf dem East River würden schon bald den Betrieb einstellen, man würde sie verschrotten oder woandershin verkaufen, wo es noch keine Brücken gab. Verloren wären dann die kleinen Augenblicke der Freiheit zwischen Hamsterrad und Schlafhöhle, die kostbaren Viertelstunden zweckfreien Wartens am Pier und die zwanzig Minuten des Nicht-mehr-da-und-noch-nicht-dort-Seins während der Überfahrt; die köstlichen Momente unrentabler Ruhe, erzwungener Untätigkeit und stillen Beisichseins im Schutz der feuchten Dämmerung über dem dunklen Wasser, die man dem durchgetakteten Räderwerk seiner Pflichten zweimal täglich hatte abtrotzen können.

Es war schon nach Mitternacht, als Susanna, Maria und Christie wieder in Brooklyn anlangten. Der Kleine musste ins Bett, am nächsten Morgen hatte er Schule. Der Tatzelwurm auf der Brücke aber drehte, allmählich lichter und kürzer werdend, noch eine zweite Runde. Als Christie eingeschlafen war, standen Maria und Susanna am offenen Fenster, lauschten dem fernen Gebrabbel und betrachteten das Lichtspiel an den Unterseiten der nächtlichen Wolken.

Um zwei Uhr legte der Ingenieur im Technikraum den Schalter erneut um, worauf der Strom der Elektronen versiegte und die Kohlefäden in den Glühbirnen erkalteten. Die Welt lag wieder im Dunkeln, der Tatzelwurm löste sich auf. Die Menschen gingen nach Hause.

»Wusstest du, dass Wolken nachts tiefer fliegen als am Tag?«, sagte Susanna zu ihrer Mutter. Dann schloss sie das Fenster, und die zwei Frauen gingen schlafen.

Von jener Nacht an wurde es nie wieder richtig dunkel über dem East River. Nacht für Nacht erleuchtete die Brooklyn Bridge den Himmel und machte Werbung für Edisons Glühbirnen, von denen jede einzelne mehr Licht aussandte als zweitausend Wachskerzen und hundertmal heller leuchtete als jede Gaslaterne. Ihr Widerschein reichte bis zu den Fenstern des braunen Sandsteinhauses in der Liberty Street und in die Schlafzimmer hinein. Widerwillig gestand Susanna sich ein, dass es ihr ein Trost war, ihre Nächte nicht mehr in sargähnlicher Schwärze zuzubringen, und dass es angenehm war, nicht immer gleich eine Kerze anzünden zu müssen, wenn das Kind nach einem rief oder man zur Toilette musste.

Dann kam der Tag, an dem die Thomson-Houston Electric Light Company gleich um die Ecke eine einstöckige Lagerhalle aus Backstein kaufte und darin eine hundert Pferdestarke, sechzehn Tonnen schwere Dampfmaschine aufstellte, in der ein Heizer Nacht für Nacht drei Tonnen Kohle verfeuerte. Susanna konnte, wenn sie im Atelier ein Fenster öffnete, das Stampfen der Kolben und das Zischen der Ventile hören. Vom Schwungrad der Dampfmaschine führte ein breiter Lederriemen zu sechs in Reihe stehenden Dynamos, die elektrischen Strom für hundertvierzig Bogenlampen herstellten. Dieser floss durch zwei daumendicke Kupferdrähte am

Ende der Halle nach oben zur Decke, dann übers Dach hinaus auf die Liberty Street und von dort an den Telefonmasten weiter zur Fulton Street, hinunter zum Hafen und hinauf zur Flatbush Avenue, wo er rechts abbog bis zur Ecke Gold Street und Myrtle Avenue.

Bald brannten in allen Straßen des Viertels elektrische Lampen, die Arbeiter der Electric Company zogen immer weitere Drähte und montierten immer noch mehr Lampen. Die Nachfrage war groß, die Arbeiter hatten alle Hände voll zu tun. Nach ein paar Monaten ließ sich eine zweite Elektrizitätsgesellschaft in Brooklyn nieder, stellte ihre eigenen Dampfmaschinen und Dynamos auf und zog ihre eigenen Drähte durch die Straßen. Eine dritte und eine vierte Firma betraten den Markt, immer mehr Dampfmaschinen trieben immer mehr Dynamos an, immer dichter wurde das Netz aus Kupferdrähten. Bald überspannten sie die ganze Stadt vom East River bis nach Coney Island, es gab keine dunklen Stadtteile mehr zu erobern. Also fingen die Elektrizitätsfirmen an, einander gegenseitig aufzukaufen, bis alle Kupferdrähte in den Besitz einer einzigen Firma übergegangen waren.

Und dann wuchsen die Drähte auch in die Häuser hinein. Erst erstrahlten die Villen der Reichen in elektrischem Licht, dann das Clarendon Hotel, die City Hall und das Brooklyn Theater sowie die Anlegestelle der Fulton Ferry; dann folgten die Bars und Kneipen und Verkaufsläden sowie die Studios der Fotografen, die dank dem elektrischen Licht nun auch bei Nacht und Regenwetter arbeiten konnten.

Die Lumpenproletarier in den Mietskasernen aber mussten sich noch für ein paar Jahrzehnte mit blakenden Kerzen und Petrollampen begnügen.

Susanna misstraute dem elektrischen Licht immer noch. Sie fand es ein seltsames Vorgehen, unter unsäglicher Mühsal dreihundert Millionen Jahre alte Steinkohle aus dem Berg zu brechen und diese mit gigantischem logistischem Aufwand auf Schiffen und Eisenbahnen in die Städte zu karren, nur um sie dort zu verbrennen und mit der paläolithischen Energie, die dadurch freigesetzt wurde, dünne Fäden aus Kohle oder Kobalt zum Leuchten zu bringen. Andrerseits erschien ihr die seit Jahrhunderten gebräuchliche Methode der Lichterzeugung - mit Hunderten von Schiffen über die Ozeane zu fahren und mit langen Speeren möglichst viele Meeressäuger zu töten, um ihnen das Körperfett vom Leib zu schälen und daraus Lampenöl für die gute Stube zu sieden - nicht viel vernünftiger.

Ab Mai 1883 führten zwei Kupferdrähte direkt vor Susannas Haus in der Liberty Street vorbei. Ein Nachbar nach dem anderen ließ einen Abzweiger ins Haus ziehen, bald waren alle Hauseingänge und Fenster erleuchtet. Nur das braune Sandsteinhaus der Valentinys lag weiter im Dunkeln. Nachts sah es nun aus wie unbewohnt.

Es war dann Maria, die den Auftrag erteilte. Die Arbeiter kamen morgens um sieben. Als sie abends um sechs ihr Werkzeug einpackten, brannten in allen Zimmern Edisons Patent-Glühbirnen. Christie konnte nicht genug davon bekommen, an den Lichtschaltern zu drehen und zu sehen, wie es auf seinen Befehl hell und dunkel und gleich wieder hell wurde. Auch Susanna musste zugeben, dass das Licht ihrer Seele in einem Maß wohltat, das sie nicht für möglich gehalten hätte. Es war eine unerhörte Befreiung, nicht mehr jeden Abend wie ein Kleinkind vom Lauf der Gestirne ins Bett geschickt zu werden, sondern den Tag auf Knopfdruck nach Belieben verlängern zu können. Nun konnte sie malen, schreiben und lesen, solange sie wollte. Es war, als hätte Edison ihr zusätzliche Lebenszeit geschenkt. Die alten Öllampen legte sie in eine Kiste und brachte sie zum Trödler. Mit dem ewigen Putzen der Gläser und Nachfüllen der Ölkammern hatte es nun ein Ende.

Die Glühbirnen waren von unglaublicher Zuverlässigkeit, sie strahlten gleichmäßig Nacht für Nacht, ohne dass man dafür etwas tun musste. Im Morgengrauen aber stellten die Heizer an den Dampfmaschinen ihre Schippen beiseite, die Dynamos standen bis zum Abend still; solange die Sonne schien, brauchten die Menschen kein elektrisches Licht.

Den Buchhaltern der Elektrizitätsfirmen aber gefiel es nicht, dass die Maschinen tagsüber nicht arbeiteten; würden sie rund um die Uhr laufen, wäre die Rendite doppelt so hoch und ließen sich die Investitionen in der Hälfte der Zeit abschreiben. Also erfanden die Ingenieure Geräte, die auch tagsüber Strom verbrauchten. Bald glühten in den Bürgerhäusern elektrische Bügeleisen und elektrische Kochherde, es ratterten die elektrischen Nähmaschinen und blubberten die elektrischen Boiler, und in den Fabriken hämmerten, surrten und stampften von früh bis spät elektrische Druck- und Bohrmaschinen sowie Ventilatoren und Stanz- und Heft- und Schneidemaschinen. Auf der Straße fuhren erste elektrische Kutschen, vor die man keine Pferde zu spannen brauchte, die Straßenbahn fuhr auch elektrisch, und auf dem East River verkehrte, bis sie sank, eine elektrische Fähre. In den Wohntürmen summten elektrische Fahrstühle und elektrische Türen, in den Büros sprachen Direktoren in die Trichter elektrischer Fernsprechanlagen und elektrischer Diktiergeräte, und in den eleganten Kaufhäusern am Broadway ließen sich die Kundinnen in elektrischen Fahrstühlen von einer Etage zur nächsten hieven.

Die ganze Stadt ächzte und zischte im Takt allgegenwärtiger Maschinen. Die Dampfmaschinen fauchten und stampften in Bass und Tenor, die Rotoren sirrten und surrten in Alt und Sopran. Ihr Lärm verscheuchte die Vögel in der Luft und die Fische im Wasser, sogar die Mäuse im Boden ergriffen die Flucht. Die Menschen aber mussten bleiben und wurden, weil stets noch mehr Einwanderer über den Ozean kamen, immer zahlreicher. Immer dichter lebten sie beieinander in eilends erstellten Häusern, die immer breiter und rascher in die Höhe wuchsen und bald lückenlos und himmelhoch beieinanderstanden. Ihre Bewohner aßen und tranken im Takt, den die Maschinen ihnen vorgaben, und sie redeten, liefen und schliefen in ihrem Takt.

Die Maschine war zum Maß aller Dinge geworden und auch zum Maß alles Menschlichen. Wer überleben wollte in dieser globalisierten Maschinenwelt, in der Grenzen sich auflösten, neue Eliten die alten verdrängten und jahrtausendealte Glaubensbekenntnisse in Bedeutungslosigkeit versanken, musste selbst zur Maschine werden. Erfolgreich waren die Ausdauernden, Effizienten und Zuverlässigen, die zu jedem beliebigen Zeitpunkt das von ihnen geforderte Resultat in verlangter Quantität und Qualität ablieferten. Bewundert und geliebt wurden die Maschinenmenschen, die nichts in Zweifel zogen und keine Fragen stellten, sondern sich auf ihre Aufgabe fokussierten und aus gegebenem Rohmaterial in kürzestmöglicher Frist maximale Resultate erzielten. Sie wurden belohnt mit einem schönen Anteil am Mehrwert, den sie im Verbund mit den Maschinen erwirtschafteten. Sie wohnten in prächtigen, angenehm beheizten Häusern mit Wasserklosetts und goldenen Wasserhähnen, aus denen rund um die Uhr Williamsburger Quellwasser in unbegrenzter Menge floss, und sie ernährten sich gesund und konnten schöne Kleider kaufen.

Die anderen aber, die Schwachen und die Träumer, die Alten und die Schrägen, die Widerspenstigen und die Unzuverlässigen, die Zögerer und die Zauderer, hausten wie im Mittelalter in dunklen, feuchten Löchern, erleichterten sich in Nachttöpfe und tranken brackiges Wasser aus Regentonnen.

Susanna wusste das alles. Sie hatte das Elend in den Zeltstädten und Barackenbuden der Neuankömmlinge gesehen. Es war ihr bewusst, was für ein Glück sie hatte, dass sie sich nie an die Maschine hatte verkaufen müssen und trotzdem jederzeit eine Ananas aus Florida anschneiden konnte. Sie hatte ein gesundes Kind und ausreichend Geld, keine körperlichen Beschwerden und mit vierzig Jahren noch immer ein vollständiges Gebiss, und auch ihre Mutter war immer noch einigermaßen wohlauf und guter Dinge.

Aber die Tage vergingen einförmig, nichts ereignete sich, was der Erinnerung wert gewesen wäre.

Derweil ging es draußen in der Welt turbulent zu. Die Russen marschierten in Afghanistan ein. Frankreich verwies alle Prinzen der Häuser Orléans und Bonaparte des Landes. In der New Yorker Hafeneinfahrt wurde die Freiheitsstatue eingeweiht. In Deutschland erfand Gottlieb Daimler das Motorrad und Carl Benz das Automobil. Susannas Leben aber war zum Stillstand gekommen. Schwer zu sagen, wann das geschehen war. Nach der Scheidung von Claude vielleicht oder bei Christies Geburt. Übrigens lief ihr Geschäft nicht mehr so rund. Die Nachfrage nach gemalten Porträts schwand, weil die Fotostudios nun lebensgroße, mit Aquarellfarben kolorierte Porträts anboten und diese auf Wunsch auch gleich mit einem Goldrahmen versahen.

Gewiss konnte man sagen, dass Susanna wesentlich schlimmere Strafen hätten blühen können, als ein glückliches Kind beim Heranwachsen zu begleiten, ihrer Mutter abends Kräutertee ans Bett zu bringen und alle zwei Wochen ein Ölgemälde anzufertigen. Vielleicht war es ja normal und lag in der natürlichen Ordnung der Dinge, dass die Kreise enger wurden. Vielleicht war es wahr, was Dostojewski in den *Dämonen* geschrieben hatte, dass nämlich die zweite Hälfte menschlichen Lebens sich aus Gewohnheiten zusammensetze, die man in der ersten Hälfte erworben habe. Und anzunehmen war, dass Susanna, falls sie jemals die Anlage zu großen, mutigen Taten gehabt hatte, diese in der ersten Hälfte ihres Lebens hätte vollbringen oder zumindest in Angriff nehmen müssen.

Alles klar, dachte sie zuweilen, wenn sie das elektrische Licht in ihrem Schlafzimmer löschte. Ihr habt mich erwischt. Keine Ahnung, wie das geschehen konnte. Aber keine Sorge, ich bleibe. Bis auf Weiteres.

TRAURIG UND STOLZ, ABER GROSS UND BUNT

Es geschah über Nacht, dass in allen Straßen Brooklyns Plakate aufgehängt wurden. Christie entdeckte sie morgens auf dem Schulweg. In der Pause sprachen die Kinder über nichts anderes. Als Christie am Nachmittag nach Hause kam, rief er schon unter der Tür nach seiner Mutter, und dann fing er an zu betteln und hörte nicht mehr auf damit. Er bettelte beim Abendessen und am folgenden Morgen beim Aufstehen, und er bettelte während des Frühstücks, dann wieder beim Abendessen und vor dem Einschlafen und am nächsten Morgen vor dem Aufstehen aufs Neue.

Susanna sagte »Nein« und »Nein« und abermals »Nein«.

»Aber Mama«, sagte Christie. »Alle meine Schulkameraden gehen da hin.«

»Mag sein«, gab Susanna zur Antwort. »Aber wir nicht. Ganz sicher nicht.«

»Wenn das so ist, mag ich nichts mehr essen.«

»Wie du willst.«

»Ich werde nie wieder Hunger haben.«

»Und ich werde dich nicht zum Essen zwingen.«

Am nächsten Tag kam Christie mit einem Plakat nach Hause, das er an einer Straßenbahnstation abgenommen hatte, als gerade niemand hinsah. Er hängte es in seinem Zimmer an die Tür. Es waren Cowboys und Büffel darauf abgebildet und Apachen und eine Postkutsche.

»Bitte, Mama. Alle meine Freunde haben schon Tickets.«

»Kommt nicht infrage«, sagte Susanna. »Schlag dir das aus dem Kopf.«

»Aber Mama, da sieht man echte Cowboys! Und echte Sioux, Mohawk und Apachen!«

»Das ist es ja.«

»Die sind wirklich echt!«

»Es sind Menschen«, sagte Susanna. »Und man führt sie vor wie Zirkuspferde.«

»Da gibt's auch Büffel und Elche. Und jede Menge Pferde.«

»Lass gut sein. Das ist mein letztes Wort.«

So ging das zwei Monate lang.

Es half auch nichts, dass Christie ihr das Blaue vom Himmel versprach – Bestnoten in der Schule, unlimitierte Mithilfe im Haushalt, grundsätzliches Wohlverhalten in allen Lebenslagen –, Susanna schüttelte den Kopf.

»Kommt nicht infrage«, sagte sie. »Wir gehen da nicht hin. Den Mist schauen wir uns nicht an.«

»Aber Mama.«

»Das unterstützen wir nicht. Niemals. Nicht mit meinem Geld. Und auch sonst in keiner Weise.«

Schließlich sah Christie ein, dass er auf verlorenem Posten stand. Er ließ alle Hoffnung fahren und versank in Schwermut. Der Herbst verging. Die Bäume verloren ihre Blätter. Die Tage wurden kurz, die Nächte lang. Kraft- und freudlos schleppte der sonst so fröhliche Junge sich dahin. Seine Leistungen in der Schule ließen nach. Wenn man ihn ansprach, antwortete er einsilbig. Die Abende verbrachte er bäuchlings im Salon zwischen Esstisch und Kaminfeuer, das Gesicht in die Fransen des Teppichs vergraben.

Schließlich ertrug die Großmutter das Elend nicht länger. Wortlos schritt sie zur Garderobe und zog ihren Mantel an, nahm die Handtasche vom Haken und lief los, um beim Zigarrenhändler um die Ecke drei Karten für Buffalos Bills *Wild West Show* zu kaufen, die den ganzen Winter über im Madison Square Garden gastierte.

So saßen Christie, Susanna und Maria an einem Samstag spät im November des Jahres 1886 in der ersten Reihe in einer privaten Box inmitten von zehntausend erwartungsfrohen Zuschauern. Sie waren in Wolldecken gewickelt, die auf den Korbstühlen bereitgelegen hatten, ihre Atemluft stand ihnen in kleinen Wolken vor den Gesichtern.

Die offene Arena lag im Dämmerlicht, es roch nach Tieren, Nebel und nassem Feuerholz. Schemenhaft waren ein paar Bäume zu erkennen, da und dort eine Scheune oder ein Stall, im Hintergrund felsige Hügel; noch weiter hinten, aufgemalt auf fünfzehn Meter hohen und fünfzig Meter langen Kulissen, schroff und schneebedeckt die Rocky Mountains. Aus aufgemalten Bäumen ragten, um die Illusion zu verstärken, echte Äste in die Arena hinein; vor den aufgemalten Farmhäusern standen echte Scheunen und Ställe, und das aufgemalte Bächlein, das hoch oben im Gebirge entsprang, plätscherte zu Füßen der Zuschauer ganz fröhlich und lebensecht über die Bühne; man hätte sich nicht gewundert, wenn Forellen hochgesprungen wären.

Christie war am Ziel seiner Träume und ekstatisch glücklich, er konnte nicht still sitzen. Maria war ebenfalls glücklich; sie freute sich über das Glück ihres Enkels. Susanna aber verdrehte die Augen in Erwartung dessen, was sie in den nächsten zwei Stunden über sich würde ergehen lassen müssen.

Pünktlich um acht schmetterte eine Fanfare ein Signal. Auf den Zuschauerrängen wurde es dunkel. Über die Arena ergoss sich mildes elektrisches Morgenlicht.

Unsichtbar aus dem Off kündigte ein Sprecher an, was auf dem Programm stand.

DAS DRAMA DER ZIVILISIERUNG

Erster Akt:
Der Urwald in präkolumbianischer Zeit

Scheu lugen zwei Hirsche zwischen den Bäumen hervor, dann wagen sie sich aus dem Unterholz. Vorsichtig nähern sie sich der Wasserstelle. Eine Herde Elche folgt ihnen. Irgendwo in den Kulissen ist ein Orchester versteckt. Leise singen Geigen und Celli, ein Pikkolo trällert etwas Frühlingshaftes. Die Elche und Hirsche saufen friedlich Seite an Seite.

Plötzlich dräuen die Kontrabässe, es grollen die Pauken – durch eine unsichtbare Lücke in der Kulisse tritt eine Horde Sioux auf den Plan. Grimmige Gesichter, zu höhnischen Grimassen verzerrt. Nackte Torsi, muskulöse braune Schenkel. Knappe Wildlederfetzen um die Lenden, Furcht einflößende Körperbemalung. Die Sioux spannen ihre Bögen. Ein Schwarm Pfeile regnet auf die Elche und die Hirsche nieder. In heller Panik stieben sie auseinander.

Gleiches Bild, nächste Szene. Die Sonne geht auf. Ein Trupp Sioux schleicht von links durchs Unterholz, ein Trupp Cheyenne nähert sich von rechts durchs Unterholz. An der nunmehr verlassenen Wasserstelle treffen sie aufeinander. Sie sind einander feindlich gesinnt, ein Kampf scheint unausweichlich. Aber da – die beiden Häuptlinge halten ein Powwow ab. Der eine heißt laut Programmheft Blooming Thunder, der andere Hole-in-the-Ground. Sie rauchen die Friedenspfeife. Ein gemeinsamer Kriegstanz folgt, unterbrochen von einem Angriff der Pawnee unter der Führung ihres grimmigen Häuptlings No-Bugs-on-Me. Messer blitzen auf. Steinäxte werden geschwungen. Pfeile sirren durch die Luft. Es ist ein wirres Gemetzel, jeder kämpft gegen jeden. Immer zahlreicher liegen die Toten in künstlichem Blut. Dann wird es still. Licht aus. Ende des ersten Akts.

Zweiter Akt:
Die Prärie

Ein Dutzend Bisons säuft friedlich am Wasserloch. Wiederum singen die Geigen, eine Altstimme besingt Gottes freie Natur. Da zerfetzt Buffalo Bills Jagdruf die friedliche Ruhe, fröhlich knattern die Schüsse aus seiner Winchester. Die Bisons flüchten.

Im Hintergrund schnauft eine Dampflok durch die Szenerie. Sie zieht zwei Waggons mit Emigranten hinter sich her. Bärtige Männer, Frauen mit Kopftüchern und Kinder in pittoresken Lumpen lehnen aus den Fenstern. Hoffnungsfroh blicken sie westwärts, dem Sonnenuntergang und der neuen Heimat entgegen.

Dann holpern sechs Planwagen durch die Prärie, sie werden von Ochsen gezogen. Hinter ihnen Esel, Maultiere und Ziegen. Die Sonne verschwindet hinter den Bergen, es wird Abend. Die Planwagen bilden eine Wagenburg. Zugtiere werden abgeschirrt, Suppentöpfe über Lagerfeuer gehängt. Frauen betten ihre Kinder zur Nacht, ein Priester liest aus der Bibel vor. Dann wird es dunkel. Alles schläft. Zwei Minuten später ein fernes Glimmen am Horizont, das heller und größer wird –

ein Buschfeuer! Alarm! Rasend schnell kommt die Feuerwand näher. Flammen lodern auf, Rauch wabert über die Bühne. In der Wagenburg rennen Mensch und Vieh durcheinander. Männer, Frauen und Kinder schöpfen mit Eimern Löschwasser aus der Quelle. Der Kampf gegen das Flammenmeer ist aussichtslos. Wiederum donnern unsichtbar die Pauken, immer bedrohlicher grollen die Bässe. Dann plötzlich: Stampede! Alles flieht in wildem Durcheinander vor dem Feuer – die Hirsche und die Bisons, die Mustangs und die Ponys und die Ochsen und die Esel, dann auch die Sioux und der Priester und die Pioniere. Die Bühne verschwindet hinter einer dichten Wand aus Rauch. Stille macht sich breit. Licht aus.

Dritter Akt:
Die Rinderfarm

Gezeigt wird der Arbeitsalltag der Cowboys in all seinen burlesken Facetten. Ein schnauzbärtiger Bursche mit breitkrempigem Hut und weiter Lederhose reitet einen bockenden Mustang. Er wird abgeworfen und steigt wieder auf, wird abgeworfen und steigt wieder auf. Ein anderer Bursche fängt mit dem Lasso ein Rind, ringt es in den Staub und fesselt ihm die Läufe mit einem Kälberstrick.

Dann Kriegsgeschrei, dass einem das Blut in den Adern gefriert. Comanchen und Kiowa greifen die Rinderfarm an. Wiederum hebt ein Gemetzel an. Pulverdampf vernebelt die Szene, Revolver und Gewehre knallen. Die Cowboys wehren sich tapfer, sind aber hoffnungslos in der Unterzahl. Ihr Schicksal scheint besiegelt. In letzter Minute naht in gestrecktem Galopp die Rettung – Buffalo Bill persönlich, gefolgt von einem Trupp Kavallerie. Mit vereinten Kräften schießen Cowboys und Soldaten die Comanchen und die Kiowa nieder.

Vierter Akt:
Das Bergarbeiter-Camp

Eine Zeltstadt irgendwo im Wilden Westen, eine staubige Straße führt mittendurch. Die Männer arbeiten hart in den Gold- und Silberminen, aber sie haben auch Spaß. Einer sitzt in einer Baumkrone und spielt auf einer Fiedel den »Yankee Doodle«, ein Betrunkener torkelt über die Straße und schwingt seine Flasche. Zwei Kerle duellieren sich mit Revolvern, einer sinkt tödlich getroffen in den Staub. Schnell wie der Wind fegt der Pony-Express durch die Szenerie. Düstere Gestalten lauern im Gebüsch. Gewehrläufe blitzen, Pferde wiehern. Ein Baumstamm fällt auf die Straße und versperrt der Kutsche den Weg. Die düsteren Gestalten springen herbei und durchwühlen Kisten, Koffer und Postsäcke, dann plündern sie die Passagiere aus und lachen dazu ihr irres, böses Banditenlachen. Nach vollbrachter Tat preschen sie mit der Beute davon, grausam prügeln sie auf die Pferde ein. Sie reiten in einen auf die Kulisse gemalten Canyon und verschwinden hinter einer Felsnase aus Pappmaché durch einen unsichtbaren Bühnenabgang. Ihr Gelächter verliert sich hinter den Kulissen. Wiederum senkt sich die Nacht über die Arena. Die geplünderte Postkutsche steht verlassen auf der Straße, die Bergarbeiter schlafen; ihre Zelte sind nur noch in Umrissen zu sehen. Dann glimmt ein Wetterleuchten am Horizont, ein ferner Donner grollt. Ein gewaltiger Sturm hebt an, technisch eindrücklich herbeigeführt mit einer Reihe mannsgroßer, elektrischer Propeller, die versteckt zwischen den Bäumen stehen. Der Orkan reißt die Zelte der Minenarbeiter in Fetzen. Alles, was nicht niet- und nagelfest ist, fliegt davon. Die Postkutsche kippt zur Seite, die Bäume biegen sich im Sturm. Fünf Banditen, lebensecht dargestellt durch baumwollgefüllte Puppen, wirbeln durch die Luft und verschwinden hinter den Kulissen. Als das Bergarbeiter-Camp vollständig dem Erdboden gleichgemacht ist und nichts sich mehr bewegt, gehen alle Lichter aus.

Ende der Vorstellung.

Tosender Applaus.

Am Ausgang zerrte Christie Maria und Susanna zu den Souvenirständen, an denen man Tomahawks und Friedenspfeifen, Lassos und Holzpistolen und ähnliche Dinge kaufen konnte. Er wünschte sich einen Cowboyhut. Susanna fand ihn zu teuer, aber mit etwas Preiswerterem wollte Christie sich nicht zufriedengeben. Schließlich war es wiederum Maria, die Frieden stiftete und ihre Geldbörse aus der Tasche zog. Während sie in der Schlange vor der Kasse stand, betrachtete Christie den Ständer mit den Ansichtskarten. Die kolorierten Karten kosteten fünfzig Cent, die schwarz-weißen zwanzig Cent. Sie trugen folgende Unterschriften:

Indianerkrieger mit Tomahawk.
Indianerfrau mit Kleinkind.
Indianerhäuptling Crow Eagle.
Indianerhäuptling Frisking Elk.
Cowboy mit Lasso.

Indianertrupp beim Regentanz.

Cowboy mit Brandeisen.

William F. Cody alias Buffalo Bill auf Büffeljagd.

Cowboy mit Revolver.

Buffalo Bill am Lagerfeuer.

Buffalo Bill im Sattel.

Buffalo Bill mit Sternenbanner.

Buffalo Bill mit Indianerhäuptling Sitting Bull im Birkenwald.

Buffalo Bill allein im Birkenwald.

Indianerhäuptling Sitting Bull allein im Birkenwald.

Christie fragte seine Großmutter, ob er nebst dem Cowboyhut auch eine Karte haben dürfe. Aber ja, sagte Maria, such dir eine aus. Christie schwankte lange zwischen Buffalo Bill am Lagerfeuer und Sitting Bull im Birkenwald.

Die Aufnahme, für die Christie sich nach langem Abwägen entschied, zeigt Sitting Bull im Halbprofil mit prächtigem Federschmuck und einem geliehenen Fransenkostüm, das ihm ganz offensichtlich einige Nummern zu groß ist. In den Händen hält er eine Winchester, sein Blick ist stolz und hoffnungslos in die Ferne gerichtet. Im Hintergrund sieht man eine Leinwandkulisse mit aufgemalten Birken. Nun ist es eine Tatsache, dass in den Great Plains, wo Sitting Bull zu Hause war, keine Birken wachsen; in Kanada aber schon. Tatsächlich verbrachte der Chief den Sommer 1885 in Quebec. Das Bild entstand Mitte August in Montreal im Studio des Fotografen William Notman, dessen Werke heute unter Sammlern zu hohen Preisen gehandelt werden.

Sitting Bull hatte sich verpflichtet, vier Monate lang mit

Buffalo Bills *Wild West Show* in Kanada auf Tournee zu gehen. Man kann vermuten, dass er für seine Reise nach Montreal die Eisenbahn über Bismarck, Minneapolis und Chicago nahm. Neun Jahre war es erst her, dass er mit seinen berittenen Kriegern am Little Bighorn General Custers Armee vernichtend geschlagen hatte; jetzt fuhr er dritte Klasse und tingelte als Zirkusattraktion von Stadt zu Stadt.

Sein Honorar betrug fünfzig Dollar die Woche; hinzu kam ein einmaliger Bonus von hundertfünfundzwanzig Dollar. Zudem hatte er das Recht, Erinnerungsfotos, Ansichtskarten und Autogramme auf eigene Rechnung zu verkaufen. Sitting Bull brauchte das Geld. Die Lakota litten Hunger im kargen Reservat, in das die Armee sie nach ihrer Rückkehr aus Kanada gesperrt hatte.

Die *Wild West Show* gastierte von Montag, 10. August, bis Samstag, 15. August 1885, in Montreal. Der Eintritt betrug fünfzig Cent, Kinder zahlten die Hälfte. Es gab eine Nachmittags- und eine Abendvorstellung, alle waren ausverkauft. Sitting Bull war der Stargast, in großen Lettern stand sein Name neben jenem Buffalo Bills. Sein Auftritt bestand darin, dass er kurz vor der Pause auf einem Zirkuspferd unter dem Applaus des Publikums durch die Arena ritt, würdevoll nach allen Seiten grüßte und sich bestaunen ließ als der gebändigte und gezähmte Wilde, der dem Weißen Mann die letzte große Niederlage zugefügt hatte. Dann brachte er das Zirkuspferd zum Stehen, das Buffalo Bill ihm geschenkt hatte, und hielt eine Ansprache. Er sprach laut und deutlich und mit fester Stimme, aber weil er nicht Englisch oder Französisch, sondern Lakota sprach, konnte ihn kaum jemand verstehen. Manche Zeitzeugen sagten später, er habe die Öffentlichkeit der Zirkusarena genutzt, um eine Brandrede gegen den Weißen Mann zu halten, der seinem Volk mit Lüge und Betrug alles Land gestohlen und es mit dem Hinschlachten der Bisons vorsätzlich in den Hungertod getrieben habe; weil ihn aber eben niemand verstand, gibt es keine verlässlichen Aufzeichnungen.

Es muss an einem Vormittag in jener Woche gewesen sein, dass er mit William Cody zu Notmans Fotostudio fuhr. Sie streiften ihre bunt bestickten Bühnenkostüme über und stellten sich vor die Kulisse mit dem aufgemalten Birkenwald, dann posierten sie allein und zu zweit, wechselten mehrfach Kleidung und Kulisse und nahmen später noch Leute mit aufs Bild, deren Namen heute niemand mehr kennt. Am Mittag gab Buffalo Bill das Zeichen zum Aufbruch. Es war Zeit, zum Zirkusgelände zurückzufahren. Um halb vier fand die nächste Vorstellung statt.

Auf der nächtlichen Heimfahrt mit der Straßenbahn von Manhattan nach Brooklyn erregte Christie einiges Aufsehen mit seinem weißen Cowboyhut, den er keck auf den blonden Locken trug. Kleine Mädchen musterten ihn aus den Augenwinkeln, fremde Männer zwinkerten ihm zu und zielten auf ihn mit Pistolen, die sie aus Daumen und Zeigefingern formten. Die Straßenbahn fuhr über die Brooklyn Bridge, links und rechts leuchteten die Lichterketten. Christie nahm seine Ansichtskarte aus der Manteltasche.

»Mama.«

»Was?«

»Nichts.«

»Sag schon.«

»Wie findest du das Foto?«

»Traurig. Und du?«

»Toll. Der Häuptling ist toll.«

»Ich finde ihn traurig.«

»Aber auch toll. Traurig und toll. Und stolz. Nur schade, dass das Bild so klein ist.«

»So sind diese Fotos nun mal. Klein und grau.«

»Du, Mama.«

»Ja?«

»Könntest du bitte das Bild für mich groß machen?«

»Klar. Mach ich. Es ist ja bald Weihnachten. Ich male für dich einen großen, bunten Häuptling, ja? Ich mache ihn groß und bunt und fröhlich.«

»Nein.« Christie schüttelte seine blonden Locken. »Bitte nicht fröhlich.«

»Du willst ihn traurig?«

»Traurig und stolz. Wie auf dem Foto. Aber groß und bunt.«

Am nächsten Morgen machte Susanna sich ans Werk. Christie stand daneben und gab acht, dass seine Mutter sich an die Vorlage hielt. Besonders wichtig waren ihm die detailgetreue Ausführung des Federschmucks, des Gewehrs und der Stickereien am Hemd. Hingegen machte es ihm nichts aus, dass seine Mutter die Bildkomposition anreicherte, indem sie eine zweite Birke hinzufügte, die schräg aus dem Bild hinauswuchs; zudem veränderte sie den Neigungswinkel des Gewehrs so, dass dessen Lauf nicht mehr geradeaus auf einen unsichtbaren Feind zielte, sondern friedfertig in die Baumkronen gerichtet war.

Dieses Gemälde ist, soweit bekannt, nebst einem zweiten Porträt Sitting Bulls das einzige erhaltene Bild von Susannas Hand. Zu besichtigen ist es in Bismarck, North Dakota, in der ständigen Ausstellung des State Museum. Es ist ein eher starres, ungelenkes Werk. Man kann sich nicht vorstellen, dass Susanna sonderlich stolz darauf war. Aber als Schmuck für Christies Kinderzimmer muss es sich prachtvoll gemacht haben. Er hängte es übers Bett. Manchmal brachte er Schulfreunde nach Hause, um ihnen das Bild zu zeigen. Und nachts, wenn er schlief, wachte Sitting Bull über seine Träume.

Susanna hatte gehofft, dass Christies Obsession bald abflauen würde. Das geschah nicht, im Gegenteil. Er sprach von nichts anderem, dachte an nichts anderes, las von nichts anderem und träumte von nichts anderem mehr. Immerhin war er wieder fröhlich und arbeitete gut in der Schule. Aber wenn es Abend wurde, saß er still am Kamin und schaute versonnen in die Flammen, und wenn er doch einmal den Mund aufmachte, sprach er immer nur von Büffeln und Banditen, Klapperschlangen und Viehdieben. Es war, als hätte seine Seele, vertrieben aus der Traumwelt der Kindheit und noch nicht angelangt in jener des Jünglings, in den Plains des Mittleren Westens eine vorübergehende Heimat gefunden. Sein Horizont waren die Rocky Mountains, seine Freunde die Viehtreiber und Goldgräber und seine Feinde die Pumas, Klapperschlangen und Kopfgeldjäger.

Susanna versuchte vergeblich, ihn auf andere Gedanken zu bringen. Sie nahm ihn mit ins Theater, ins Museum und ins Konzert. Christie ging willig mit, aber auf dem Heimweg sprach er dann doch wieder über Grizzlys, Dampfloks und Salzseen. Und wenn sie ihn nötigte, in der Schulbibliothek wieder mal ein Buch auszuleihen, brachte er unvermeidlich einen Roman von James Fenimore Cooper nach Hause.

In der zweiten Januarwoche bemerkte Susanna, dass etwas in der Luft lag im braunen Sandsteinhaus. Ihre Mutter und ihr Sohn kicherten hinter ihrem Rücken und warfen einander komplizenhafte kleine Blicke zu. Am Montag war sie sich noch nicht sicher, am Dienstag dann schon. Am Mittwoch stellte sie die beiden zur Rede; sie gaben sich unschuldig und ahnungslos. Am Donnerstag hörte Susanna sie wieder tuscheln im Treppenhaus. Da wusste sie, dass etwas im Busch war. Sie schaute ihnen misstrauisch hinterher, als sie am Samstag zu ihrem gewohnten Spaziergang aufbrachen, und saß stundenlang wie auf Nadeln, weil die beiden ungewohnt lang wegblieben. Und als sie lang nach Anbruch der Nacht kichernd und glucksend endlich heimkamen, bemerkte Susanna auf den ersten Blick, dass Christie etwas hinter seinem Rücken versteckte. Es war eine Friedenspfeife, reich mit Glasperlen verziert und angeblich echt.

Von da an gingen Maria und Christie ganz ohne Heimlichtuerei jeden Samstag zur *Wild West Show*, und an den Wochentagen dazwischen redeten sie von nichts anderem. Es gab nichts, was Susanna dagegen tun konnte. Ihre moralischen, erzieherischen und pekuniären Einwände verhallten ungehört. Christie war glücklich, und darüber freute sich Maria. War dagegen etwas auszurichten? Immerhin hatte es mit dem konspirativen Getuschel ein Ende.

Auf dem East River trieben Eisschollen, der Schnee lag schwarz auf den Gehsteigen. Jeden Samstag verschwanden Christie und Maria durch die Haustür und kehrten abends wieder. Susanna staunte über ihre Ausdauer. An den Straßenrändern schmolzen die Schneehaufen, in den Vorgärten sprossen die Primeln, und Christie brachte immer neue Kostbarkeiten vom Souvenirstand nach Hause. Sein Zimmer füllte sich mit Streitäxten, Glasperlen und bunten Satteldecken. An einem Freitagabend Ende Februar fragte Susanna ihre Mutter, wie lange das noch dauern solle.

»Nur bis Ende März, Liebes.«

»Dann ist Schluss?«

»Dann zieht die Show weiter nach Atlantic City.«

»Aber Mama.«

»Er freut sich so«, sagte Maria. »Was soll ich denn machen.«

»Trotzdem.«

»Er kann alles auswendig, weißt du? Er spricht die Ansagen des Speakers mit und sagt mir ständig, was als Nächstes passieren wird. Und dann ist er glücklich, dass es tatsächlich passiert. Du solltest wieder mal mitkommen. Kommst du?«

»Ganz sicher nicht.«

»Du solltest sehen, wie glücklich er ist. Ich bin dann auch glücklich. Es macht mich glücklich, ihn glücklich zu machen. Verstehst du? Ich will ihm noch etwas mitgeben.«

Tatsächlich waren es glückliche Wochen im braunen Sandsteinhaus. Christie knüpfte abends vor dem Kamin Armbänder aus Glasperlen, Maria nahm ihre alte Geige hervor und versuchte sich am »Yankee Doodle«. Susanna musste zugeben, dass es den beiden gut ging. Also war auch sie zufrieden.

Auffällig war nur, dass ihre Mutter nun immer öfter dem gemeinsamen Abendessen fernblieb; und wenn sie doch am Tisch saß, schöpfte sie für sich nur eine Handvoll und schob diese von einem Tellerrand zum anderen, ohne wirklich etwas zu essen. Immer öfter schaute sie beiseite, als hätte sie etwas vergessen und versuche sich zu erinnern, was es gewesen war. Sie trank auch kaum mehr und magerte rasch ab. Die Geige blieb im Kasten. Ihre Hände wurden zu Vogelkrallen, immer tiefer gruben sich Falten und Furchen in ihre brüchige, durchscheinend gewordene Haut, die ihr zu groß geworden zu sein schien. Es war, als schrumpfte sie darunter und schrumpfte und schrumpfte bis zum spurlosen Verschwinden.

Und so geschah es. In ihren letzten Tagen war Maria ein zufrieden lächelndes Phantom, eine durchscheinende Erinnerung an sich selbst. Sie ging nicht mehr aus dem Haus, verließ nur noch selten ihr Zimmer und redete kaum mehr. Sie starb am 8. April 1887, zehn Tage, nachdem Buffalo Bill mit seiner Zirkuskarawane die Stadt verlassen hatte. Als Susanna ihre Mutter fand, lag sie im Bett wie eine kleine, gelbe Wachspuppe. Unter ihrem papiernen Gesicht zeichnete sich ein erstaunlich kleiner Schädel ab, ihre Arme lagen dünn und leicht wie Reisigbündel auf der Decke, und dazwischen, wo sich ihre Brust befinden musste, war die Decke flach und glatt, als wäre gar nichts mehr darunter. Der Bestatter würde nicht viel vorfinden, womöglich brauchte man ihn gar nicht herzubestellen. Vielleicht würde es genügen, das Fenster zu öffnen und zu warten, bis ein Luftzug die zu Staub zerfallenen Überreste an die frische Luft trug und dem Wind übergab, der sie mitnehmen würde hoch hinaus über die Dächer der großen Stadt und in weitem Hauch westwärts über den ganzen Kontinent.

DAS SEIL

Es ist ein Erkennungsmerkmal der größten, schönsten und aufregendsten Städte dieser Welt – wobei die kleinen, hässlichen und langweiligen Orte nicht anders sind –, dass man nach längerem Verweilen kaum mehr von ihnen fortkommt. Paris oder Rom zum Beispiel, Tortona oder Wuppertal oder Krasnojarsk – diese Orte sind wie Treibsand. Wenn man sie rasch durchquert und alles Sehenswerte kurz besichtigt, dann vielleicht noch auf die Schnelle einen Happen isst und anschließend macht, dass man wieder Land gewinnt, kann alles gut gehen; man bleibt frei, auch den Rest der Welt zu erkunden. Verweilt man hingegen länger oder lässt sich gar nieder, und sei es nur vorübergehend, wie man meint, ist alles verloren. Denn ehe man es sich versieht, sinkt man ein, steckt fest und kommt nicht mehr los, und je heftiger man strampelt, desto rascher und tiefer sinkt man ein. Widerstand ist zwecklos. Die einzig vernünftige Verhaltensweise besteht darin, stillzuhalten und auf Hilfe von außen zu hoffen. Oder mit seinem Schicksal Frieden zu schließen.

Unmittelbare Lebensgefahr besteht nicht. Es ist ein Märchen aus Wildwestfilmen und physikalisch unmöglich, dass man im Treibsand gänzlich untergeht und erstickt. Weil das spezifische Gewicht des Menschen nur halb so groß ist wie jenes von Sand, versinkt unsereiner nur bis zur Leibesmitte und dümpelt mit der anderen Hälfte obenauf wie ein Korken im Wasser. Aber man bleibt stecken, das ist wohl wahr, und kann sich aus eigener Kraft nicht mehr befreien. Mittelfristig drohen Unterkühlung, Durst und Hunger, allenfalls auch Angriffe durch Hyänen, Schakale oder Großkatzen.

Bald vierzig Jahre war es nun her, dass Susanna mit dem Einwandererschiff in New York angelangt war. Sie hatte in Brooklyn Fuß gefasst, sich niedergelassen und Wurzeln geschlagen, war herangewachsen und hatte gelebt, geliebt und gearbeitet. Dabei hatte sie von frühester Jugend an sorgfältig darauf geachtet, immer frei und unabhängig zu bleiben und sich keinesfalls von Arbeitgebern, Ehemännern oder anderen Schindern in Kettenhaft nehmen zu lassen. Bei allem Willen zur Selbstständigkeit aber hatte sie den Treibsand außer Acht gelassen, in dem sie allmählich und unmerklich, aber unaufhaltsam einsank. Jetzt war sie eine Frau mittleren Alters mit einem Haus und einem Kind und einer laufenden Rechnung beim Gemüsehändler, und sie besaß ein Jahresabonnement für das Metropolitan Museum of Art, kannte das Streckennetz wie auch den Fahrplan der städtischen Straßenbahn auswendig und trank jeden Morgen einen Cappuccino bei Roberto's.

Als junges Mädchen hatte sie zuweilen davon geträumt, eines Tages alles hinter sich zu lassen und ferne Welten zu erkunden. Jetzt gab es für sie kein Entkommen mehr, sie steckte fest in der größten, reichsten und aufregendsten Stadt der Welt. Ihre Kundschaft hatte sie in Manhattan und ihre Freunde im Greenwich Village, und ihr Sohn besuchte die Elementary School in Brooklyn, und von Dienstag bis Sonntag hatte sie freien Zutritt zu den besten Museen, Konzertsälen, Bibliotheken und Galerien. Natürlich hatte sie wie jeder vernünftige Mensch ab und zu den Koller, dann wünschte sie alles zum Teufel und malte sich aus, wie es wäre, den ganzen Krempel hinzuschmeißen und irgendwo weit weg noch mal von vorne anzufangen. Wenn sie aber in Ruhe darüber nachdachte, kam sie doch jedes Mal zum Schluss, dass sie nirgendwo anders leben wollte. Susanna liebte ihre Stadt. Sie liebte den Duft des nassen Kopfsteinpflasters und den Überflug der Graugänse, die Eisschollen auf dem East River und die Nebelhörner der Lastkähne und die Lichter am Broadway und das Kreischen der Straßenbahn in der lang gezogenen Kurve hinauf zur Brooklyn Bridge.

Und selbst wenn sie den Willen aufgebracht hätte, sich loszumachen unter äußerster Kraftanstrengung: Wohin hätte sie gehen sollen? Etwa in eine kleinere Großstadt, in der die Wolkenkratzer halb so hoch waren? Aufs Land hinaus vielleicht, zu den Kühen und den Gummistiefeln, wo die Skyline von Futtersilos, Apfelbäumen und Windrädern gezeichnet wurde? Oder vollends in eine Kleinstadt, wo schon Lehrer als Intellektuelle galten und Apfeldiebe als Schwerverbrecher? Weshalb hätte Susanna sich das antun sollen?

Wenn man im Treibsand steckt, muss man wie gesagt darauf hoffen, dass einem jemand mit einem Ast oder einem Seil zu Hilfe eilt. Tritt dieser Fall gegen alle Wahrscheinlichkeit tatsächlich ein, ist es unbedingt geboten, nicht zu zaudern und keine unnötigen Fragen über das Wieso und Woher und Warum der Hilfeleistung zu stellen, sondern das Rettungsmittel umgehend zu ergreifen und sich möglichst rasch auf festen Grund zu begeben.

In Susannas Fall war es ihre Mutter, die ihr das Seil postum zuwarf. Bei der Testamentseröffnung stellte sich nämlich erstens heraus, dass Maria, verwitwete Valentiny, geschiedene Faesch, geborene Marti, bis zuletzt eine kluge und umsichtige Verwalterin ihrer Anteile am alten Familienvermögen gewesen war und dass sie zweitens ihre Tochter zur Alleinerbin bestimmt hatte. Susanna hatte nun plötzlich sehr viel Geld auf dem Konto und ein schönes Bündel äußerst solider Kohle-, Eisenbahn- und Erdölaktien im Wertschriftendepot, und das braune Sandsteinhaus, dessen Wert sich im anhaltenden Immobilienboom der letzten Jahrzehnte vervielfacht hatte, war ebenfalls in ihren Besitz übergegangen.

Es dauerte ein paar Tage, bis ihr klar wurde, in welchem Maß sie nun frei war von materiellen Pflichten und Zwängen. Susanna konnte tun und lassen, was ihr gefiel, und gehen, wohin sie wollte – die Welt stand ihr offen. Jetzt war die Gelegenheit, den Amazonas zu befahren und den Grand Canyon zu durchqueren. Sie konnte Europa besuchen, an einer Expedition in die Arktis teilnehmen, eine Weltreise unternehmen. Das Geld auf der Bank würde, falls sie unterwegs keine allzu großen Dummheiten anstellte, für viele Jahre und mehrere Erdumrundungen reichen, und dann würde immer noch genügend vorhanden sein für eine friedliche Existenz an einem Ort ihrer Wahl bis ans Ende ihrer Tage. Sie brauchte nur den Koffer zu packen und das braune Sandsteinhaus zu verriegeln, Christie von der Schule abzuholen und mit ihm zum Bahnhof oder an den Hafen zu fahren. Das Seil lag da, sie musste es nur ergreifen.

Erstaunlicherweise tat sie es nicht. Sie nahm keinerlei Änderung vor in ihrem Leben. Wie so viele, die den Treibsand tagsüber verfluchen und sich nachts in ferne Welten träumen, unternahm sie erst mal gar nichts. Sie beäugte nur das Seil von allen Seiten, grübelte über dies und das und erwog die eine oder andere Möglichkeit; manchmal spann sie ein paar Ideen und verwarf diese gleich wieder, schmiedete Pläne und verschob sie auf später.

Denn wie fast alle, die feststecken, hatte Susanna es sich in ihrem persönlichen Treibsand gemütlich eingerichtet. Eigentlich konnte sie sich ja nicht beklagen. Sie hatte ein Obdach und ein warmes Bett und war wohlversorgt mit Speise und Trank, und sie war nicht an Leib und Leben bedroht und hatte immer noch ihre Dandys, mit denen sie alle vierzehn Tage durch die Kneipen und Tanzlokale zog.

Kam hinzu, dass sie noch ein paar Dinge zu erledigen hatte. Auch wenn sie jetzt eine wohlhabende Frau war, konnte sie doch nicht mir nichts, dir nichts von einem Tag auf den anderen davonlaufen; so einfach war es nicht. Sie hatte ein angefangenes Porträt auf der Staffelei und mehrere Bestellungen auf der Warteliste. Das Geschäft lief wieder besser, seit ein paar Konkurrenten sich aus dem schrumpfenden Markt zurückgezogen hatten. Um ihre Verpflichtungen abarbeiten zu können, hätte sie neue Anfragen ablehnen müssen, und das brachte sie nicht über sich. Susanna war zu sehr Spross ihrer pietistischen Ahnen, als dass sie die reifen Äpfel, statt sie zu pflücken, am Baum hätte verfaulen lassen können.

Und dann waren da auch die alltäglichen Kleinigkeiten, die sie nicht einfach sausen lassen konnte. Susanna musste zum Zahnarzt, und Christie brauchte einen neuen Wintermantel, und das halbjährliche Elterngespräch mit den Lehrern stand schon wieder an, und das Dach des braunen Sandsteinhauses musste vor dem Herbst repariert werden, und drei Fenster hingen schief in den Angeln und schlossen nicht mehr richtig. Gute Handwerker waren schwer zu finden, man musste geradezu unterwürfig bei ihnen vorsprechen und oft monatelang auf sie warten, und wenn sie dann endlich mal im Haus waren, musste man scharf auf sie aufpassen, dass sie einem nicht gleich wieder davonliefen.

Vorerst jedenfalls war an eine Reise nicht zu denken. Es hatte ja auch keine Eile. Susanna steckte nun schon seit vierzig Jahren im Treibsand fest, da kam es auf ein paar Wochen nicht an. Und wenn sie sowieso noch eine Weile blieb, sprach nichts dagegen, dass sie im Oktober an diese Party im Greenwich Village ging, zu der die Dandys sie eingeladen hatten, und dass sie im November mit ein paar Porträts an der großen Kunstmesse teilnahm, auf die sie sich schon lange gefreut hatte. Nach Weihnachten und Silvester würde man weitersehen. Allerdings war der Winter keine gute Reisezeit; eisige Winde pfiffen durch die Eisenbahnwaggons, viele Restaurants und Hotels waren bis zum Frühling geschlossen, und die Ozeane waren rau. Kam hinzu, dass es schwer sein würde, Christie zum Fortgehen zu bewegen. Er hatte viele Freunde an der Brooklyn Heights, und die Lehrer mochten ihn. Wahrscheinlich würde er es vorziehen, noch bis zu den Sommerferien an der Schule zu bleiben, und danach würde er zweifellos gern auch noch sein letztes Grundschuljahr an der Brooklyn Heights verbringen wollen. Susanna beschloss, fürs Erste stillzuhalten. Das Seil lief ja nicht weg. Es war ein gutes Seil, stark und verlässlich. Eines Tages würde sie zugreifen. Irgendwann. Vielleicht bald.

Aber während Susanna den Dachdecker überwachte und mit den Dandys im Greenwich Village Ragtime tanzte, braute sich weit weg im Westen, in fünftausend Kilometern Entfernung, ein Unwetter zusammen, von dem in New York noch niemand etwas ahnte. Von ferne mochte es scheinen, dass nur ganz zuhinterst am Horizont ein schwarzer Vorhang die sinkende Sonne bedeckte, während das Himmelszelt darüber friedlich und wolkenlos blau blieb und nichts die natürliche Ordnung der Dinge zu stören vermochte. In den Rocky Mountains schmolz der Schnee, in der Wüste dösten die Klapperschlangen, und in der Steppe grasten die paar wenigen Bisons, die den Gewehren der Jäger noch entgangen waren.

In Wahrheit aber begann im Südwesten Nevadas ein kleiner, unscheinbarer Wirbelwind bedächtig und ohne Eile um sich selbst zu drehen. In den ersten Wochen und Monaten war er kaum zu spüren und wirbelte nur wenig Staub auf, dann aber gewann er an Kraft und Umfang, setzte sich ostwärts in Bewegung und erfasste einen Landstrich um den anderen, wuchs heran zu einem veritablen Hurrikan und entlud sich zwei Jahre später in den Dakotas in einer letzten Orgie der Gewalt, als die 7. Kavallerie der US Army am 29. Dezember bei Wounded Knee dreihundert wehrlose Frauen, Männer und Kinder niederschoss und ihre Leichen im Schneesturm liegen ließ.

Der Wirbelwind hatte sich schon eine Weile klein und unscheinbar gedreht, als in der Neumondnacht des 1. Januar 1889 am Ufer des Walker River, der hauptsächlich Schmelzwasser aus den kalifornischen Bergen führt, ein Mann die Stimme erhob, den die Pajute den »Weißen Vater« nannten. Niemand wusste, woher er gekommen war und wie er hieß; auch nicht, ob er ein Indianer oder ein Weißer war. Aber die Leute hörten ihm zu, und sie merkten sich seine Worte. Nachdem er geendet hatte, verschwand er in der Wüste. Die Leute aber blieben am Ufer sitzen und warteten auf seine Wiederkehr. Tatsächlich war er am nächsten Tag wieder da und sprach erneut zu ihnen. Er sprach eine Woche lang jeden Tag und in der folgenden Woche auch. Aus allen Richtungen strömten Pajute, Cheyenne, Apachen, Sioux, Cherokee und Crow herbei, um ihn zu hören, immer größer wurde die Menschenmenge am Flussufer. Es gab ein großes Durcheinander der Sprachen, die Leute verstanden einander nicht. Seltsamerweise aber verstanden alle den Weißen Vater. Sie hörten ihm zu, solange er sprach. Und sie glaubten ihm, was er sagte.

Der Weiße Vater verkündete, dass ihn sein himmlischer Vater hergeschickt habe, die indianischen Völker aus ihrer Not zu erlösen. Er sei vor langer Zeit schon einmal auf Erden gewesen und habe damals beim Abschied versprochen, in vielen Hundert Jahren wiederzukehren. Jetzt sei er hier. Und diesmal werde er bleiben. Dann zeigte er ihnen die Wundmale, die er an Händen und Füßen hatte.

Die Leute verstanden, was der Weiße Vater ihnen erzählte. Er war der Messias. Sie kannten seine Geschichte, seit vielen Jahren durchstreiften Missionare zahlreicher Konfessionen die Prärie und erzählten sie wieder und wieder. Sogar die Kinder kannten die Geschichte. Sie kannten sie aus den Missionsschulen, die sie besuchten, weil es dort warme Kleider, warmes Essen und Kinderbibeln gab.

Die Menschheit sei verdorben, sagte der Messias, und die Welt alt, verbraucht und abgenutzt. Deshalb habe Gott der Allmächtige ihn einen Tanz gelehrt, der die Kraft habe, die Welt zu erneuern. Wenn alle diesen Tanz tanzten, werde Regen übers Land ziehen und die Dürre ein Ende haben, und die Prärie werde wieder zum Garten Eden aufblühen, und die Wildpferde und die Büffel würden auf ihre Weidegründe zurückkehren, und der Weiße Mann werde seinen Stacheldraht einrollen und mit seiner Eisenbahn, seinen Repetiergewehren und seinen Schnapsfabriken nach dem Sonnenaufgang verschwinden, wo er hergekommen sei. Die Indianer aber würden in ewiger Jugend und immerwährendem Frieden zusammenleben nach alter Väter Sitte.

So predigte der Messias und forderte sie auf zu tanzen, und die Leute verstanden auch das. Ihre Vorfahren hatten schon immer getanzt, wenn sie Mangel litten. Im dürren Süden hatten sie den Regentanz getanzt und im feuchten Nordwesten den Sonnentanz, und in den Plains hatten sie, wenn die Bisons ausblieben, den Büffeltanz getanzt.

Der Messias fing an zu singen, und die Leute nahmen einander bei den Händen und tanzten. Er sang den ganzen Tag lang bis in den Abend hinein, und viele Hundert Männer, Frauen und Kinder tanzten im Kreis um ihn her, Schulter an Schulter, Hand in Hand oder mit untergehakten Armen. Und je mehr Menschen hinzukamen, desto weiter wuchs der Kreis in die Wüste hinaus. Ihre Füße wirbelten Staub auf, und die Luft färbte sich gelb und rot, und der Wind trug den Staub, den Singsang und das Stampfen durch die Stille der Nacht, über die Ebene und den Fluss bis hinter die Hügel zu den Farmen der deutschen und irischen Viehzüchter, die in ihren Blockhäusern sorgenvoll lauschend wach lagen, während ihre mageren Rinder im Stall hungrig und durstig stöhnten.

Gut möglich, dass der Wind den Gesang noch weiter bis nach Stillwater trug, wo es eine hölzerne Kirche, ein hölzernes Gerichtsgebäude und eine hölzerne Postkutschenstation gab, dazu auch eine hölzerne Schule, ein hölzernes Bordell und einen hölzernen Saloon, in dem die Männer quatschen, saufen und Gerüchte austauschen konnten. Am Tresen stand oft der Reporter der *Stillwater Gazette,* dessen Aufgabe es war, im verschlafenen Städtchen Tag für Tag nach Neuigkeiten Ausschau zu halten, die zu vermelden die Mühe wert sein könnte. Er ritt sofort hinaus in die Wüste, um nachzusehen, was dort los war.

Lange musste er nicht suchen, die Menschenmenge war nicht zu übersehen. Er musste auch nicht lange warten. Der Messias erschien kurz vor Mittag und fing sogleich an zu reden.

Der Tag der Auferstehung des Fleisches sei nahe, verkündete er diesmal. Sein Tanz habe die Kraft, den Jüngsten Tag herbeizuführen, und zwar nicht irgendwann in hundert oder tausend Jahren, sondern in einem Monat, in einer Woche oder auch heute, jetzt gleich – wenn nur möglichst viele Gläubige möglichst ausdauernd den Geistertanz tanzten. Nicht nur werde das Paradies auf Erden wieder aufblühen, auch die Toten würden auferstehen. Alle, die jemals verstorben waren, würden ins Leben zurückkehren – sämtliche Cherokee und Paiute, auch die Shoshonen, Navajo und Pawnee, ebenso die Cheyenne, Shawnee und Irokesen, die Comanchen, Huronen und Blackfeet, die Apachen, Sioux und Crow –, alle Verstorbenen würden mit den Lebenden als Brüder und Schwestern in ewiger Jugend über das Antlitz der Erde wandeln und mit den Weißen in Frieden leben. Damit aber genügend Platz für alle wäre, würde der himmlische Vater Himmel und Erde zu einem einzigen Paradies vereinen.

Auch diesmal verstanden die Leute, was der Messias ihnen sagte, sie kannten auch diese Geschichte schon. Damals, als die Missionare sie ihnen erzählt hatten, war ihnen die Vorstellung sehr befremdlich erschienen, dass verdorbenes, verfaultes Menschenfleisch sich zusammenfügen und zu neuem Leben erwachen sollte. Dem Messias aber – man wüsste zu gern, weshalb – nahmen sie die Weissagung ab. Sie fassten einander an den Händen und tanzten den Geistertanz.

Der Reporter hatte genug gehört. Er schwang sich in den Sattel und ritt im Galopp zurück in die Stadt, um einen Artikel für die nächste Ausgabe der *Stillwater Gazette* in die Maschine zu hämmern. Er wusste, dass er da eine gute Geschichte hatte. Mit ein bisschen Glück würden die Blätter in Denver und Salt Lake City sie für ihre Wochenendausgaben übernehmen; und dann vielleicht sogar die großen Zeitungen in San Francisco und New York.

Die Gläubigen tanzten den ganzen Tag im Kreis bis in den Abend hinein. Sie vereinten sich zu einem tausendfüßigen, mächtig friedvoll um sich selbst drehenden Wirbelwesen, das im Takt eines einzigen großen Herzschlags atmete, sang und stampfte, glücklich beseelt von der allumfassenden Energie, die das Universum, den Planeten und alle Lebewesen durchströmte. Die Nacht brach an, der Mond ging auf, und diesmal tanzten sie weiter die ganze Nacht hindurch bis zum Morgengrauen, und als die Sonne aufging und die Gläubigen halb ohnmächtig vor Hunger, Durst und Kräfteverschleiß immer noch tanzten, erkannten manche im golden gleißenden Gegenlicht tatsächlich die Gestalten jener, die sie am schmerzlichsten vermissten – ihre kleine Tochter, die im letzten Winter an Masern gestorben war, oder den Großvater oder die Ehefrau, die nie mehr von einem Ausflug an den Fluss zurückgekehrt war. Es war genau, wie der Messias vorausgesagt hatte. Die Tanzenden riefen und winkten den Auferstandenen zu, aber bevor sie zu ihnen laufen und sie in die Arme schließen konnten, verschimmerten ihre Gestalten schon wieder und lösten sich auf im leuchtenden Wüstenstaub.

Allmählich erlahmte der Wirbel und kam zum Stillstand, die Jünger sanken erschöpft zu Boden. Als die Sonne höher stieg und zu brennen anfing, schleppten sie sich in den Schatten der mächtigen Schwarzpappeln, die den Walker River säumten, und fielen zu Hunderten in todesähnlichen Schlaf.

Gegen Abend wachten sie auf, blinzelten einander verwundert an und schüttelten die Köpfe wie nach einem wilden Traum. Dann nahmen sie voneinander Abschied und gingen in verschiedene Richtungen auseinander, denn sie hatten irgendwo Kinder oder Hühner oder Gemüsegärten, um die sie sich kümmern mussten. Manche banden ihr Pferd los, das geduldig am Fluss auf sie gewartet hatte, andere gingen zu Fuß nach Stillwater und nahmen von dort die Postkutsche nach Reno, wo sie in einen Zug der Central Pacific Railroad stiegen und bis nach Sacramento, Salt Lake City und Cheyenne fuhren, manche sogar noch weiter nach Denver, Albuquerque oder Dodge City.

Unterwegs erzählten sie den Mitreisenden, was sie erlebt hatten. Sie erzählten es in der Postkutsche und in der Eisenbahn, und sie erzählten es auf der Landstraße, und als sie zu Hause angelangt waren, erzählten sie es ihren Schwestern und Brüdern und den Ältesten und den Kindern.

In Windeseile verbreitete sich die frohe Botschaft über die Steppen des Mittleren Westens. Überall fanden Menschen zusammen, um im Kreis den Geistertanz zu tanzen, und in fast jedem Kreis fand sich ein Sänger, der sich zum Apostel ernannte und die Lehren des Weißen Vaters um eine eigene Weissagung ergänzte.

In Nevada verkündete einer, dass von Westen her eine Sintflut übers Land hereinbrechen werde, welche die weißen Invasoren hinwegspülen, den Roten Mann hingegen verschonen werde.

In Wyoming verkaufte ein anderer zu einem stolzen Preis kugelsichere Geisterhemden und demonstrierte deren Wirksamkeit, indem er sich mit einer großkalibrigen Winchester auf die Brust schießen ließ.

Wieder ein anderer verkaufte eigens geschneiderte Kleider, welche die Toten nach ihrer Auferstehung brauchen würden; seine Frau bot selbst gebackene Fladenbrote feil.

Und dann ereigneten sich überall im Land wirklich merkwürdige Dinge.

In South Dakota nahm sich ein Reisender namens Yellow Hawk, um die Lehre von der Auferstehung empirisch zu beweisen, vor den Augen seiner Freunde das Leben. Diese sangen ein Lied zu seinen Ehren, ließen ihn für tot liegen und gingen ihres Wegs. Als sie aber zu Hause anlangten, saß Yellow Hawk in seinem Tipi beim Abendessen und berichtete, Jesus Christus habe ihn wieder zum Leben erweckt und durch die Luft nach Hause getragen.

Etwa zur selben Zeit fiel in Nevada einem Prediger, der mit ausgebreiteten Armen im Schatten einer Schwarzpappel betete, bei heiterhellem Sonnenschein ein Eisblock vor die Füße. Skeptische Geister sagten später, der Eisblock sei nicht vom Himmel, sondern aus der Schwarzpappel gefallen, in deren Geäst ihn jemand vorgängig gehängt habe.

In Montana hatte ein Prophet die Gabe, Wüstensand in Schießpulver zu verwandeln. Er ließ Gewehre damit laden und auf seine Brust abfeuern, blieb aber unverletzt, weil er sich mit einem kugelsicheren Geisterhemd schützte.

Und dann tauchten plötzlich da und dort in der Prärie, wo die Bisons seit Jahrzehnten ausgestorben waren, vereinzelt Büffel auf; nur kleine, versprengte Scharen, kein Vergleich zu den vieltausendköpfigen Herden früherer Tage; aber immerhin. Es war ein Wunder.

Überall im Land fanden immer mehr Menschen zum Geistertanz zusammen. Überall bildeten sich Kreise, immer länger dauerten die Tänze. Manche dauerten drei, vier oder fünf Tage. Immer höher stieg der aufgewirbelte Staub, immer weiter trugen die Gesänge über die dünn besiedelten Weiten. Und die Zeitungsreporter schrieben ihre Artikel, und die Politiker machten sich ihre Sorgen. Und die Soldaten hinter ihren Palisaden lauschten in die Prärie hinaus, luden ihre Gewehre und verdoppelten die Wachen, und die Kommandanten telegrafierten nach Washington, dass man im Westen Verstärkung gebrauchen könnte.

Die erstaunlichste Eigenschaft des Treibsands aber ist, dass es ihn in der oben beschriebenen Gestalt gar nicht gibt. Es ist eine schlichte Einbildung und nicht wahr, dass man in großen, schönen und aufregenden Städten einsinkt und stecken bleibt. Wer will, kann jederzeit fortgehen, am ersten Tag genauso wie nach dreißig oder fünfzig Jahren. Es ist ganz leicht und nicht einmal besonders anstrengend. Man muss es nur wollen – und dann auch tun. Natürlich wird es Folgen haben, angenehme wie unangenehme. Aber fürs Erste genügt es, aufzustehen und einen Fuß vor den anderen zu setzen, und dann noch einen und noch einen. Ein Seil ist nicht nötig. Manche brauchen einen Anstoß. Aber auch der ist nicht unverzichtbar.

Ich wüsste zu gern, was Susanna Faesch im Frühsommer 1890 veranlasste, plötzlich fortzugehen. Vier Jahrzehnte lang war sie in Brooklyn sesshaft gewesen und hatte nie ernsthaft ans Verreisen gedacht. In den drei Jahren, die seit dem Tod ihrer Mutter vergangen waren, hatte sie ihr geostationäres Leben weitergeführt. Morgens malte sie Porträts, und nachmittags besuchte sie Galerien und Museen, und etwa alle vierzehn Tage zog sie mit ihren Dandys durch die Bars und Tanzlokale des Greenwich Village; an den Wochenenden ging sie mit Christie ins Theater oder hinaus nach Coney Island.

Natürlich konnte, weil die Zeit verging, nicht immer alles beim Alten bleiben. Ihre Lieblingsgalerie ging in Konkurs. Ein

Tanzlokal sperrte zu, ein anderes wurde eröffnet. Die Dandys wurden älter und färbten sich die Haare, einer starb an einer Überdosis Laudanum. Eine New Yorker Reporterin namens Nellie Bly, die halb so alt war wie Susanna, reiste in zweiundsiebzig Tagen um die Welt und wurde mit ihren Reportagen weltberühmt. Buffalo Bill tourte mit seiner Show durch Europa. In London trat er im Earl's Court auf, in München auf der Theresienwiese und in Paris im Bataclan. Sitting Bull konnte an der Tournee nicht teilnehmen, weil ihm das Außenministerium die Ausreise untersagte; stattdessen zog er Kürbisse am Grand River.

Christies Begeisterung für den Wilden Westen war ungebrochen. Er war in die Höhe geschossen, Susanna musste nun zu ihm aufschauen. Wenn sie mit ihm fürs Wochenende nach Coney Island fuhr, wollte er nicht mehr im »Bristol« absteigen, sondern in einem neu eröffneten Hotel namens »Colossus«, das die Gestalt eines Elefanten hatte. Der Eingang befand sich in den Hinterbeinen, über zwei Wendeltreppen ging es hinauf in die Zimmer. In den Vorderbeinen gab es einen Tabakladen, auf dem Rücken eine Aussichtsterrasse, und in den Augen waren zwei Teleskope untergebracht, durch die man laut Hotelprospekt bis nach Paris, Rio de Janeiro und zum Yellowstone-Nationalpark sehen konnte. An dunstigen Tagen sah Christie manchmal die Spitze des Eiffelturms oder den Zuckerhut.

So verlief ihr Alltag. Manches veränderte sich, das meiste blieb gleich. Gesundheitlich ging es beiden gut. Susannas Kopfhaar war nun gänzlich ergraut. Einmal gab sie dem Drängen ihres Friseurs nach und ließ es färben. Das Resultat fand sie derart albern, dass sie es fortan unterließ. Und dann kam aus heiterem Himmel der Tag, an dem sie beschloss, alles hinter sich zu lassen.

Man kann vermuten, dass der Entscheid in den unterirdischen Windungen ihrer Seele lange Zeit herangereift war, und dass schließlich eine Nichtigkeit den Anstoß gab.

Vielleicht hatte an jenem Morgen die Sahne in Susannas Kaffee geflockt, oder die Magnolie im Vorgarten war über Nacht verwelkt und hatte sie auf den Gedanken gebracht, dass der Frühling bald vorüber sei und dann auch das Jahr – und dann das Leben.

Jedenfalls kann man sich vorstellen, wie Susanna sachte, aber entschieden ihre Tasse ins Spülbecken stellte, dann tief durchatmete und sich nach ihrem Sohn umdrehte, der zufrieden und voller Vorfreude auf den Schultag seine Haferflocken löffelte.

»Okay, Christie, das war's. Geh und zieh deine Schuhe an.«

»Gleich. Ich habe noch Zeit.«

»Nein, jetzt. Ich habe die Nase voll. Lass die Haferflocken stehen, wir gehen zu Roberto's.«

Christie ließ verwundert seinen Löffel sinken.

»Ich muss zur Schule, Mama.«

»Ach wo.«

»Es ist Donnerstag.«

»Mir egal. Wir gehen zu Roberto's.«

»Wir schreiben einen Mathe-Test.«

»Nein, die anderen schreiben einen Mathe-Test. Du kommst mit mir zu Roberto's, dort bestellen wir Schokolade und Croissants. Danach gehen wir einkaufen, und dann fahren wir irgendwohin.«

»Aber Mama. Nach dem Mathe-Test spielen wir Fußball in der großen Pause. Die Jungs warten auf mich.«

»Dann warten sie eben. Wir fahren derweil nach Brasilien, du und ich. Oder nach Polen.«

»Das geht nicht.«

»Klar geht das. Es sind bald Sommerferien.«

»Bis dahin sind's noch acht Wochen.«

»Was sind schon acht Wochen. Geh und zieh deine Schuhe an. Hast du keine Lust auf Croissants?«

Und dann saßen sie bei Roberto's auf der Terrasse, tunkten Croissants in heiße Schokolade und schwiegen einander an.

»Ach, Christie«, sagte Susanna schließlich. »Vergiss doch mal den Mathe-Test.«

Sie nahm seine Hände in ihre Hände, schaute ihm in die Augen und sagte, er solle ihr jetzt bitte gut zuhören. Und dann hob sie an, ihm die Schönheiten dieser Welt zu preisen, die sie selbst nur vom Hörensagen kannte. Sie sprach von den Maya-Tempeln auf Yukatán und den erloschenen Vulkanen auf Hawaii, von den Tigern auf Java, den Fakiren in Kalkutta und den Gewürzhändlern in Stone Town, und dann auch von den Blauen Männern in der Sahara, den Stierkämpfern in Sevilla und den Weinbergen am Douro.

Während sie so sprach, ließ Christie sie reden und schaute ihr auf den Mund und in die Augen, als hörte er ihr aufmerksam zu. Aber Susanna ließ sich nicht täuschen. Sie kannte das Gesicht, das er machte, wenn er Aufmerksamkeit mimte und doch woanders war. Diese Fähigkeit hatte er von seiner Großmutter geerbt. Sie sah, dass in seinen Augen kein Fernweh stand, sondern das Bedauern über den verpassten Mathe-Test, für den er so viel gebüffelt hatte, und die Sehnsucht nach dem Fußballspiel, das er auch verpassen würde, wenn seine Mutter nicht bald zu reden aufhörte. Susanna sah das, aber sie gab noch nicht auf.

»Wollen wir zum Hafen fahren und Schiffe anschauen? Oder am Bahnhof den Fahrplan studieren?«

Christie stellte seine leere Tasse mit der Untertasse auf den Teller, richtete die Blumenvase nach der Tischkante aus und stellte die Zuckerdose daneben.

»Na, was sagst du?«

Christie kehrte mit der Handkante die Croissant-Krümel auf dem Tischtuch zusammen.

»Sag doch was. Was willst du?«

»Ich möchte nach Hause, Mama.«

»Klar. Und danach?«

»Fußball spielen.«

»Jetzt vergiss mal den Fußball.«

Da hob Christie den Blick. In seinen hellblauen schottischen Augen stand nun nichts mehr von Fußball oder Mathe-Tests. Ein harter Zug pietistischer Entschlossenheit umspielte seine sonst so weichen Lippen.

»Was ist?«

Christie schwieg und schaute seine Mutter an.

»Sag. Du brütest etwas aus, ich sehe es dir an.«

Christie schaute und schwieg.

»Na los, raus damit. Du führst etwas im Schilde. Seit ein paar Tagen schon, ich merke das doch. Jetzt sag, was ist es?«

Christie zuckte mit den Schultern und verdrehte die Augen, als wunderte er sich wieder einmal, wie schwer von Begriff seine Mutter war.

Und da verstand Susanna.

»Oh«, sagte sie. »Aha. Wirklich? Im Ernst?«

Christie nickte.

»Okay, in Ordnung. Meinetwegen. Wieso nicht. Dann machen wir das. Danach sehen wir weiter. Wohin genau?«

Da griff Christie in seine Jackentasche und zog eine vielfach gefaltete Zeitungsseite hervor. Er faltete sie auseinander, strich sie auf dem Tisch glatt und reichte sie seiner Mutter. Es war die zweite Seite der *New York Times* vom 27. April 1890.

AUF DER SUCHE NACH EINEM ERLÖSER

Sonderbare religiöse Aufregung unter den Indianern des Westens

St. Paul, 26. April. – *General Ruger, der militärische Kommandeur von Saint Paul am Mississippi, untersucht zurzeit eine seltsame religiöse Ekstase, die an verschiedenen Orten des Westens unter den Indianern ausgebrochen ist. Sie erwarten die Ankunft eines Erlösers, der sie vor dem Ansturm der Weißen beschützen und zu Ruhm und Glück führen soll.*

Eigenartigerweise scheint der neue Glaube gleichzeitig an mehreren, zum Teil über tausend Meilen voneinander entfernten Orten in Erscheinung getreten zu sein. Er wird von den Medizinmännern eifrig verbreitet und ist schon tief in die Seelen der Indianer eingedrungen. Die Aufregung ist derart groß, dass Unruhen zu befürchten sind – dies insbesondere, falls sich ein Skrupelloser als Messias ausgeben und die Leichtgläubigkeit der Indianer für seine eigenen Ziele missbrauchen sollte. General Ruger hat deshalb Major Carroll von Fort Custer beauftragt, der Sache mit einem Detachement auf den Grund zu gehen und einen Bericht zuhanden des Hauptquartiers zu verfassen.

Major Carroll berichtet nun in einem Telegramm aus der Tongue River Agency, dass die Aufregung tatsächlich sehr groß sei. Die Indianer glauben anscheinend, dass Jesus Christus sich zurzeit noch hoch oben in den Bergen an einem Ort aufhält, der derart nah an der Sonne liegt, dass dort kein Gras mehr wächst und man sich auf dem heißen Boden die Füße verbrennt. Dem Vernehmen nach hat der Messias Wundmale an Händen und Füßen und eine Speerwunde an der Seite. Auch soll er die Indianer aufgefordert haben, Pistolen und Gewehre niederzulegen und sich wieder mit Pfeil und Bogen zu bewaffnen.

ÜBER DAS ENDE DER WELT HINAUS

Der Nachtexpress nach Chicago verließ das Grand Central Depot um fünfzehn Minuten nach Mitternacht. Susanna und Christie saßen in einem Schlafwagen erster Klasse. Ihr Abteil war in grünem Samt und dunklem Leder gehalten, dazu schimmerndes Messing und poliertes Mahagoni. Die Betten waren gemacht, Decken und Laken zurückgeschlagen. In einer kleinen, an die Wand geschraubten Vase standen rote Nelken.

Das Handgepäck lag oben im Netz, die großen Überseekoffer hatte ein Träger zum Gepäckwagen gebracht. Susanna hatte Kleider, Wäsche und Küchengeschirr für mehrere Monate mitgenommen; Christie hatte seinen Cowboyhut, sein Bowiemesser und das Porträt Sitting Bulls eingepackt für den Fall, dass sie den Häuptling tatsächlich treffen sollten.

Ein Gebläse hauchte trockene, viel zu heiße Luft unter den Betten hervor. Susanna musste husten. Ein Regler war nicht zu finden. Sie zog das Fenster einen Fingerbreit herunter. Frische Nachtluft strömte ins Abteil. Ein schwarz uniformierter Schaffner trat ein. Er sagte »Madam« und »Sir« und stellte einen Sherry für Susanna und einen Tomatensaft für Christie aufs Salontischchen, dazu eine Schale mit Knabberzeug und eine Karaffe Wasser für die Nacht. Dann wies er auf die Kordel zwischen den Betten hin, mit der man rund um die Uhr einen Steward herbeirufen könne, wünschte eine angenehme Nachtruhe und zog die Schiebetür hinter sich zu.

Draußen vor dem Fenster zogen die Lichter Manhattans

vorüber. Christie war beeindruckt von der feinen Bettwäsche, dem Waschbecken aus Messing und der Laufruhe des Waggons. Dagegen waren die Straßenbahnen von Brooklyn die reinsten Ochsenkarren.

Der Nachtexpress überquerte den Harlem River und fuhr in einem weiten Bogen durch die Bronx an den Hudson River, an dessen Ufer er sich die ganze Nacht lang halten würde wie ein Feuer spuckender und Dampf ausstoßender, dem Wasser entstiegener stählerner Lindwurm, der zwar im Lauf seiner Evolution gelernt hatte, sich so rasch und ausdauernd über die *terra firma* zu bewegen wie kein anderes Tier auf Erden, sich aber doch stets möglichst nah am Wasser hielt, um bei Bedarf jederzeit mit einem Sprung aus den Schienen zurückkehren zu können in den weichen Schoß seines heimischen Habitats.

Wenn Menschen vom Land erstmals eine große Stadt besuchen, sind sie für gewöhnlich beeindruckt vom Lichtermeer, das sich ihren Augen darbietet. Umgekehrt sind Menschen aus der Stadt, wenn sie aufs Land hinausfahren, jedes Mal aufs Neue erschüttert von der allumfassenden Dunkelheit, die dort nachts herrscht. Manche trauen ihren Augen nicht mehr und fürchten, sie seien erblindet.

Christie und Susanna saßen am Salontischchen, knabberten Gebäck und schauten hinaus in die Nacht. Das gelbe Licht ihrer Deckenlampe warf ein vibrierendes Viereck auf den Bahndamm; davor und dahinter eilten die Vierecke der benachbarten Abteile dahin. Ansonsten war alles schwarz in der mondlosen Nacht. Vermutlich gab es da Landschaften mit Wiesen und Feldern und Hügeln und Wäldern; aber falls dort Menschen lebten, hatten sie die Lichter gelöscht und waren schlafen gegangen. Ab und zu fuhr der Zug durch einen Bahnhof, dann huschten die Vierecke über einen leeren Bahnsteig.

Nach zwei Stunden hielt der Nachtexpress an einer kleinen Station, weil die Wassertanks der Dampfmaschine befüllt werden mussten. Christie und Susanna stiegen aus, um sich die Beine zu vertreten. Die Vierecke standen nun still, fahl erleuchteten sie den Dampf, der den Zylindern entströmte. Andere Fahrgäste stiegen ebenfalls aus. Die Lok wurde abgekoppelt, zum Wasserkran gefahren und wieder angekoppelt. Dann stiegen die Fahrgäste wieder ein, der Zug fuhr an. Christie und Susanna gingen zu Bett und schliefen, bis der neue Tag anbrach.

Der Schaffner brachte das Frühstück. Im Licht der aufgehenden Sonne zogen Felder und Wiesen vorbei, dann ausgedehnte Wälder auf sanften Hügelzügen und wieder Wiesen und Felder. Da und dort eine Rinderherde, in der Ferne eine Farm mit einem Windrad. Hier ein grünes Weizenfeld, dort ein Kartoffelacker. An den Gleisen manchmal eine Lagerhalle, am Fluss ein Sägewerk oder eine Gerberei. Danach wieder Felder, Wiesen und Hügel. Und noch mehr Farmen, Fabriken und Lagerhallen.

Die Sonne stieg höher, gleichförmig zog die Landschaft vorüber. Die Wassertanks der Lokomotive mussten aufs Neue befüllt werden und später noch mal. Irgendwann entfernten sich die Gleise vom Fluss, der Zug bog nach Westen ab. Dann war da zur Abwechslung ein großer See, das gegenüberliegende Ufer war nicht zu sehen. Kleine, weiße Dampfschiffe fuhren darauf, manche hatten bunte Wimpel. Ihre schwarzen Rauchfahnen zeigten einträchtig nach Westen.

Aber auch an diesen Anblick gewöhnte man sich. Christie warf sich aufs Bett und versuchte noch mal zu schlafen. Es gelang ihm nicht. Er hatte Sehnsucht nach seinen Freunden und nach dem Fußballspielen. Er fragte seine Mutter, wie lange die Fahrt noch dauere. Susanna konnte es ihm nicht sagen, sie hatte keine Uhr dabei. Kurze Zeit später fragte er noch mal. Susanna trat auf den Flur und erkundigte sich beim Schaffner. Wenig später fragte Christie schon wieder. Susanna versprach ihm, bei der nächsten Gelegenheit eine Taschenuhr zu kaufen, und fragte sich still, ob es wirklich eine glücksversprechende Idee sei, mit einem Dreizehnjährigen eine Weltreise unternehmen zu wollen. Rund vierhundert Kilometer hatten sie seit der Abreise aus Manhattan zurückgelegt. Der Erdumfang betrug das Hundertfache.

Zum Mittagessen gingen sie in den Speisewagen. Die Hälfte der Tische war frei. Susanna musterte die Mitreisenden. Füllige Geschäftsmänner an Einzeltischen, einige mit Aktenmappen, andere ohne. Drei hellblonde Geschwister, vermutlich unterwegs zu Verwandten. Ein sehr junges Paar auf Hochzeitsreise, noch schüchtern und ungelenk. Eine rothaarige Frau in Trauerkleidung mit goldenen Ohrringen, auffällig munter. Die Leute interessierten Susanna nicht. Sie sah auf den ersten Blick, dass sie mit niemandem von ihnen Bekanntschaft schließen wollte; eigentlich hatte sie es schon vor dem ersten Blick gewusst. Susanna interessierte sich nicht mehr für Leute, sie hatte ihre Neugier vor langer Zeit verloren. Manchmal bedauerte sie das. In ihrer Jugend hatte sie alle Menschen gleichermaßen faszinierend und bezaubernd gefunden – ausnahmslos alle, ohne Ansehen der Person. Jede zufällige Bekanntschaft in der Straßenbahn war ihr eine Offenbarung gewesen, jede Begegnung auf der Straße ein beglückendes Erlebnis. Mit der Zeit aber hatte sie herausgefunden, dass die Leute sich im Grunde genommen nicht sehr voneinander unterschieden. Es war mit ihnen doch immer das Gleiche – mit ihr selbst ja übrigens auch. Wohl hielten die meisten Menschen sich für extrem einzigartig und originell; aber bei Lichte betrachtet, und wenn man sich durch Details nicht beirren ließ, redeten fast alle das Gleiche, und sie machten das Gleiche, liebten und hassten das Gleiche und hofften auf das Gleiche. Die Variationen waren gering, die Abweichungen vernachlässigbar.

Das Menschensammeln, das Susanna als Porträtmalerin so lange mit Vergnügen betrieben hatte, war ins Leere gelaufen und sinnlos geworden; es erweiterte ihren Horizont nicht mehr. Deshalb hielt sie sich, statt neue Bekanntschaften zu machen, lieber an ihre alten Freunde, die Dandys. Mit ihnen war es zwar auch immer das Gleiche. Ihre Scherze und ihre Liebesabenteuer waren durch die Jahrzehnte die gleichen geblieben, ihre Dramen und Kapriolen auch. Aber sie waren verlässlich in ihren Exzessen, und sie waren nie langweilig; sie deckten Susannas Bedarf nach Anregung und Unterhaltung vollumfänglich ab. Sie brauchte keine neuen Freunde, auch nicht für die Dauer einer Bahnfahrt; selbst dann nicht, wenn sich im Speisewagen wider Erwarten ein unterhaltsamer Dandy befinden sollte.

Nach dem Kaffee kehrten sie ins Abteil zurück, legten sich auf ihre Betten und schliefen sofort ein. Als sie wieder aufwachten, zog draußen noch immer dieselbe Landschaft vorbei. Sie versuchten Schach zu spielen, aber die Figuren schlitterten übers Brett. Susanna wollte einen Brief an die Dandys schreiben, aber die Feder entglitt ihr in alle Richtungen.

Also bestellten sie Apfelsaft und schauten wieder aus dem Fenster. Die Landschaft blieb dieselbe. Der Sonnenuntergang tauchte alles in goldenes Licht. Fürs Abendessen kehrten sie zurück in den Speisewagen. Es wurde dunkel. Die Landschaft blieb unsichtbar bis ans Ende der Nacht.

Alle paar Stunden durchquerte der Zug eine große Stadt, da gab es etwas zu sehen. Die Bierbrauereien und Gießereien von

Albany, das Baseballstadion in Buffalo. In Cleveland kaufte Susanna eine Uhr. In Toledo glitzerten Wolkenkratzer, fast so hoch wie jene von Manhattan. Und dann die Schlachthöfe Chicagos – die endlosen Gehege mit den Hunderttausenden todgeweihten Rindern und die dampfbetriebenen Tötungsfabriken, in denen Tag für Tag rund um die Uhr verängstigte Paarhufer getötet und an den Hinterläufen aufgehängt, gehäutet und ausgeweidet, gevierteilt und auf Förderbändern den elektrisch motorisierten Fleischwölfen zugeführt wurden, die ganz Nordamerika hundert Jahre lang mit gekühltem Fabrikfleisch in beliebiger Menge versorgten; das größte Blutbad, das die Welt je gesehen hatte.

In Chicago mussten sie in einen kleineren Zug umsteigen. Von nun an gab es keinen Schlafwagen und kein Restaurant mehr. Weiter ging die Fahrt durch liebliche Wiesen und Weiden, vorbei an Gewässern, Hügeln und Wäldern. Susanna wollte sich schon damit abfinden, dass es immer so weitergehen würde, weil das nun mal das Antlitz der Welt war, eine endlose Abfolge von Wiesen, Wäldern und Hügeln und so weiter, immer so weiter.

Aber es ging nicht immer so weiter. Ein paar Stunden hinter Chicago und Minneapolis verebbten die Hügel, der Horizont wich zurück und sank immer tiefer bis an den Rand der Erdkugel, und dann waren da nicht einmal mehr Wiesen oder Wälder, auch keine Farmen, Fabriken und Windräder – da war einfach nichts mehr.

In Saint Paul und Fargo mussten sie noch einmal umsteigen, von da an saßen sie auf Holzbänken. Irgendwann bemerkte Christie, dass er beim Umsteigen seinen Cowboyhut im Gepäcknetz liegen gelassen hatte. Eine Weile war er untröstlich.

Die Landschaft wurde immer noch karger. Jenseits des Bahndamms gab es gelbe Erde, karges Buschgras und dorniges Gestrüpp, und dahinter nichts mehr – nur noch den Himmel, an dem mächtige Winde wehten. Eine unermessliche Ebene hatte sich aufgetan, eine horizontale, flache Leere, wie Susanna sie noch nie gesehen hatte. Der Zug war über das Ende der Welt hinausgefahren, es gab nichts mehr, woran der Blick sich hätte halten können. Fadengerade führte die Schiene, die chinesische Wanderarbeiter wenige Jahre zuvor eilends über die Prärie gelegt hatten, ins Unendliche; Hitze und Kälte hatten sie verbogen, der Zug ruckelte nun ärger als die Straßenbahn in Brooklyn.

Alle paar Stunden hielt er an einer einsamen Station. Susanna war jedes Mal fassungslos, wenn dort, mitten im Nirgendwo, tatsächlich Menschen ausstiegen. Oft waren es junge Paare, manchmal allein reisende Männer, einmal eine Frau mit vier kleinen Kindern. Dann standen sie auf dem Bahnsteig mit ihrem armseligen Gepäck und schauten sich ratlos um, hielten ihre Hüte fest, damit der Wind sie nicht davontrug, und warteten auf die Abfahrt des Zuges, als läge unmittelbar hinter den Waggons, gleich jenseits des Gleises, ihr Gelobtes Land, für das sie unter solchen Entbehrungen um die halbe Welt gereist waren. Susanna hätte ihnen zurufen mögen, dass sie sich um Himmels willen nicht unglücklich machen, sondern rasch wieder einsteigen sollten, solange noch Zeit dafür war; aber dann fuhr der Zug an, und es war zu spät.

Immer länger dauerten die Fahrten zwischen zwei Stationen, immer seltener stieg jemand aus, und niemand stieg mehr zu; der Zug leerte sich. Und dann kam der Augenblick, da Susanna, als Christie wieder einmal fragte, wie lange es noch gehe, antwortete:

»Eine halbe Stunde noch, mein Liebling. In einer halben Stunde sind wir in Bismarck. Dann fahren wir mit dem Schiff weiter.«

Die Fahrt endete am Ufer des Missouri, weil die Northern Pacific Railway noch keine Brücke über den Fluss gebaut hatte. Aber immerhin war Bismarck keine einsame Station, sondern schon eine richtige Stadt mit einem richtigen Bahnhof und einem Bahnhofsvorsteher, der eine rote Fahne in der Hand hielt.

Susanna und Christie waren die letzten verbliebenen Passagiere. Nachdem sie ausgestiegen waren, bemerkten sie hinter dem Gepäckwagen drei Militärwaggons, die am Abend zuvor noch nicht da gewesen waren. Der erste war ein Personenwagen, an dessen Fenstern Soldaten saßen, der zweite ein offener Viehwagen, bei dem oben eine erstaunlich große Anzahl Pferdeköpfe herausragte; der dritte war ein Güterwagen, auf dem in roter Schrift *Explosives* stand.

Der Schaffner holte Susannas Koffer aus dem Gepäckwagen, stapelte sie auf den Bahnsteig und legte zuletzt die schmale Holzkiste obendrauf, in der, sorgfältig in Holzwolle gebettet, das Porträt Sitting Bulls lag. Im Schatten des Bahnhofsgebäudes stand ein Kofferträger, sein Handkarren war mit *Pacific Hotel* beschriftet. Susanna winkte ihn herbei.

Während er die Koffer auflud, zog die Lokomotive wieder an, die Militärwaggons rollten vorüber. Die Soldaten schauten im Vorbeifahren interessiert zu Susanna hinunter, und die Pferde nach ihnen auch.

Der Träger schob seinen Karren durch den Staub und den Pferdekot der Main Street, Susanna und Christie liefen nebenher auf dem hölzernen Gehsteig, der leicht erhöht an den Häusern entlangführte. Ein heißer Wind trieb ihnen Rauch und allerlei Gerüche ins Gesicht. Sie gingen vorbei an einem Saloon und einem Beerdigungsinstitut und einem Sattlergeschäft, dann an einem Hufschmied und einem Fachgeschäft für Goldgräberbedarf; in den nahen Black Hills hatte man ein paar Jahre zuvor Gold entdeckt. In der zweiten Reihe standen Stallungen, Scheunen und Waschhäuser, etwas weiter zurückversetzt eine Bierbrauerei und die Episkopalkirche. Das Staatsgefängnis hatte massive Backsteinmauern, ebenso die Niederlassung der First National Bank.

Christie war begeistert. Er fand, dass Bismarck genauso aussah wie in Buffalo Bills *Wild West Show*, vielleicht sogar noch echter. Susanna musste zugeben, dass das stimmte. Aber da war etwas, was sie irritierte. Sie hatte die Empfindung, dass etwas nicht in Ordnung war. Und plötzlich wusste sie, was es war: In der Main Street waren kaum Frauen zu sehen und keine Kinder. Männer hingegen waren allgegenwärtig. Es gab Männer auf der Straße und Männer auf dem Gehsteig, Männer in den Fenstern und Männer auf den Kutschböcken und Männer in den Sätteln der Pferde. Überall Männer, struppige Kerle die meisten, mit Bärten und langen Haaren, die Kleider braungrau und steif von altem Schmutz. Fast alle waren jung, kaum einer ergraut. Manche starrten Susanna an wie hungrige Wölfe, einige wichen ihr auf dem Gehsteig absichtlich nicht aus; einer streifte sie an der Schulter. Alle trugen Pistolen. Manche schienen betrunken, dabei war noch nicht mal Mittag.

Zu Susannas Verwunderung sprachen viele Deutsch; sie hörte Schwäbisch, Sächsisch, Plattdeutsch, Rheinländisch.

Bismarck war eine deutsche Stadt. Die Northern Pacific Railway hatte sie auf diesen Namen getauft, um deutsche Siedler anzulocken. Vier Jahrzehnte später sollte der Name zur Belastung werden, als die USA in den Ersten Weltkrieg eintraten. Ein Komitee von tausend Bürgern schlug vor, die Stadt in »Loyal« umzutaufen. Der Gouverneur lehnte ab, weil der Eiserne Kanzler lange tot sei und weltpolitisch keine Rolle mehr spiele.

Nach ein paar Minuten erreichten sie das Hotel Pacific, der Träger schob seinen Handkarren an den Gehsteig heran. Verwitterte Schindeln, abblätternde Farbe, die Fenster blind von Staub. Zerfetzte Fliegengitter, fette Eidechsen auf sonnenbeschienenen Treppenstufen; aus der offenen Tür strömte ein feiner, aber stechender Geruch von Fäkalien, Kohlsuppe und Kernseife. Auf der Veranda saßen junge Kerle auf knarzenden Schaukelstühlen. Sie hatten Flaschen in den Händen und ihre gestiefelten Füße auf dem Geländer. Keine Frau und kein Kind weit und breit.

»Das ist es also«, sagte Susanna.

»Scheint so«, sagte Christie.

»Na gut«, sagte Susanna und wandte sich an den Träger. »Wie ist das andere?«

Dieser schaute gelangweilt beiseite. »Das andere was?«

»Das andere Hotel. Das Custer. Wie ist das?«

»Wie schon.«

»Na?«

»Wie das hier.«

»Genau gleich?«

»Bisschen dreckiger vielleicht.«

»Und sonst gibt's nichts in Bismarck?«

»Was nichts?«

»Kein anderes Hotel?«

»Na, das Lincoln.«

»Und wie ist das?«

»Wie schon.«

»Wie?«

»Sind halt die Nutten dort.«

»Gut, vielen Dank. Dann bleiben wir besser hier. Oder was meinst du, Christie?«

Christie zuckte mit den Schultern. Er war in die Betrachtung der Kerle auf den Schaukelstühlen vertieft.

»Für eine Nacht wird das schon gehen, wenn's sein muss. Oder?«

Christie nickte.

»Andrerseits frage ich mich, ob es sein muss. Was meinst du, muss es sein?«

Christie zuckte wiederum mit den Schultern, wie Dreizehnjährige es nun mal tun.

»Ich glaube, es muss nicht sein. So furchtbar viel verpassen wir hier nicht. Zumindest nichts Angenehmes.«

Christie nickte.

»Es ist ja noch früh am Tag. Vielleicht fährt heute noch ein Schiff. He, Sie!«, rief Susanna dem Träger zu, der sich schon daranmachte, die Koffer abzuladen. »Wissen Sie, ob nächstens ein Schiff fährt?«

»Aufwärts oder abwärts?«

»Abwärts.«

»Keine Ahnung.«

»Und aufwärts?«

»Keine Ahnung.«

Susanna bat den Träger, das Gepäck zur Schifflände hinunterzubringen. Im Weggehen warf sie einen Blick zurück aufs Pacific Hotel. Sie war sich sicher, dass sie in ihrem Leben nie mehr dahin zurückkehren würde.

AN DIESEM GOTTVERGESSENEN ORT

Der Missouri ist ein breiter, ruhig dahinziehender Fluss; von bloßem Auge ist an manchen Stellen kaum zu erkennen, ob er überhaupt eine Strömung hat. Zuweilen sieht er aus, als könnte er sein seichtes, schlammiges Wasser eines Tages, statt es letztlich in den Golf von Mexiko zu ergießen, zur Abwechslung auch zurückfließen lassen an den Fuß der Berge, denen er entsprungen ist; oder als könnte er, falls es ihm einfiele, auch mal nach links oder rechts aus dem Flussbett ausbrechen und irgendwo versickern und verdunsten in dem flachen Land, das weder dem Auge noch den Winden Halt gibt und schon gar nicht der menschlichen Seele oder einem derart auf Ausgleich bedachten Element wie dem Wasser.

Und weil der Fluss so seicht ist, dürfen die Dampfschiffe, die ihn befahren, nur sehr wenig Tiefgang haben. Sie haben keinen Kiel und kein Schwert und eigentlich auch keinen Rumpf, den man als solchen bezeichnen könnte, sondern sind, um bei geringstmöglichem Tiefgang maximalen Auftrieb zu erreichen, auf ihrer Unterseite flach wie ein Kuchenblech. Auch haben sie für den Antrieb keine Schiffsschrauben, sondern seitlich angebrachte Schaufelräder, die nicht tiefer ins Wasser ragen als das Kuchenblech; und so rutschen sie, wenn sie auf eine Sandbank geraten, mit etwas Glück darüber hinweg wie ein Schlitten über den Schnee und setzen ihre Fahrt unbeschadet in tieferem Wasser fort.

Trotzdem kommt es gelegentlich vor, dass ein Flussdampfer

sinkt. Die *Abner O'Neal* zum Beispiel, von der gleich die Rede sein wird, fuhr am 17. Juli 1892 – also zwei Jahre nach den hier berichteten Ereignissen – nördlich von Bismarck auf eine Felsnase auf und sank. Besatzung und Passagiere konnten sich ans Ufer retten, aber die Ladung von neuntausend Bushel Weizen war verloren. Seither ruht das Schiff auf dem Grund des Flusses. Nur alle paar Jahrzehnte, wenn der Pegelstand des Missouri nach besonders langer Dürre außergewöhnlich niedrig ist, ragt ihr Gerippe aus dem Wasser.

Als Susanna und Christie an der Schiffllände ankamen, waren die Soldaten schon da. Sie lagerten unter ein paar Schwarzpappeln im Gras. Es war eine ganze Kompanie. Die vierzig Soldaten und ihre acht Sergeanten trugen blaue Mützen, die Offiziere weiße Hüte. Ihre Uniformen waren neu, die Stiefel glänzten. Die Pferde soffen am Ufer. Sie waren wohlgenährt und frisch gestriegelt. Im Gras neben den Soldaten standen vier Hotchkiss-Maschinengewehre auf ihren Lafetten sowie Munitionskisten und Hafersäcke für die Pferde. Die Lokomotive und die Waggons standen auf dem Abstellgleis.

Bei der Anlegestelle gab es eine hölzerne Sitzbank mit einem Schattendach, dort ließen Susanna und Christie sich nieder. Ein Offizier kam herbei, salutierte und stellte sich als Captain Sully vor. Er grüßte auch Christie mit beiläufigem Ernst, von Mann zu Mann. Das gefiel Susanna. Captain Sully erkundigte sich nach dem Ziel ihrer Reise.

»Fort Yates«, sagte sie.

»Wir auch«, sagte der Captain. »Darf man nach dem Zweck Ihrer Reise fragen?«

»Privater Besuch. Und Sie?«

»Dienstlicher Befehl. Zur Verstärkung der Garnison. Scheint, als würde demnächst etwas los sein in der Gegend.«

»Was denn?«

»Keine Ahnung. Jedenfalls haben Sie und Ihr Sohn ab sofort vierzig Mann Geleitschutz, Madam.«

»Das freut mich zu hören.« Der Captain gefiel Susanna. Er war ungefähr in ihrem Alter. Sein Blick war absichtslos. Sie hatte die angenehme Empfindung, dass er sie als Frau, aber nicht als Beute sah. »Wissen Sie, wann das nächste Schiff fährt?«

»Schwer zu sagen. Wie man hört, ist die *Abner O'Neal* vor ein paar Tagen den Fluss hochgefahren. Dann wird sie wohl nächstens wieder herunterkommen.«

»Wann?«

»Vielleicht heute, vielleicht morgen. Vielleicht auch erst nächste Woche. Es kommt drauf an.«

»Worauf?«

»Auf das Wetter. Auf den Fluss. Auf die Maschine. Auf den Kapitän. Und auf die Besatzung. Sogar auf die Passagiere kommt es an.«

»Es kommt auf alles an.«

»Es kommt immer und überall auf alles an.«

»So ist das nun mal.«

»Im Leben.«

»Richtig.«

Und dann lachten sie und schauten einander verwundert an.

Sie hatten Glück. Schon nach vier Stunden kam hinter der Biegung des Flusses eine Rauchfahne in Sicht. Zwei hohe, schwarze Schlote schoben sich über das Ufergebüsch, dann glitt in einer majestätischen Schlaufe, während ihre Dampfpfeife zur Begrüßung fröhlich gellte, die *Abner O'Neal* über den Missouri und legte sachte steuerbord an den Haltepfählen an.

Susanna und Christie bezogen eine Kabine erster Klasse im zweiten Oberdeck. Vom Balkon aus beobachteten sie, wie die Soldaten die Munitionskisten, Hafersäcke und Maschinengewehre an Bord brachten. Die Pferde banden sie auf dem Achterdeck an die Reling. Captain Sully ging geschäftig hin und her, gab Anweisungen, überwachte das Festzurren der Ladung und vergewisserte sich, dass auf der Wiese unter den Schwarzpappeln nichts liegen geblieben war. Als er schließlich als Letzter an Bord ging, schaute er zu Susanna und Christie hinauf und legte grüßend zwei Finger an die Hutkrempe.

Die Schaufelräder schäumten das braune Wasser auf, die Schiffsjungen lösten die Trossen, und dann glitt der Dampfer in einer neuerlichen Schlaufe zurück in die unsichtbare Strömung. Man kann sich vorstellen, wie Christie und Susanna die Nasen in den Nachmittagswind hielten und dass sie beide in diesem Augenblick die Empfindung hatten, erstmals wirklich frei und von allem losgelöst unterwegs zu sein in der großen Welt. Denn bis dahin waren sie doch immer noch verbunden gewesen mit ihrem alten Leben im braunen Sandsteinhaus durch die stählerne Nabelschnur der Eisenbahnschiene, die ohne Lücke zweitausend Kilometer zurückführte bis nach New York. Erst jetzt, da sie auf der *Abner O'Neal* den Missouri hinuntertrieben, waren sie wirklich abgenabelt und bereit für alles, was noch kommen mochte.

Nach kurzer Fahrt wandte sich das Schiff in einer weiten Biegung nach Westen, folgte dann einer Biegung nach Osten und ließ die Stelle hinter sich, an der es zwei Jahre später sein feuchtes Grab finden sollte; dann schien es für kurze Zeit zurückzukehren in den Norden, nahm aber gleich wieder Kurs nach Süden, bevor der Fluss wiederum ostwärts und noch mal in den Westen und aufs Neue nach Norden floss; so ging es Stunde um Stunde südwärts durch die Plains des Mittleren Westens, dem Golf von Mexiko entgegen.

Als es dämmerte, ließ der Kapitän an einem namenlosen Uferstück die Anker werfen. Eine Weiterfahrt bei Dunkelheit wäre zu gefährlich gewesen. Ein Matrose setzte mit einem weiten Sprung ans Ufer über und sicherte das Schiff mit einem Mastwurf an einer Schwarzpappel. Die Dampfmaschine kam zum Stillstand und hauchte über die Ventile zischend ihre Kraft aus; die Schiffsjungen liefen übers Deck und zündeten Petrollampen an.

Die Nacht senkte sich über den Missouri, das Gekreisch der Zikaden verstummte. Die Sterne leuchteten auf, bald strahlten sie dicht an dicht am tiefschwarzen Himmel bis hinunter zum Horizont. Die Pferde grasten am Ufer, die Soldaten saßen in kleinen Gruppen an Lagerfeuern und spielten Karten. Zaghaft begann im Schilf das Konzert der Frösche.

Am nächsten Morgen lag nahebei auf einer Sandbank ein mächtiger Stapel Holz. Daneben saßen zwei Ureinwohner. Sie trugen Hosen aus blauem Segeltuch und karierte Hemden. Der Zahlmeister ging zu ihnen und bezahlte sie in Dollar. Er zahlte gut; wenn die Ureinwohner unzufrieden waren, konnte es geschehen, dass für das Schiff auf dem ganzen Missouri für eine Weile kein Brennholz mehr bereitlag. Es war unerklärlich, wie sie den Haufen in der Nacht unbemerkt hatten herbeischaffen können. Nicht einmal die Pferde waren unruhig geworden. Ein Rätsel war auch, wo sie derartige Mengen Holz überhaupt hernahmen. Die Matrosen und Schiffsjungen hätten Tage gebraucht, um einen solchen Haufen zusammenzutragen. Das meiste war Schwemmholz, einiges noch grün; manchmal fanden sich im Haufen auch zugeschnittene Balken und Wandbretter, die vielleicht zu einer verlassenen Farm gehört hatten, oder die Schwellen einer stillgelegten Eisenbahnschiene. Die Dampfmaschine war nicht wählerisch, ihr unersättlicher Feuerschlund verschlang alles, was man in ihn hineinwarf.

Nachdem die Ureinwohner ihren Lohn kassiert hatten, verschwanden sie im Buschgras. Die Soldaten halfen den Matrosen, das Holz an Bord zu schaffen. Zum Dank spendierte ihnen der Kapitän ein paar Flaschen Whisky.

Am Nachmittag des zweiten Tages kam eine Halbinsel in Sicht, auf der in Reih und Glied etwa fünfzig Blockhäuser standen. Das war Fort Yates. Hinter den Blockhäusern gab es eine Palisade, die das Fort gegen das Land hin abschirmte, und am Ufer ein Gehege für die Pferde. Sie hoben die Köpfe, als sie das Nahen von Artgenossen witterten, dann trabten sie ans Ufer und wieherten zur Begrüßung.

Die Soldaten gingen als Erste von Bord. Sie führten die Pferde ins Gehege und trugen die Kisten, Maschinengewehre und Hafersäcke zu den Baracken. Captain Sully bat Susanna um die Erlaubnis, ihre Koffer ins Gästehaus schaffen zu lassen. Christie rannte aufgeregt zu den Pferden, Susanna blieb am Ufer stehen und beobachtete, wie zwei Schiffsjungen den Landesteg einzogen und die Trossen von den Klampen lösten. Und während sie mit den Tauen in den Händen auf den Befehl zum Loslassen warteten, schauten sie Susanna mitfühlend an, als möchten sie ihr zurufen: Willst du es dir nicht noch einmal überlegen? Du hast an diesem gottvergessenen Ort doch nichts verloren. Mach dich nicht unglücklich, komm rasch wieder an Bord. Mach schnell, solange noch Zeit ist!

Aber dann kam der Befehl zum Loslassen, und es war zu spät.

Das Gästehaus war eine fensterlose, schindelgedeckte

Blockhütte. Die Ritzen zwischen den Baumstämmen waren mit getrocknetem Lehm gefüllt, die Angeln in der Tür aus Büffelleder gefertigt. Im offenen Kamin hing ein Kupferkessel, an den Wänden standen vier Feldbetten. Susanna musste lächeln über die rußige Petrollampe, die über dem roh gezimmerten Tisch hing.

Jemand klopfte an. Vor der Tür stand im Gegenlicht ein weißer Zwerg. Er hatte wallendes weißes Kopfhaar, einen weißen, gezwirbelten Schnurrbart und einen bestens gepflegten Spitzbart. Seine kurzen, knorrigen Beine waren eng umschlossen von weißen, nach neuster Mode geschnittenen Pantalons. Um den Hals trug er eine malerische rosa Fliege und in der Brusttasche seines Jacketts ein rotes Einstecktuch, und er roch stark nach Lavendelwasser. Als er zu sprechen anfing, tat er das mit erstaunlich tiefer Stimme. Der parfümierte Zwerg sprach wie ein Bär. Galant erkundigte er sich bei Susanna, ob sein Besuch ungelegen komme, dann stellte er sich vor. Sein Name war James McLaughlin. Er war Indianeragent der Bundesregierung im Standing-Rock-Reservat, zuständig für die Administration und den Handel mit der indianischen Bevölkerung sowie alle übrigen zivilen Belange in Fort Yates.

»Ich nehme an, Sie und Ihr Sohn sind auf der Durchreise, Madam?«

»Fürs Erste bleiben wir hier, denke ich.«

»Hier in Fort Yates?«

»In der Gegend. Wir besuchen einen Freund.«

»Darf ich fragen, um wen es sich handelt?«

Susanna runzelte die Stirn.

»Madam, ich will nicht indiskret sein. Aber es ist meine Pflicht, mich über alle Vorgänge im Reservat auf dem Laufenden zu halten. Wie lautet der Name Ihres Freundes?«

»Wir besuchen Sitting Bull. Ich nehme an, Sie kennen ihn.«

Der Zwerg stieß ein heiseres Lachen aus.

»Verzeihung, Madam. Ich muss kurz sicherstellen, dass wir von derselben Person sprechen. Es gibt Sitting Bull Junior und Sitting Bull Senior, dann auch Standing Bull, Kicking Bull und Running Bull, nicht zu vergessen Jumping Bull, Bob-Tail-Bull, Old Bull und Bull Ghost und schließlich Bull Head und Dancing Bull sowie Kills Bull und Sleeping Bull.«

»Das ist gut zu wissen.«

»Sie müssen verstehen, dass jeder Zweite hier im Reservat einen Bison im Namen trägt oder einen Bären oder einen Adler oder so. Da ist die Gefahr von Verwechslungen groß. Das ist hier nicht viel anders als bei uns, wo jeder Zweite Smith oder Jones oder Williams heißt.«

»Ich verstehe.«

Susanna verstand tatsächlich. Sie verstand den Zwerg, sie las in ihm wie in einem offenen Buch. James McLaughlin war ein kleiner König in einem kleinen Reich. Mit solchen Männern kannte sie sich aus. Kleine Könige waren die unangenehmsten. Man traf sie überall. Sie lebten, um zu herrschen. Manche erwählten sich eine Pfarrei, eine Schweinefarm oder eine Kunstgalerie als Königreich, andere übten ihre Tyrannei in der Dorfkneipe, im Ehebett oder im Klassenzimmer aus. Ihr oberstes Ziel war die unumschränkte Macht, deshalb schufen sie sich kleine, übersichtliche Königreiche. Je kleiner der König, desto kleiner war sein Reich. Manche Könige waren so klein, dass sie überhaupt kein Reich hatten; die konnten, wenn sich ihnen die Gelegenheit bot, die schlimmsten Berserker sein.

James McLaughlin herrschte über Fort Yates als absoluter König. Er war oberste Instanz der Exekutive, Legislative und

Judikative; nur die Soldaten unterstanden nicht seiner Befehlsgewalt. Und weil er ein kleiner König in einem kleinen Reich war, hatte er kleine Waffen und kleine Foltergeräte zur Hand; keine wirklichen Streckbetten und keine echten Daumenschrauben zwar und schon gar keine veritablen Galgen oder Guillotinen; aber er verfügte doch über hinterlistige kleine Schikanen, fiese Stolperdrähte und unsichtbare Fußfesseln, mit denen er einem das Leben schwer machen konnte. Susanna wusste das. Solche Männer musste man sich vom Leib halten, und zwar auf möglichst unauffällige Weise. Denn wenn sie merkten, dass man sich ihrer Macht entzog, konnten sie Amok laufen.

Susanna beschloss, sich fürs Erste auf die bewährte weibliche Verteidigungslinie von Müdigkeit, Kopfschmerzen und allgemeinem Unwohlsein zurückzuziehen. Aber da trat zu ihrer Überraschung Christie auf den Plan. Er hatte den Auftritt des Zwergs von seinem Feldbett aus verfolgt. Jetzt erhob er sich und trat sehr nahe an McLaughlin heran. Näher, als es schicklich war, wie Susanna fand.

»Verzeihung, Sir.«

Der Jüngling überragte den Zwerg um nahezu zwei Köpfe. Er senkte die Stirn zu ihm hernieder in schlecht verhohlenem Zorn. Der Zwerg trat unwillkürlich einen Schritt zurück. Susanna staunte. Es war das erste Mal, dass sie ihren Sohn als Mann wahrnahm. Christies Stimme bebte, als er zu sprechen anfing.

»Bitte erlauben Sie mir eine Bemerkung, Sir. Ich finde, wir sollten Sitting Bull den Respekt erweisen, den er verdient. Er ist der größte lebende Häuptling und Medizinmann aller Sioux.«

»Aber ja, mein Kleiner. In den Romanen ist er das, gewiss.«

Der Zwerg hatte schon wieder Oberwasser. Er reckte die Hand nach oben, um Christie gönnerhaft die Schulter zu tätscheln. »Aber in Wahrheit ist er nur ein hässlicher alter Mann mit einer großen Schnauze. Ein Prahlhans und ein Feigling.«

»Er hat General Custers Armee am Little Bighorn vernichtend geschlagen.«

»Klar. Vielleicht. Mag sein. Das war vor vierzehn Jahren. Ist tatsächlich einiges schiefgelaufen damals. Gut möglich, dass der Chief dabei war, ich will da gar nichts gesagt haben. Aber jetzt ist er nur noch ein alter Mann, der den Weibern hintersteigt. Dabei sieht er selbst schon aus wie ein Hutzelweib mit seinen grauen Zöpfen und dem bartlosen Kinn. Und ständig macht er Stunk. Geht allen auf die Nerven, vor allem den Jungen. Will einfach nicht wahrhaben, dass die Zeiten sich geändert haben.«

»In der Sprache der Lakota ist sein Name Tatanka Ljotake.«

»Das sage ich doch, irgendwas mit ›Bull‹. Sprichst du Lakota, Kleiner?«

»Nein, Sir.«

»Ich schon. Meine Frau ist Indianerin. Der Chief kommt übrigens regelmäßig hier im Fort vorbei, um seine Essensrationen abzuholen. Die armen Teufel würden ja verhungern ohne uns.«

»Er wurde gefangen genommen mit List und Lüge.«

»Tja, er ist uns in die Falle getappt.«

»Sie halten ihn hier wie einen Sträfling.«

»Aber nein, Kleiner, so ist das nicht. Dies ist ein freies Land, weißt du das nicht? Der Chief darf gehen, wohin er will. Er muss nur vorgängig ein paar Papiere ausfüllen und bei mir eine Reisebewilligung beantragen.«

»Und? Geben Sie ihm die?«

»Selbstverständlich, wenn nichts dagegenspricht. Zurzeit spricht allerdings einiges dagegen. Es herrscht Unruhe im Reservat, die Indianer wirbeln Staub auf. Tanzen im Kreis und träumen davon, uns aus dem Land zu werfen. Gut möglich, dass der alte Chief dahintersteckt. Darf ich fragen, Madam, wie Sie den Weg zu seinem Haus zu bewältigen gedachten?«

»Wo wohnt er denn?«

»Etwa vierzig Meilen südlich von hier, am Ufer des Grand River. Sie reisen mit großem Gepäck, wie ich gesehen habe.«

»Ich denke daran, hier in der Gegend ein Stück Land zu kaufen. Wir bauen vielleicht ein Haus.«

»Im Reservat? Das wird nicht möglich sein.«

»Eine Bewilligung würde in Ihre Zuständigkeit fallen, nehme ich an.«

»Das ist richtig, Madam.«

»Aber fürs Militär sind Sie nicht zuständig.«

»Nein«, erwiderte er spitz.

»Und wie reist man von hier an den Grand River?«

»Im Planwagen, Madam. Immer schön geradeaus nach Süden. Acht Stunden, wenn alles gut geht. Ödes Gelände. Nichts als Buschgras, Sand und Klapperschlangen. Und Pumas, wenn Sie Pech haben. Ich rate Ihnen dringend davon ab, wie gesagt.«

»Zu Pferd wär's nicht machbar?«

»Sie würden Proviant und Trinkwasser für mindestens zwei Tage brauchen. Und Ihre Koffer würden Sie wohl auch nicht hierlassen wollen, nehme ich an. Darf ich fragen, ob Sie einen Planwagen zur Hand haben, Madam? Und zwei Zugpferde?«

MORGEN GIBT ES CATFISH

Susanna hatte weder einen Planwagen noch zwei Zugpferde zur Hand, aber sie hatte Geld. Und sie hatte in Fort Yates einen Freund, der dem weißen Zwerg nicht untertan war.

Am nächsten Morgen spazierte sie durchs Fort, kam wie zufällig an der Offiziersmesse vorbei und erkundigte sich bei Captain Sully, wie viel es kosten würde, für ein paar Wochen einen Planwagen und zwei Pferde der U.S. Army auszuleihen.

Der Captain lächelte. Gut möglich, dass er am Vorabend den Auftritt des weißen Zwergs an Susannas Tür beobachtet hatte; von der Offiziersmesse aus hatte man eine schöne Sicht hinüber zum Gästehaus. Er rief einen Sergeanten herbei und bat ihn, für die Lady ein Fuhrwerk bereitzustellen, und dann schlug er vor, dass zwei Kavalleristen Christie und Susanna an den Grand River begleiten sollten. Susanna lehnte das ab. Sie wollte nicht mit militärischer Eskorte durchs Reservat ziehen.

Auch den Colt und die Winchester, die er ihr anbot, wollte sie zurückweisen. Aber Christie war Feuer und Flamme. Er ließ sich vom Captain Handhabung und Wartung der Waffen erklären. Danach hielten sie hinter dem Gästehaus eine Schießübung auf kurze Distanz ab. Christie war selig, als endlich die erste Flasche zersplitterte.

Susanna ging derweil zum Handelsposten unten am Fluss. Sie kaufte Rindfleisch in Dosen und Weizenmehl in Fünfzigpfundsäcken, dazu große Mengen Kartoffeln, Mais, Zucker und Salz. Der Kontorist legte die Stirn in Falten und sagte, das sei Proviant für ein halbes Jahr.

»Ach ja?«, sagte Susanna. »Dann legen Sie bitte noch mal dieselbe Menge dazu. Und bitte auch noch Tee, Kaffee, Rotwein und Butterkekse. Haben Sie Butterkekse?«

Als am nächsten Morgen die Sonne aufging, waren alle Essensvorräte und das Reisegepäck im Planwagen verstaut. Susanna und Christie stiegen auf den Kutschbock, ächzend rollte der Wagen an. Captain Sully führte die Pferde zum Exerzierplatz vor der Palisade und zeigte ihnen unter allen Wagenspuren die Piste, die zum Grand River führte.

Susanna sagte: »Auf Wiedersehen, Captain.«

Er salutierte und nahm Abschied.

Und so schaukelten Susanna und Christie, diese zwei Stadtkinder aus Brooklyn, auf dem Bock eines gemieteten Planwagens hinaus in die Prärie; das ist tatsächlich so geschehen an einem frühen Morgen im Sommer 1890.

Die Gegend war nun nicht mehr gänzlich flach, ein sanftes Wellenmeer aus Buschgras zeichnete einen Hauch von Landschaft in die menschenleere Weite. Der Wagen schwankte über dem nachgiebigen Grund wie eine Jolle auf hoher See. Die Kutschpferde brauchten keine Führung. Es war, als kennten sie den Weg; dabei folgten sie nur dem Duft des Mists, den ihre Vorgänger hinterlassen hatten. Captain Sully hatte Susanna versichert, dass sie, wenn sie nur immer die allgemeine Richtung nach Süden einhielten, am späten Nachmittag unfehlbar auf den Grand River stoßen würden.

Die Fahrt war anstrengend im schaukelnden Gefährt. Susanna stemmte die Füße gegen das Spritzbrett und hielt sich mit der Linken an der Lehne fest; in der Rechten hielt sie die Zügel. Bei der Abfahrt in Fort Yates war es für sie keine Frage gewesen, dass sie es sein würde, die das Fuhrwerk an den Grand River brachte, und nicht Christie; sie war es seit dreizehn Jahren gewohnt, ihrem Kind in jeder Lebenslage den Weg zu weisen. Jetzt aber spürte sie, dass sie eine Frau in mittleren Jahren und von körperlicher Anstrengung entwöhnt war; schon nach einer halben Stunde brannten ihr die Arme und schmerzten sie Rumpf und Hintern, dass sie nicht mehr wusste, wie sie sitzen sollte. Ihr kleiner Christie hingegen, der sie schon um einen Kopf überragte, balancierte vergnügt auf dem hohen Bock und schaute neugierig über die Ohren der Pferde hinweg auf die Piste. Susanna empfand das Bedürfnis, sich an seiner eckig gewordenen Schulter auszuruhen.

Sie begegneten unterwegs keiner Menschenseele, übrigens auch keinem anderen Säugetier; nur Schlangen und Echsen raschelten im immergleichen Buschgras, und Sperlinge pickten unter den Sträuchern nach Sandkäfern. Christie vertrieb sich die Zeit, indem er Susanna alles erzählte, was er über den Wilden Westen wusste, und dazwischen sprang er immer wieder ab, lief neben dem Planwagen her und sammelte dürres Gehölz am Wegesrand, wie Captain Sully es ihm geraten hatte.

Die Sonne stieg höher, die Landschaft glarte, die Hitze war erschlagend. Am Himmel kreisten Geier. Hohe Wolken zogen vorbei, ein Wechselspiel von Licht und Schatten huschte über die Prärie. Susanna reichte die Zügel Christie, dann kletterte sie über die Lehne nach hinten und legte sich im Schatten der Plane auf einen Sack Weizen.

Sie erwachte aus ihrem Dämmer, weil das Schaukeln plötzlich aufhörte und das Quietschen der Radnaben verstummte. Der Wagen stand still. Die Zikaden lärmten, sonst war nichts zu hören. Der Duft eines Holzfeuers lag in der Luft. Susanna lugte an Christie vorbei ins Freie. Das Licht der Sonne war weich geworden, die Pferde warfen lange Schatten. Sie musste lange geschlafen haben, es war schon später Nachmittag.

Weiter vorn stand ein schindelgedecktes Blockhaus aus roh behauenen, grau verwitterten Baumstämmen. Es hatte keine Veranda, kein Vordach und keine Fliegentür, nur ein einzelnes Fenster auf der Seite. Einen Steinwurf entfernt stand ein Tipi, dahinter ein Gehege mit Rindern und Pferden.

»Ist es das?«

»Ich glaube schon.«

»Ist jemand da?«

»Aus dem Kamin steigt Rauch«, sagte Christie.

Susanna kletterte nach vorn, richtete ihr Haar und zupfte den Rock zurecht.

»Was machen wir jetzt?«

»Keine Ahnung.«

»Gehen wir hin und klopfen an?«

»Die haben uns doch längst bemerkt.«

»Ich finde, wir sollten anklopfen.«

»Wozu? Wir sind da, und sie sind auch da. Wenn sie uns sehen wollen, werden sie schon rauskommen.«

»Trotzdem. Man macht das doch so.«

»Mal abwarten. Hast du Hunger?«

Susanna schnitt zwei Scheiben Brot und Trockenfleisch ab, Christie nahm die Feldflasche unter dem Bock hervor. Sie kauten, tranken und warteten. Ein Schwarm schwarze Vögel flog über die Blockhütte, das Buschgras zitterte im heißen Wind. Ein paar Präriehühner ruckelten durchs Gebüsch.

Nach einer Weile stieg Susanna vom Bock. Sie dehnte und streckte sich ächzend, dann lief sie hinter dem Wagen ein Stück in die Prärie, um sich zu erleichtern. Danach kehrte sie zurück auf den Kutschbock, wo Christie gerade dabei war, sich eine Zigarette zu drehen.

»Was machst du denn da, spinnst du?«

Christie tat, als hätte er nicht gehört. Er war ganz darauf konzentriert, das Papier um den Tabak zu rollen.

»Hör sofort auf damit. Gib her.«

»Lass mich.«

»Na los. Wirst du wohl?«

Da wandte Christie sich von ihr ab. Er drehte seiner Mutter den Rücken zu. Susanna staunte, wie breit er geworden war. Sie sah, dass es an diesem Rücken für sie kein Vorbeikommen mehr gab.

»Hör mal, du bist erst dreizehn. Wo hast du das Zeug überhaupt her?«

»Von Captain Sully.«

»Von Captain Sully?«

»Hat er mir heute früh geschenkt.«

Da ließ Susanna die Arme sinken. Sie hatte schon immer gewusst, dass der Tag ihrer Entmachtung kommen würde. Nun war es also Captain Sully, der sie vom Thron gestoßen hatte. Ihre Aufgabe würde es sein, im Lauf der Jahre ihren Frieden damit zu schließen.

Christie nahm gerade ein Schwefelholz hervor, als an der Blockhütte die Tür aufging. Ein Jüngling trat heraus, fast noch ein Kind. Er gähnte und blinzelte ins schwindende Abendlicht, als bemerkte er nicht den fremden Planwagen und die zwei Pferde vor dem Haus. Dann schlenderte er seitlich hinaus ins Buschgras, blieb stehen und nestelte an seinem Hosenstall, schlug sein Wasser ab und schaute gleichmütig hinaus in die Prärie, als wäre er der einzige Mensch unter dem Himmel. Nach einer Weile schlenderte er zurück zur Blockhütte und ging hinein. Die Tür war wieder zu.

Christie hatte das Schauspiel aufmerksam verfolgt. Als es vorbei war, strich er das Schwefelholz an und setzte seine Zigarette in Glimmbrand. Er hatte sie zu locker gedreht, der Tabak verglühte in Sekundenschnelle. Er zertrat den Stummel auf dem Bodenbrett des Kutschbocks und sagte:

»So, jetzt muss ich auch mal.«

Er stieg vom Kutschbock, lief hinaus in die Prärie und blieb ebenfalls im Buschgras stehen. Danach kehrte er zum Planwagen zurück, trug ein paar Steine für eine Feuerstelle zusammen und entfachte ein Feuer mit dem Holz, das er unterwegs gesammelt hatte. Susanna breitete daneben eine Decke aus.

Kaum hatten sie sich am Lagerfeuer niedergelassen, ging im Blockhaus wiederum die Tür auf. Eine Frau mittleren Alters trat heraus. Sie marschierte geradewegs auf den Planwagen zu und daran vorbei, raffte weiter hinten ihre Röcke und kauerte sich hin. Danach kehrte sie zurück ins Haus.

Christie brach in Gelächter aus.

»Allmählich wird mir das hier aber zu albern«, sagte Susanna. »Bin jetzt etwa ich wieder an der Reihe?«

Stattdessen legte sie Kartoffeln in die Glut des Lagerfeuers, öffnete eine Dose Rindfleisch und stellte sie zum Aufwärmen neben die Kartoffeln. Christie lachte weiter, er konnte gar nicht mehr aufhören. Susanna holte eine Flasche Rotwein aus dem Wagen. Als die Kartoffeln gar waren, aßen sie. Die Nacht brach herein. Das Blockhaus war ein dunkler Schatten, daneben gloste weiß das Tipi.

Nachdem sie gegessen hatten, hievte Susanna einen Sack Kartoffeln aus dem Wagen. Christie eilte herbei, um ihr zu helfen, aber sie sagte: »Lass. Das will ich machen.« Sie trug den Sack zum Blockhaus. Goldenes Licht drang durch die Ritzen, Stimmen waren zu hören. Gemurmel, Gelächter und Geschrei von Männern, Frauen und Kindern. Der Sack war schwer. Als

Susanna vor der Tür stand, verstummten die Stimmen. Sie stellte den Kartoffelsack ab und wartete. Nichts geschah. Es blieb still. Sie zog in Erwägung, anzuklopfen, entschied sich aber dagegen. Wenn jemand sie sehen wollte, würde die Tür jetzt aufgehen. Nach einer Weile drehte sie sich auf dem Absatz um und kehrte zurück zum Planwagen. Nachdem sie ein paar Schritte gemacht hatte, setzten die Stimmen wieder ein.

Susanna und Christie schliefen im Freien auf der Decke neben dem Lagerfeuer. Christie schlief die ganze Nacht lang wie ein Säugling, Susanna hingegen wachte immer wieder auf; der Boden war hart unter der Wolldecke. Und während sie auf die Rückkehr des Schlafs wartete, schaute sie hinauf zu den Sternen. Sie lauschte den Grillen, sog den würzigen Duft der Steppe ein und spürte die stille Macht der Erde unter sich. Ihr Herz war voll. Susanna war da, geborgen im Kosmos, allem zugehörig und eins mit der Kraft, die alles durchströmte.

Als der erste Sonnenstrahl auf ihr Gesicht fiel, setzte sie sich auf. Christie war schon wach; er hatte tief geschlafen, nun war er ausgeruht. Er stocherte in der Feuerstelle nach der Glut vom Vorabend. Das Blockhaus stand unverändert da, nur der Kartoffelsack war verschwunden, und an der Stelle, an der am Abend das weiße Tipi gestanden hatte, waren nun drei weiße Tipis. Beim Blockhaus ging die Tür auf, ein Jüngling trat heraus; es war derselbe, der am Abend ins Präriegras gegangen war. Er kam geradewegs auf sie zu. Auf der linken Hand balancierte er eine weiße Porzellanplatte, auf der ein knusprig gebratenes Kaninchen in einem Kranz von dampfend heißen Bratkartoffeln lag.

»Meine Eltern lassen für die Kartoffeln danken.« Er reichte Susanna die Platte. »Sie wünschen guten Appetit.«

»Vielen Dank. Das duftet herrlich. Wir haben schon lange nichts Ordentliches mehr gegessen.«

»Ich nehme an, Sie sind auf der Durchreise.«

»Wir sind aus New York.«

»Wohin fahren Sie?«

»In den Süden«, sagte Susanna. »Oder nach Westen.«

»Oder in die Black Hills«, sagte Christie.

»Mein Name ist Susanna. Und das ist Christie.«

»Ich bin Crow Foot«, sagte der Jüngling.

»Du wohnst in dem Haus da?«

»Ich bin der jüngste Sohn. Sie sollten essen, es wird sonst kalt.«

»Willst du dich nicht zu uns setzen?«

Bevor der Jüngling sich niederließ, nahm er ein paar dürre Zweige aus dem umstehenden Gebüsch und legte sie auf die Glut. Sie fingen sofort Feuer.

Crow Foot war vielleicht zwei Jahre älter als Christie, aber ein gutes Stück kleiner. Sein ernstes Gesicht war weich und rund, das schwarze Haar hing ihm in zwei kurzen Zöpfen hinter den Ohren. Er sprach ein sehr gepflegtes Englisch, Susanna glaubte einen leichten deutschen Akzent zu hören. Wahrscheinlich gab es in der Gegend eine Missionsschule, in der ein deutscher Pastor unterrichtete.

Während sie aßen, machte Crow Foot mit Susanna Konversation. Erst erkundigte er sich nach ihrem Befinden und ob sie die Schiffsreise auf dem Missouri angenehm gefunden habe, dann sprach er vom Wetter und vom Einfluss der Mondphasen auf das Gemüt der Pferde; dabei warf er kurze Blicke zu Christie hinüber, der ihm schweigend zuhörte und ihn nicht aus den Augen ließ.

Nach dem Essen trug Susanna das Geschirr hinter den Planwagen, um es langsam, gründlich und methodisch zu spülen und dabei geduldig zu belauschen, wie die zwei Jugendlichen ins Gespräch kamen. Sie näherten sich einander vorsichtig an, indem sie abwechselnd höflich aufzählten, was sie von der Lebenswelt des anderen wussten. Crow Foot sprach von der Eisenbahn, Christie redete über Pferde. Crow Foot redete vom Ozean und der Freiheitsstatue, Christie von den Rocky Mountains und den Goldminen in den Black Hills. So ging das hin und her, bis Susanna zurückkehrte und Crow Foot die gereinigte Porzellanplatte reichte.

»Sag deinen Eltern, wir lassen danken.«

»Verzeihung, Madam. Mein Vater lässt fragen, ob Sie heute noch abreisen.«

»Nein.«

»Morgen?«

»Wir haben keine festen Pläne.«

»Wenn Sie wollen, können Sie Ihre Pferde bis zur Abreise im Gehege unterbringen. Unsere Pferde werden dann mit ihnen Freundschaft schließen.«

Es ist ja nicht so, dass Pferde immer gleich Schwestern und Brüder werden, wenn man sie zusammen in ein Gehege sperrt, im Gegenteil. Meist gibt es zu Beginn einiges Gewieher und Geschnaube, dann auch Gerangel und Geschubse, zuweilen sogar Tritte und Bisse, bis klar ist, welches Pferd das stärkere ist und welches sich zu unterwerfen hat. Und natürlich geht es, wenn nicht gerade Brunftzeit ist, in erster Linie um die Frage, wer als Erstes an die Futterkrippe darf.

Susannas Kutschpferde hatten Glück, sie mussten keine Kämpfe ausfechten. Erstens war nicht Brunftzeit, und zweitens waren Sitting Bulls Pferde Besuch gewohnt; drittens hatte es genügend Platz für alle im weitläufigen Gehege, und viertens erübrigte sich das Gerangel um die Futterkrippe, weil sie immer gut gefüllt war.

Im Blockhaus, das am Abend noch abweisend und verschlossen dagestanden hatte, herrschte nun reges Treiben. Die Tür stand offen. Seltsame Dinge ereigneten sich. Ein Mädchen kam hinter dem Haus hervor, schlug mit einem Stock auf einen Busch und verschwand wieder hinter dem Haus. Von irgendwo aus der Prärie kam schwatzend und lärmend ein Schwarm Kinder angerannt. Sie wuselten auf dem Vorplatz umher und gingen nacheinander ins Haus. Kurz darauf traten zwei Frauen ins Freie und liefen hinüber zu den Tipis; dort standen jetzt nicht mehr drei, sondern sieben Tipis. Ein Rudel Hunde streunte hechelnd und schnüffelnd vorbei. Zwei junge Burschen schubsten einander über den Vorplatz und mimten einen Faustkampf. Ein einsamer Wanderer kam über den Hügel, setzte sich auf die Bank neben der Tür und zog seine Stiefel aus. Ein anderer Mann mit hüftlangem offenem Haar kam herbei, sprach eindringlich auf den Wanderer ein und überreichte ihm zwei tote Kaninchen, die mit einer Schnur an den Hinterläufen aneinandergebunden waren. Darauf stieg der Wanderer in seine Stiefel, warf sich die Kaninchen über die Schulter und ging weg. Der langhaarige Mann ging ins Haus und kam nicht mehr hervor.

Susanna und Christie lagerten neben ihrem Planwagen und verfolgten den Reigen mysteriöser Alltäglichkeiten mit gespielter Beiläufigkeit. Wenn jemand zu ihnen hinüberschaute, hoben sie grüßend die Hand. Manche grüßten zurück, andere nicht.

Susanna fühlte sich wie eine Nachbarin, von der zwar jeder den Namen kennt, aber niemand etwas wissen will. Nach ein paar Stunden war ihr das Geschehen auf dem Vorplatz schon ziemlich vertraut. Das waren dieselben Kinder wie vorhin, die jetzt aus dem Haus kamen. Sie reichten einander die Hände und begannen im Kreis zu tanzen. Der Mann mit dem hüftlangen Haar stellte sich in ihre Mitte und stimmte mit ausgebreiteten Armen ein Lied an. Die Frauen, die vorhin zu den Tipis gelaufen waren, standen jetzt im Gemüsegarten, den Susanna bisher gar nicht bemerkt hatte, und schnitten mit ihren Messern honiggelbe Kürbisse von der Staude. Wahrscheinlich waren sie Schwestern, sie sahen einander ähnlich. Der Garten sah ziemlich erbärmlich aus, er hob sich kaum ab vom braungrauen Einerlei der Prärie. Kaum waren die zwei Schwestern mit den Kürbissen im Haus verschwunden, kam Crow Foot mit zwei Wassereimern heraus. Er ging auf die lange Reihe Schwarzpappeln zu, die hinter dem Haus den Horizont bedeckte. Wahrscheinlich war dort der Grand River, und vermutlich hatte eine der Schwestern ihn zum Wasserholen geschickt; die war dann wohl seine Mutter. Weit konnte es bis zum Fluss nicht sein, die Schwarzpappeln waren nur einen Steinwurf entfernt. In der Ebene ist der Horizont ja immer nah, ohne Berge gibt es keine Weite. Wenn eine der zwei Schwestern Crow Foots Mutter war, musste sie logischerweise Sitting Bulls Gattin sein. Vielleicht war die andere Schwester ebenfalls Sitting Bulls Gattin. Sioux-Männer hatten die Gewohnheit, eine Schwester der ersten Gattin zu erwählen, wenn sie ein zweites Mal heirateten; dies in der Annahme, dass die beiden, weil sie einander von Kindsbeinen auf kannten, im Alltag besser miteinander zurechtkämen als zwei Fremde.

Als Crow Foot mit vollen Eimern wiederkehrte, tanzten die Kinder immer noch. Der Mann mit den toten Kaninchen stand lachend in ihrer Mitte und trieb sie an, schneller und immer noch schneller zu tanzen. Er drehte sich um sich selbst und schlug mit den Armen wie mit Flügeln, sein hüftlanges Haar strebte in der Drehung von ihm weg wie der Rock eines Mädchens; die Augen hatte er weit aufgerissen, und beim Lachen zog er die Mundwinkel nach unten statt nach oben, was seiner ganzen Gestalt einen diabolischen Anschein verlieh. Die Kinder tanzten um ihn her, so schnell sie konnten. Als es schneller nicht mehr ging, gab der Mann einen gellenden, lang anhaltenden Ton von sich; schwer zu sagen, ob es ein Pfiff oder ein Schrei war. Der Ton schwoll an, wurde hoch und immer höher und brach schließlich abrupt ab, worauf der Kreis der tanzenden Kinder auseinanderfiel und sich alle quietschend und jauchzend im Sand suhlten.

So verging der Vormittag, die Sonne stieg höher. Christies völkerkundliches Interesse erlahmte, er errichtete aus einer Plane ein Schattendach an der Längsseite des Wagens. Und weil ein unangenehmer Wind unter dem Wagen hindurch zum Lagerplatz wehte, spannte er eine zweite Plane vertikal als Windschutz vom Hinterrad zum Vorderrad.

Susanna beschloss, ebenfalls Wasser zu holen. Sie nahm zwei Eimer, ging am Blockhaus vorbei zu den Schwarzpappeln und gelangte tatsächlich an den Fluss. Das Ufer war schlammig. Es gab einen Steg aus Steinen, der zum Wasser hinausführte. An dessen Ende kauerten vier Frauen und wuschen Wäsche. Sitting Bulls Gattinnen waren nicht dabei. Die Frauen lächelten Susanna zu. Sie lächelte zurück und füllte ihre Eimer. Eine Frau bedeutete ihr, dass man das Wasser abkochen musste, bevor man es trank; dazu zeichnete sie einen Topf in die Luft und ließ darunter ihre Finger wie Flammen züngeln. Susanna nickte und dankte, indem sie die Handflächen aufeinanderpresste wie zum Gebet; das war ihr im Nachhinein ein wenig peinlich. Während sie über den Steg ans Festland zurückkehrte, tauchte aus dem Ufergehölz der Mann mit dem hüftlangen Haar auf. Er betrat den Steg, Susanna musste an ihm vorbei. Der Steg war schmal. Sie roch seinen Atem, sah die Kaninchen auf seiner Schulter und den Hass in seinen Augen, und sie fühlte die vibrierende Hitze seines Körpers; in der Sekunde, in der sie einander am nächsten waren, streifte eine Strähne seines langen, schwarzen Haars ihr Gesicht.

Rasch lief Susanna ans Ufer. Sie drehte sich erst nach ihm um, als sie das Gehölz erreicht hatte. Er stand in der Mitte des Stegs und sprach die Wäscherinnen an. Seine Stimme war laut wie einer von Edisons Lautsprechern. Er redete und gestikulierte, seine Arme kreisten wie die Flügel einer Windmühle durch die Luft. Zwei Frauen wuschen weiter, die beiden anderen standen auf, hielten sich die Hände aufs schmerzende Kreuz und hörten dem Mann zu. Als er geendet hatte, legte er vier tote Kaninchen auf den Steg. Dann drehte er sich um und kehrte ans Ufer zurück. Susanna machte, dass sie fortkam. Mit den zwei vollen Wasserkesseln konnte sie nicht so rasch laufen, wie sie es sich gewünscht hätte.

Derweil ging Christie hinaus in die Prärie, um Brennholz für den Abend zu sammeln; aber die Prärie war weit und das Holz rar. Also holte er eines der Kutschpferde aus dem Gehege, führte es zum Planwagen und kletterte über den Kutschbock auf dessen breiten Rücken. Das Pferd war duldsam, es warf ihn nicht ab. Und als er ihm sachte die Fersen in die Flanken drückte, setzte es sich sogar in Bewegung.

Bis zum Nachmittag war die Zahl der Tipis auf zwölf angewachsen; sie schossen wie Pilze aus dem Boden. Nach Sonnenuntergang saßen Susanna und Christie wieder am Lagerfeuer neben dem Planwagen, und wieder kam Crow Foot mit einem Teller herüber. Es gab wiederum Kaninchen, diesmal mit roten Chilischoten und Reis.

»Meine Mutter lässt ausrichten, dass die Kartoffeln ausgezeichnet schmecken«, sagte er. »Sie möchte wissen, was für eine Sorte es ist.«

»Keine Ahnung«, sagte Susanna. »Ich habe sie aus Fort Yates. Setz dich zu uns, bitte.«

Nachdem sie gegessen hatten, drehte Christie sich eine Zigarette. Crow Foot schaute interessiert zu. Christie reichte ihm den Beutel. Dann rauchten sie schweigend.

»Es gibt hier einen Mann, der allen Leuten Kaninchen verteilt«, sagte Susanna.

Crow Foot nickte. »Das ist Kicking Bear, mein Cousin. Der Neffe meines Vaters.«

»Wo hat er nur all die Kaninchen her?«

»Er bekommt sie geschenkt. Kicking Bear ist ein Prediger. Den Leuten gefällt, was er ihnen erzählt. Also schenken sie ihm Kaninchen.«

»Was erzählt er?«

»Dass er eine Reise nach Nevada gemacht und dort den Messias getroffen hat. Kicking Bear ist sein Prophet. Seit er von der Reise zurück ist, verkündet er dessen Frohe Botschaft. Er bekommt so viele Kaninchen, dass er nicht alle essen kann. Also schenkt er sie weiter.«

»Warum immer nur Kaninchen?«

»Weil es hier nichts anderes gibt. Was sollten die Leute ihm sonst schenken – den Himmel etwa? Oder den Fluss? Oder das Präriegras?«

Die Nacht war angebrochen, hinter den Hügeln ging der Mond auf. Susanna hängte den Teekessel über das Feuer, Crow

Foot legte Holz nach. Christie holte die Schlafdecken aus dem Planwagen.

»Und dein Vater?«, sagte Susanna. »Geht es ihm gut?«

Crow Foot schaute sie schweigend an.

»Mir ist aufgefallen, dass er heute den ganzen Tag nicht aus dem Haus gegangen ist. Täusche ich mich?«

»Nein, Madam«, sagte Crow Foot.

»Ist er gestern aus dem Haus gegangen? Oder vorgestern?«

»Nein.«

»Heute war ein guter Tag, um aus dem Haus zu gehen. Ein bisschen windig zwar. Weht hier oft so ein Wind?«

»Immer, Madam.«

»Ich hoffe, deinem Vater fehlt nichts.«

Da erhob sich der Jüngling. »Madam, Sie haben zu wenig Brennholz für den Abend. Ich bin gleich wieder da.«

Er verschwand in der Dunkelheit. Ein paar Minuten hörte man ihn rascheln da und dort, dann kehrte er mit einem dicken Bündel Holz zurück. Christie wunderte sich. Er hatte am Nachmittag die Umgebung gründlich abgesucht.

»Mein Vater lässt übrigens fragen, ob an Ihrem Planwagen etwas nicht in Ordnung ist.«

»Alles bestens, vielen Dank.«

»Und Ihre Pferde sind wohlauf?«

»Ich glaube schon.«

»Falls irgendetwas Sie an der Weiterreise hindert, lassen Sie es uns bitte wissen. Wir helfen Ihnen gern.«

»Oh. Danke.«

Eine Weile herrschte Ruhe. Das Feuer knisterte.

»Falls wir stören, brechen wir sofort auf. Bitte sag deinem Vater das. Wir können auch einen Arzt aus Fort Yates herüberschicken.«

»Das wird nicht nötig sein«, sagte Crow Foot. »Mein Vater ist selbst Medizinmann.«

»Ich weiß.«

»Und morgen gibt es *catfish*. Den sollten Sie noch kosten.«

Später in der Nacht ging Susanna, als Christie schon schlief, hinüber zum Haus und legte einen großen Beutel Salz vor die Tür. Diesmal verstummten die Stimmen im Blockhaus nur kurz und setzten gleich wieder ein. Sie klopfte trotzdem nicht an.

EIN TANZ IST NUR EIN TANZ

Der Sommer, den Susanna und Christie am Grand River verbrachten, war eine kurze Zeit des Glücks in den Dakotas. Eine schlimme Dürre war zu Ende gegangen, die Prärie blühte wieder auf. Zwei Jahre lang war kein Tropfen Regen und kaum Schnee gefallen. Im Sommer hatten heiße Sandstürme, Buschbrände und Heuschreckenplagen das Land verwüstet, im Winter hatte während langer Monate ein derart harscher, trockener Polarsturm das flache Land gepeitscht, dass die Vögel steif vom Himmel gefallen und die Fische in den gefrorenen Flüssen zu Eis erstarrt waren.

Aber dann hatte endlich ein milder, gütiger Wind ein paar Regenwolken übers Land getrieben, und die Prärie war aufs Neue zart ergrünt. Die Bäche führten wieder Wasser, und die Vögel, die in freundlichere Gegenden geflohen waren, kehrten zurück. Auch die Menschen fassten wieder Mut. Sie legten Gärten an und kauften Vieh. Es konnte niemand ahnen, dass die Dürre schon im Herbst zurückkehren und weitere fünf Jahre lang anhalten sollte.

Susanna und Christie lebten am Grand River wie die Sommerfrischler; ein wenig fühlte es sich an wie Urlaub auf Coney Island. Sie schliefen morgens lange aus, dann frühstückten sie und erkundeten in ausgedehnten Spaziergängen die Gegend. Sie sammelten Beeren und badeten im Fluss. Die heißen Nachmittagsstunden verbrachten sie lesend und dösend unter dem

Schattendach. Und die ganze Zeit warteten sie darauf, dass der Chief sich zeigte. Nach ein paar Tagen kamen erstmals Kinder zu Besuch. Susanna hatte das vorausgesehen und vor der Abreise in Manhattan große Mengen Marshmallows gekauft. Die Kinder sprachen alle Englisch. Sie brachten Christie und Susanna ein paar Wörter Lakota bei. *Howásapa. Eya tka. Ma cuitan.*

Das Einzige, was den Frieden störte, war der Wind, der Tag und Nacht blies. Er blies immer stark und manchmal noch stärker, und er machte Mensch und Tier nervös, weil er ständig die Richtung wechselte und allen die Haare, den Pelz und das Gefieder zerzauste, und er zerrte an den Zeltplanen, trieb Sand übers Land und machte Lärm in den Baumkronen.

Nach dem Abendessen spielten sie Schach im Licht der Petrollampe. Danach legte Christie sich schlafen. Susanna schenkte sich ein Glas Wein ein und las in ihrem Zola. Sie hatte ein paar Bände aus Valentinys Bibliothek mit auf die Reise genommen, um endlich die Welten kennenzulernen, in die ihr väterlicher Freund sich damals zurückgezogen hatte. Sie las mit dem Wörterbuch, ihr Französisch verbesserte sich rasch; das würde ihr im weiteren Verlauf der Reise noch nützlich sein. Der Gedanke machte sie froh, dass ihre Hand auf den Seiten lag, auf denen Valentinys Hand gelegen hatte, und sie war glücklich, nach einem langen Tag am Grand River die letzte Stunde vor dem Einschlafen in Paris zu verbringen. Susanna hatte die Empfindung, dass es Valentiny war, der sie durch die Stadt führte, und nicht Zola.

Auffällig war, dass von Tag zu Tag mehr Menschen an den Grand River kamen. Sie errichteten Zelte und Tipis im Umkreis des Blockhauses, andere reisten im Planwagen an. Es entstand eine Siedlung. Am Tag ihrer Ankunft hatte Susannas

Wagen weit draußen in der Prärie gestanden; nun war er mittendrin. Das Herz der Siedlung war das Blockhaus. Unablässig liefen Männer, Frauen und Kinder zum Haus des Chiefs und wieder fort; und weil sie alle dieselben Wege gingen, entstanden Trampelpfade im Präriegras.

Christie ritt nun täglich mit dem Kutschpferd aus. Manchmal nahm er die Pistole mit. Er hätte gern Kaninchen geschossen, aber er sah nie eines. Einmal stieß er am Ufer des Grand River auf eine Schwadron Kavalleristen, die gerade ihre Pferde tränkten. Er hatte Glück, sie lagen vor dem Wind. Sein Pferd witterte die Kavalleriepferde, aber diese seines nicht. Leise drehte er ab, bevor sie ihn bemerkten.

Susanna nahm ihre Malutensilien hervor und versuchte sich an einer Flusslandschaft. Bald standen Frauen und Kinder hinter ihr und schauten zu. Stundenlang schauten sie ihr zu, Susanna staunte über ihre Geduld. Sie dachte daran, die eine oder andere Frau zu porträtieren, ließ es dann aber bleiben. Hätte sie auch nur ein Porträt gemalt, hätte sie in der Folge wohl alle Frauen, Männer und Kinder der Siedlung porträtieren müssen und wäre bis ins nächste Jahr an den Grand River gebunden gewesen; womöglich hätte sie eine Warteliste führen müssen. Und je länger es gedauert hätte, desto schwieriger wäre es geworden, sich wieder davonzumachen.

Ab und zu trug Susanna nachts, wenn es dunkel und still war in der Siedlung, einen Sack Kartoffeln hinüber zum Blockhaus; manchmal auch Reis. Der Kontorist in Fort Yates hatte recht gehabt, ihre Vorräte waren unerschöpflich. Am nächsten Morgen war der Sack jeweils verschwunden, und am Mittag garten überall in der Siedlung Kartoffeln; manchmal auch Reis.

Der Sommer verging, die Winde drehten, allmählich wurde

es kühl. Und dann kam der Tag, an dem frühmorgens, als Susanna und Christie auf ihrer Picknickdecke saßen und frühstückten, Sitting Bull vor die Tür trat. Sie erkannten ihn in der Sekunde, ein Irrtum war ausgeschlossen. Der Chief stand da in Ehrfurcht gebietender Schlichtheit. Er war barfuß und hatte eine Wolldecke über die nackten Schultern geworfen, und er schaute hinaus in die Prärie, hinauf in den Himmel und hinüber zum Planwagen. Susanna fand, dass er mitgenommen aussah; vermutlich war er tatsächlich krank gewesen. Sie stieß Christie an, rappelte sich auf und hob grüßend die Hand. Der Chief hob ebenfalls die Hand. Dann lachte er und winkte scherzhaft mit allen fünf Fingern wie ein Mädchen, machte auf dem Absatz kehrt und ging zurück ins Haus.

»Heute kommt er rüber«, sagte Susanna. »Heute kommt er ganz bestimmt. Geh und nimm ein Bad. Ich räume schon mal den Kram hier weg. Heute kommt er endlich. Wasch dir das Haar und putz dir die Nägel. Dieser verdammte Wind die ganze Zeit, man kriegt hier doch überhaupt nichts sauber. Wo ist der Besen – wo ist verdammt noch mal der Besen! Na geh schon. Und vergiss deine Ohren nicht!«

Als Christie geputzt und gestriegelt wiederkehrte, ging auch Susanna an den Fluss und unterzog sich einer gründlichen Reinigung. Und dann warteten sie. Sie warteten den ganzen Tag. Sie spielten Schach und warteten, und sie lasen in ihren Büchern und warteten. Sie legten sich auf die Wolldecke und hielten Mittagsschlaf, dann striegelten sie die Pferde und warteten. Sie gingen Holz sammeln und warteten, rüsteten Gemüse fürs Abendessen und warteten, hängten den Kochtopf mit den Kartoffeln übers Feuer und warteten. Als die Kartoffeln gar waren, aßen sie. Und dann warteten sie nur noch.

Er kam bei Sonnenuntergang, und er hatte Crow Foot an seiner Seite. Er ging leichtfüßig wie ein junger Mann, und er schien munter irgendetwas zu erzählen und rieb sich dabei unbefangen den Nacken.

Und dann standen sie vor ihnen. Susanna sah seine schwarzen Augen. Und er sah wohl ihre Augen.

»Guten Abend, Madam«, sagte Crow Foot. »Grüß dich, Christie.«

Sie setzten sich nah ans Feuer, es war schon herbstlich kühl. Susanna servierte Tee. Die Jungen sprachen über Pferde. Der Chief saß da und lauschte. Susanna reichte ihm Marshmallows. Er dankte und griff zu.

Nachdem die Sonne untergegangen war, drang Lärm vom Blockhaus herüber. Auf dem Vorplatz waren Kinder, so viele wie noch nie. Sie stellten sich im Kreis auf. In der Mitte stand wiederum Kicking Bear und breitete die Arme aus.

»Die Kinder wollen wieder tanzen«, sagte Crow Foot.

»Sie tanzen viel in letzter Zeit«, sagte Susanna. »Und immer ist Kicking Bear dabei. Der Mann tanzt besonders gern mit Kindern, wie mir scheint.«

»Kicking Bear tanzt mit allen. Er wünscht sich, dass wir alle seinen Tanz tanzen.«

»Den Geistertanz.«

»Du magst ihn nicht.«

»Ich finde, er sollte zumindest die Kinder in Ruhe lassen.«

»Sie haben Spaß mit ihm.«

»Das ist kein Spaß«, sagte Susanna. »Der Tanz ist eine ernste Sache. Die Kinder spielen den Ernst der Erwachsenen.«

Da beugte Sitting Bull sich zu seinem Sohn hinüber und murmelte etwas.

»Mein Vater sagt, ein Tanz ist nur ein Tanz.«

»Die Soldaten nehmen ihn ernst. Sehr ernst.«

»Ach, die Soldaten«, sagte Crow Foot.

Sitting Bull murmelte wieder etwas.

»Mein Vater sagt, die Soldaten fürchten den Tanz, weil sie ihn nicht verstehen. Wir alle fürchten uns vor Dingen, die wir nicht verstehen.«

»Ich fürchte die Gewehre«, sagte Susanna. »Und die verstehe ich ganz gut. Bei Gewehren kommen vorne Kugeln raus, und die können töten. Die Soldaten haben Gewehre, und sie sind zahlreich. Und es kommen täglich mehr. Heute tanzen nur die Kinder. Was ist, wenn morgen die Krieger tanzen?«

»Solange sie tanzen, sind sie keine Krieger.«

»Aber sie singen Lieder. Und Kicking Bear predigt gefährlichen Unfug.«

»Na ja«, sagte Crow Foot.

»Die kugelsicheren Hemden, die Rückkehr der Bisons – ist das etwa kein Unfug? Die große Welle, die alle Weißen fortschwemmt – glaubt dein Vater daran?«

Da hob Sitting Bull die Hand wie ein Schüler, der sich in der Klasse zu Wort meldet. Susanna widerstand der Regung, ihn aufzurufen. Der Chief hob zu einer Rede an. Er sprach leise und ruhig in freundlichem Ton. Nachdem er geendet hatte, herrschte Schweigen.

Schließlich sagte Christie:

»Was hat er gesagt?«

»Mein Vater sagt Folgendes«, sagte Crow Foot. Als er weitersprach, war seine Stimme eine halbe Oktave tiefer und klang wie die seines Vaters. »Selbstverständlich ist das Quatsch, was Kicking Bear den Leuten erzählt. Aber er erzählt ihnen, was sie hören wollen in ihrer Not. Wenn es sie tröstet, ist es doch gut. Dann sollen sie eben tanzen. Wer bin ich, es ihnen zu verbieten?

Übrigens sind meine Leute es gewohnt, dass man ihnen Quatsch erzählt. Sie sind Experten im Anhören von Quatsch. Seit hundert und hundert Jahren ziehen Weiße Männer durch die Prärie und erzählen uns Quatsch. Sie erzählen uns, dass man aus Steinen Brot machen kann und aus Wasser Wein. Oder dass ein Mädchen, auch wenn es nie bei einem Mann war, trotzdem ein Kind bekommen kann. Ist das etwa kein Quatsch?«

An dieser Stelle kicherte Sitting Bull. Sein Sohn kicherte mit ihm.

»Wir sollen euch glauben«, fuhr Crow Foot mit tiefer Stimme fort, »dass am Jüngsten Tag alle verrotteten Leichen jung, frisch und lebendig aus dem Boden steigen. Jedes Kind weiß, dass das Quatsch ist. Wir aber sollen dran glauben, sonst gebt ihr uns keine Kleider und nichts zu essen in dem Gefängnis, in das ihr uns gesperrt habt. Wenn aber Kicking Bear dasselbe erzählt, hetzt ihr eure Soldaten auf uns.«

»Na ja«, sagte Susanna. »Das ist nun wirklich ...«

»Wir sollen euch glauben, dass ein einzelner Mann in sieben Tagen die Welt erschuf, ist das etwa kein Quatsch? Und dass in Rom ein Mann in einem großen Haus aus Stein wohnt, der als Einziger auf der Welt einen direkten Telegrafendraht zum Weltenschöpfer hat – verlangt ihr wirklich, dass wir das glauben? Glaubt ihr selbst daran?«

»Aber nein«, antwortete Susanna.

»Nun wollen meine Leute also glauben, dass durch ihren Tanz die toten Büffel wiederkehren. Und sie warten auf den Messias, genau wie ihr – nur dass Kicking Bears Messias nicht irgendwann, sondern nächste Woche wiederkehrt.«

»Und wenn nicht?«

»Dann eben übernächste Woche und immer so weiter.

Unsere Religion ist genau wie eure aus der Not seines Volkes geboren, und das Paradies ist die Spiegelung dieser Nöte. Deshalb glaubt ihr an euren Garten Eden, die Mauren haben ihre zweiundsiebzig Jungfrauen, und wir glauben an die Wiederkehr unserer Büffel. Was ist falsch daran?«

»Aber die Soldaten sind wirklich«, sagte Susanna. »An die muss ich nicht glauben. Ich habe sie gesehen. Und ihre Gewehre. Und die Hotchkiss-Kanonen. Siebenunddreißig Millimeter, sechzig Schuss pro Minute.«

»Du kennst dich aus.«

»Ich habe einen Freund«, sagte Susanna. »Captain Sully.«

»Ach so«, sagte Sitting Bull. »Der Captain.«

In den folgenden Tagen herrschte summende Aufregung in der Siedlung. Kicking Bear hatte zu einem großen Geistertanz gerufen, aus allen Himmelsrichtungen strömten immer noch mehr Menschen herbei. Die Frauen stickten Geisterhemden und nähten Hosen für die Auferstandenen, die Männer ritten durch die Prärie nach Selfridge, Cannon Ball und Standig Rock, um mit allem Geld, das sie noch hatten, möglichst viel Baumwollstoff zu kaufen.

Und immer wehte dieser Wind.

Eines Morgens kam Crow Foot zu Christie und bot ihm an, ihn auf der Kaninchenjagd zu begleiten. Er ritt ein flinkes, geschecktes Pony, Christies Kutschpferd wirkte daneben wie ein Elefant. Zu Christies Erstaunen war die Prärie nun voller Kaninchen. Er schoss ein paarmal daneben, aber dann traf er eines. Er stieg ab, hob seine Beute auf und wunderte sich, wie wenig Freude er über das tote Tier empfand. Er reichte die Pistole Crow Foot, der noch ein zweites Kaninchen schoss und die beiden an den Hinterläufen zusammenband. Auf dem

Rückweg fragte Crow Foot Christie umständlich, ob seine Mutter eventuell, wenn sie mal eine Minute Zeit fände, im Planwagen Nachschau halten könnte, ob sie fürs Wochenende möglicherweise ein paar Säcke Kartoffeln und Reis erübrigen könnte; drei oder vier vielleicht, oder auch sechs oder acht, wenn es keine Umstände mache.

»Na gut«, sagte Susanna, als Christie ihr die Bitte überbrachte. »Da ist wohl nichts mehr zu machen. Dann spann mal die Pferde an.«

Sie fuhren mit dem Planwagen zwischen den Tipis hindurch zum Blockhaus. Crow Foot kam heraus.

»Okay, Jungs«, sagte Susanna. »Jetzt ladet alles ab.«

»Alles?«

»Alles.«

Und so machten Christie und Crow Foot sich ans Werk und luden alles ab. Sie luden Säcke voller Kartoffeln, Reis, Weizenmehl und Mais ab, dazu Dosenfleisch, Dosenpfirsiche und Apfelmus in Dosen, dann auch Zucker und Salz, Tee und Kaffee, Kekse und Marshmallows und einige andere Dinge mehr. Und als sie damit fertig waren und der Wagen leer war bis auf die Reisekoffer und das Reisegeschirr, sagte Susanna:

»Habt ihr alles? Gut. Und jetzt, junger Mann, holst du mir bitte deinen Vater. Ich will mit ihm sprechen. Nein, jetzt. Bitte. Es dauert nicht lange.«

Da ging die Tür auf, und Sitting Bull trat heraus. Er warf einen Blick auf die lange Reihe von Säcken, dann sagte er auf Englisch: »Danke, Susanna. Ich danke dir vielmals. Du bist meine Schwester.« Danach sprach er wieder Lakota, und sein Sohn übersetzte.

»Ich höre dir zu«, sagte der Chief. »Was willst du mir sagen?«

»Ich habe gesehen, dass deine Leute schwer bei der Arbeit sind. Sie räumen unten am Fluss ein großes Feld frei.«

»Die Steine und das Dornengebüsch müssen weg. Es wird ein großes Fest. Wir werden dort viele Feste feiern.«

»Das würde ich gerne für euch hoffen.«

»Die Leute freuen sich darauf.«

»Kicking Bear rennt umher und versetzt alle in Aufregung.«

»Du magst ihn nicht.«

»Ich habe gesehen, wie er ganz allein draußen in der Prärie steht und die Eidechsen anbrüllt. Der Mann ist gefährlich. Er fuchtelt rum und brüllt Eidechsen an.«

»Er übt seine Rede. Das wird sein großer Tag. Er wird vor tausend Leuten sprechen.«

»Ist das unabwendbar? Alles entschieden?«

»Die Leute kommen von weit her. Sie wollen tanzen. Ich kann sie nicht wegschicken. Und ich will es auch nicht tun.«

»Du weißt, dass die Soldaten da sind.«

»Natürlich.«

»Sie halten sich versteckt. Aber sie sind überall.«

»Ach, die Soldaten. Sie denken, sie sind unsichtbar. Dabei können wir sie schon sehen, wenn sie in Washington in den Zug steigen. Wir hören, riechen und fühlen sie, wo immer sie sind. Die ganze Zeit.«

»Die Soldaten haben Angst«, sagte Susanna. »Wenn ihr weiter tanzt, werden sie kommen.«

»Wahrscheinlich.«

»Eure Geisterhemden werden die Kugeln nicht abhalten.«

»Ich weiß.«

»Und eure Toten werden nicht auferstehen, auch wenn ihr noch so lange tanzt. Ihr braucht für sie keine Hosen zu nähen.«

»Ich weiß.«

»Es wäre klüger, das Geld zu sparen. Bald kommt ein strenger Winter.«

Sitting Bull zuckte mit den Schultern. Dann schaute er prüfend zum Himmel hoch. »Ich fürchte, es zieht ein Unwetter auf.«

»Sieht so aus.«

»Aber es wird wieder nicht regnen. Es hat schon lange nicht mehr geregnet. Da kann man nichts machen.«

Der Chief drehte sich grußlos um und griff nach der Tür, aber Susanna rief ihn zurück. Sie wandte sich nach Christie um und sagte:

»Holst du bitte das Bild?«

Christie stieg in den Planwagen und kam mit der Holzkiste hervor. Susanna öffnete die Verschlüsse, zog das Porträt heraus und überreichte es dem Chief. Er nahm das Bild in die Hände und betrachtete es. Dann lehnte er es behutsam an die Hauswand und betrachtete es weiter. Er rieb sich das Kinn, runzelte die Stirn und schüttelte den Kopf. Schließlich stellte er sich im Halbprofil neben das Bild in exakt derselben Pose, die er in Montreal für den Fotografen eingenommen hatte, und dazu hielt er sich ein eingebildetes Gewehr vor die Brust und zog dieselbe steinerne Miene, die er damals vor der Kamera so unerträglich lange hatte beibehalten müssen.

Christie musste lachen, Crow Foot lachte auch. Dann musste auch Susanna lachen und dann auch der Chief. Er lockerte Arme und Beine, als müsste er das hohle Pathos und die gestelzte Würde aus seinen Gliedern schütteln. Dann wandte er sich Susanna zu, legte die rechte Hand aufs Herz und bedankte sich in ernsten und aufrichtigen Worten, die sein Sohn nicht zu übersetzen brauchte.

Susanna nickte und legte nun ebenfalls die Hand aufs Herz. Sie wusste, dass sie den Chief und dessen Sohn nicht wiedersehen würde.

»Lass uns gehen, Christie«, sagte sie. »Na komm, steig auf. Wir müssen Captain Sully den Wagen zurückbringen.«